hou van me

VERTAALD DOOR
MARJA BORG

ANTHOS | AMSTERDAM

ISBN 978 90 414 1460 1

Oorspronkelijke titel *Love me*
Oorspronkelijke uitgever Chatto & Windus
Omslagontwerp Roald Triebels, Amsterdam
Omslagillustratie © Dex Image/Corbis
Foto auteur Rebecca Lewis

Verspreiding voor België:
Veen Bosch & Keuning uitgevers n.v., Wommelgem

Isaiah!

juni

hartspier.

Daar staat hij.

Daar – glinsterend als een zilveren munt tussen het kopergeld.

Hij doet meer pijn dan een klap in het gezicht.

Wat een lekker hapje. Wat een drug. God sta me bij. Hij weet me naar zich toe te lokken zoals een crackdealer stinkende, doorgedraaide types lokt. Ik word fijngeknepen door liefde en ik zweet als een hardloper, ik ben buiten adem, en mijn borstkas is een grot vol vleermuizen.

Het is een van die klamme zomeravonden in Londen, roodgekleurd door de luchtvervuiling en overspoeld door weekendzuipers. Neonlicht knalt op het trottoir. De meisjes gaan uit in hun fladderjurkjes en knellende schoenen, en de jongens met gel in hun haar en te veel drank op lopen de straat op en neer, in hordes die om aandacht schreeuwen. En ik wou dat ik verliefd was op een van die simpele doorsneejongens. Die warboel zou makkelijk te ontrafelen zijn, anders dan dit met Zed, dat in mijn botten is gesijpeld. Daar van afkomen is net zoiets als een moddervlek proberen weg te poetsen met roet.

Moet je hem nou eens zien. Een man met stijl: smetteloze huid, klassieke kaaklijn en de letter 'Z' op zijn linkerbovenarm getatoeëerd. Hij staat aan de overkant van de straat in zijn mobieltje te praten en rookt ondertussen een sigaret, op de gladde manier waarop hij alles doet. Zed. Zo noemt hij zichzelf, en ik vraag me af met wie hij belt, want de laatste tijd laat hij mijn telefoontjes overgaan tot de piep.

Weet je, je eerste liefde zou eigenlijk niet zo hevig mogen zijn. Hij zou niet mogen aanvoelen als een vuist die tot in lengte van dagen je hartspier omklemt. Je zou moeten kunnen lachen om foto's van hem en hem alleen nog ter sprake moeten brengen als teken van hoe ver je inmiddels bent gekomen. Je zou zonder ook maar de minste wroeging tegen je vrienden moeten kunnen zeggen: 'Als ik hem nu zou tegenkomen, zou ik hem niet eens meer begroeten.'

Daar zou hij te stom voor zijn, te lelijk, te zweterig, te mager, te dik... nou ja, in elk geval iets waar je als volwassen vrouw met bepaalde eisen geen genoegen meer mee zou nemen. Het is al tien jaar geleden. Een eerste liefde zou de ziel niet zo mogen dichtstoppen. Ik geloof dat ik niet eens wist hoe zwaar ik het te pakken had tot hij weer in mijn leven verscheen.

drie maanden en eindeloos.

Het was rond de tijd dat de bomen hun voorjaarsbetovering terugkregen. Zed stuurde me een mailtje en het was alsof de bliksem insloeg. Hij had in geen jaren wat van zich laten horen en opeens zei hij het onvoorstelbare:

Ha, schreef hij in koninklijk blauw, Times New Roman. *Alles goed, Brit girl? Ik heb besloten om zonnig Atlanta te verlaten en naar Londen te komen...*

Ik moest die zin twee keer lezen. Londen. Drie keer. Wát had hij besloten?

Met mijn crew kom ik nu niet verder en volgens mij voel ik ons materiaal niet eens. Plus dat mijn moeder druk uitoefent. Ze wil dat ik een pak aantrek en het bedrijfsleven in ga, de heks. Zoals je waarschijnlijk wel weet, zal dat nooit gebeuren. Dus reis ik volgende week voor een tijdje af naar Engeland om aan wat tracks te werken met een producer daar, King Scratch – ken je die?

Nee, die kende ik niet. Ik kon me niet verroeren. Mijn vingers lagen zweterig op de toetsen.

Hoe dan ook, schrijf me terug als je tijd hebt, laat me weten waar je uithangt, wat je doet. Tot volgende week.

Volgende week. Hij liet die woorden vallen alsof we elkaar regelmatig zagen, alsof het niet al bijna tien jaar geleden was dat ik hem had gezien. Ik knipperde met mijn ogen naar het scherm en las de mail nog een keer. Al heel lang beschouwde ik mijn wereld als saai en ondoordringbaar, de opwinding van mijn studententijd een verre herinnering, alleen nog het dagelijkse ondergrondse forenzen, en de verveling, en de regen en het marktonderzoekbaantje en af en toe een vage scharrel. Melkwegstelsels verwijderd van New York en mijn puberale *summer of love*. Ik was ervan overtuigd dat alleen magie me hier nog uit zou kunnen halen.

Maar daar stond ik dan, de woensdag erop, gespannen en ongelovig in de aankomsthal van Heathrow Airport, waar ik me afvroeg of ik hem nog wel zou herkennen en of hij misschien gekrompen zou zijn, zoals ook altijd gebeurt met plekken uit je jeugd.

Maar precies het tegenovergestelde was gebeurd.

O. O. O. Mijn hart stamelde. Hij was een superheld geworden. Gespierd, ondoorgrondelijk, en zo lang! En hij had al zijn haar afgeschoren, al die mooie vlechtjes. Het was alsof ik werd overreden door een monstertruck, een bijna dodelijk brouwsel van oude liefde en nieuwe lust. Mijn eigen zielige spiertjes krulden zich helemaal op, strak en pijnlijk, alsof er nooit zoiets als yoga was uitgevonden. Het was zo fijn om hem te zien dat ik meteen wenste dat hij niet was gekomen.

'Wauw,' zei hij toen hij voor me stond en zijn ogen over mijn niet geringe rondingen gleden. 'Ze is groot geworden, hè?'

Mijn kus op zijn wang was onhandig. Ik probeerde zijn tas over te nemen, maar hij lachte. Ik vond het ongelooflijk hoe wit zijn tanden waren, hoe diepbruin zijn huid. Ik kon me niet meer herinneren wat ik allemaal had gedaan sinds ik hem voor het laatst had gezien. De tien jaar die achter me lag, was een gapend gat.

We zaten knie aan knie in de trein naar het centrum. Ik verbaasd, hij ontspannen kletsend over ditjes en datjes. Hij hield het luchtig, vermeed behendig de grotere levensvragen. Ik vergaapte me aan de veranderingen in hem, aan het zelfvertrouwen dat zich soepeltjes had genesteld in zijn houding en in zijn manier van bewegen; het had alle gaten opgevuld en elk spoortje van kwetsbaarheid uitgewist. Ik was met stomheid geslagen, van verdriet en bewondering.

Nu, drie maanden en eindeloze dagdromen later, leunt hij tegen de muur van de club. Kijkt op zijn horloge, krabt aan zijn gezicht. Ik ga hem gewoon op de man af zeggen: Zed, laten we ophouden met deze stomme spelletjes en...

Maar wacht even.

Wie de fuck is die mysterieuze blondine?

zelfmoordhakken.

Nee!

Als verlamd blijf ik op de stoeprand staan. Het enige wat ik in de schemering kan zien zijn kilometers geel haar en twee witte armen die zich als een klimplant om Zed heen slingeren, en ik geloof dat ik ga kotsen. Hij lacht om iets wat ze zegt. Dat irriteert me. Ik wil dat hij op die manier om mij lacht, met kuiltjes in zijn wangen en samengeknepen ogen. Hij kijkt naar de overkant van de straat, maar ziet me niet, waarschijnlijk omdat Blondie in de weg staat.

Ik heb me hiernaartoe gehaast, met een hart dat gilde: 'Ik kom te laat! Ik kom te laat!', rennend om bussen te halen, vanaf drukke perrons metro's in duikend vlak voordat de deuren dichtschoven. De hele dag heb ik geen hap door mijn keel kunnen krijgen van de zenuwen, en toen ik het toch probeerde, ging het erin als koek. En daardoor voel ik me behoorlijk beroerd, en dus is het geloof ik niet overdreven als ik zeg dat ik zoveel van hem hou dat ik er niet goed van word.

En dat allemaal zodat hij daar een beetje met een of ander blondje kan gaan staan?

Val kapot. Ik ga naar huis.

'Eden!' krijst de bimbo.

Dit kan niet waar zijn. Dat kan gewoon niet. Maar het is wel waar. Zelfs van deze afstand herken ik dat babygezicht en die hese stem uit duizenden. Het is die verdomde trut van mijn werk.

'Hé!' Ze staat naar me te zwaaien als een op hol geslagen verkeersagent. Alsof ik doof ben of zo. 'Kom, schat! Wat doe je nou?'

'Max?'

En nu kan ik niet meer naar huis gaan, want ze hebben me gezien. Dus steek ik de straat over en word bijna overhoop gereden door een klootzak in een BMW die zo hard toetert dat ik haast een hartaanval krijg. Even lijkt alles stil te staan en het enige waar ik aan kan denken is mijn bloed dat een dikke plas vormt op het glinsterende zwarte wegdek. Ik probeer me voor te stellen hoe het is om zo groot te zijn, zo dood, in plaats van dit kleine menselijke hoopje liefde en littekenweefsel, en ik wil niet echt dood, maar soms wil ik gewoon ontsnappen uit mijn huid. Hem verfrommelen en in de was gooien of zoiets. Snap je?

'Je ziet er fuckin' fantastisch uit, schat!' zegt Max. Ze omhelst me stevig en laat dan haar blik over mijn mini-jurkje glijden. 'En ze heeft benen! Niet te geloven gewoon!'

'Dank je,' zeg ik met droge mond.

Ze pakt mijn hand en neemt me mee naar Zed. 'Kijk eens wie we hier hebben! Ze heeft zich bijna laten doodrijden voor jou! Je was er bijna geweest, hè Eden?' zegt ze met een lach die als een te harde kneep in een kinderwangetje is.

'Was het maar waar,' mompel ik. Maar ze is alweer weg gerend naar haar volgende slachtoffer. Ik wil dood. Ik probeer het uit in mijn hoofd. Zed. Valt. Op. Blanke. Meisjes. Wie had dat ooit kunnen denken? Zed die voor doorsneepunani gaat. Billboardpunani. Pornobladenpunani. Magere, blonde punani. Dus dat is zijn ding tegenwoordig.

Eindelijk kijk ik hem aan, maar zijn gezicht geeft niets prijs. Zelfs geen verdwaalde stoppels of puistjes.

'Hey,' begroet ik hem. Zijn ogen hebben de kleur van Pepsi met ijs. Glanzende wenkbrauwen, volle lippen.

'Ha,' zegt hij tegen me, terwijl hij Max nakijkt die op haar zelfmoordhakken de straat door kleppert. Ik bevries. Ik zou haar binnen een minuut in elkaar kunnen slaan, zelfs al zou ik geen benen hebben en een blinddoek dragen. Met slikken zou ik nog meer calorieën verbranden. Maar ik moet niet op de zaken vooruitlopen. Misschien is dit niet... dat.

Ik loop naar hem toe om hem te omhelzen en zie nu pas dat zijn linkerarm in een mitella zit. Op zijn schouder zitten blauwe plekken en schaafwonden, hij staat wat minder rechtop dan anders en zijn gezicht lijkt somber. 'Shit! Hoe komt dat, Zed?'

Schouderophalend omhelst hij me even met zijn andere arm. 'Ach, gewoon een ongelukje. Alles goed?'

Ik maak me los van zijn sterke lijf en sla zijn geur op in mijn geheugen. Zout, rook en muskus. 'Met mij gaat het goed,' zeg ik. 'Ik wou dat ik dat van jou ook kon zeggen. Jezus, man.'

'Wat de fuck heb je met je haar gedaan?'

'Geen idee. Ik werd wakker en toen was het rood. Een wonder gewoon...'

'Ja ja.' Hij lacht, zonder iets over mijn jurkje te zeggen of er zelfs maar naar te kijken.

'Het was zeker met die klotemotor van je, hè?'

Zed zucht. 'Een of andere eikel knalde tegen me aan. Hij reed gewoon door. En natuurlijk ben ik niet verzekerd.' Hij schudt zijn hoofd. 'Die motor was wel niet duur, maar toch...'

'Ik heb het je verdomme nog zo gezegd!' zeg ik, terwijl er allerlei beelden door mijn hoofd flitsen. De motor de ene kant uit, Zed de andere. De zon die zijn stralen op de botsing werpt, de helm gekraakt als een noot, Zeds mooie gezicht kapot. Bij het idee alleen al krijg ik de zenuwen. 'Ik snap sowieso niet waarom je hem hebt gekocht.'

'Ach,' zegt hij. Ik kijk naar zijn profiel, maar hij gunt me niet het genot van zijn Pepsi-kleurige ogen. 'Dat doet er nou ook niet meer toe.'

'Natuurlijk wel, verdomme! Was je erg gewond?'

'Niet meer dan normaal,' zegt hij met een scheef lachje, terwijl hij aan de zijkant van zijn hoofd krabt.

'Hoe bedoel je?'

'Ach, het stelt niks voor. Ik heb alleen een gewrichtsband in mijn been gescheurd. Mijn arm is niet gebroken, hij is zwaar gekneusd.'

Ik schud mijn hoofd, te verbijsterd om ook maar een woord

uit te brengen. Ik weet niet goed of mijn woede gericht is tegen hem of tegen die idioot die hem heeft aangereden. Gewoon doorgereden en hem laten liggen? Stel je voor dat hij daar had liggen doodgaan?

'Niet te geloven dat je me er niks over hebt verteld! Ben je naar het ziekenhuis geweest? Dan had ik met je mee kunnen gaan! Ik had op bezoek kunnen komen...'

'Het maakt niet uit. Max heeft me geholpen,' zegt hij. 'Maar genoeg over mij. Wat heb jij zoal gedaan?'

'Van alles. En dat had je kunnen weten als je mijn telefoontjes beantwoordde, Evil Knievel.'

'Sorry. Maar je weet hoe het gaat...'

'Ja,' zeg ik, kokend van woede. Ik kijk naar de grond, bang dat hij de junkieblik zal zien die ik altijd krijg zodra hij in de buurt is. Dankbaar lees ik de achterkant van een flyer die me in handen is gedrukt, hoewel ik net zo goed had kunnen proberen een stoelpoot te lezen. Ik geloof dat ik de titel voor mijn volgende kunstproject heb. Zed. Valt. Op. Blanke. Meisjes, zal ik het noemen. Ik kan hem met een naaldhak op een schoolbord schrijven. In morse. Echt heel erg hard krassen. Of ik zou hem op de achterkant van die stomme kop van hem kunnen schrijven.

Ik durf te wedden dat hij de stoere bink probeerde uit te hangen. Hij had bijna het loodje gelegd omdat hij de stoere bink probeerde uit te hangen voor háár.

'Waarom ben je eigenlijk zo laat?' vraagt hij.

'Wat?' Hoe kan ik nou laat zijn als je me niet eens hebt uitgenodigd? Maar dat zeg ik niet. 'Is het al begonnen dan?'

'Ik dacht alleen dat je, als je dan toch helemaal hierheen komt, je mijn nummers misschien ook wel had willen horen. Hoewel ik zo'n kritisch publiek als jij helemaal niet waardig ben. Maar ik ben een uur geleden al van het podium gekomen...'

'Zed! En je gaat niet nog een keer op?'

'Nee.'

'Heb ik weer. Niet te geloven gewoon. Voordat ik wegging, heb ik nog op de flyer gekeken hoe laat je op moest en ik dacht dat...'

'Grapje.'

'Wat?'

'Ik zat je gewoon te fokken.'

Ik sla hem zo hard als ik kan. Pas dan denk ik aan zijn ongeluk en ik zeg: 'O god, sorry!'

Maar hij lacht alleen. 'Zo sterk ben je nou ook weer niet.'

'Zal wel,' zeg ik, maar hij heeft gelijk. Ik ben niet sterk. Hij vertrok geen spier. 'Maar... wat doe je hier buiten? Moet je je niet voorbereiden op je set?'

Hij schudt zijn hoofd. De ergernis spat van zijn gezicht. 'De microfoons zijn er nog niet. Ongelooflijk. Die gast zegt dat hij onderweg is.'

'Maar het komt toch wel goed? Je gaat toch wel optreden?'

'Ja hoor. Ze wilden sowieso wachten tot de tent vol zat, en het publiek begint nu pas binnen te druppelen.'

Nerveus laat hij zijn tong langs zijn lippen gaan, en die op hol geslagen locomotief in mijn borstkas vermeerdert vaart en zoeft ratelend over de rails. De vonken vliegen ervanaf.

'Sinds wanneer rook je eigenlijk sigaretten?' flap ik eruit.

'Wat?'

'Ik vroeg: hoe zit dat met die kankerstokken? Dat is nieuw voor me.'

Hij speelt met zijn aansteker. 'Wat gaat jou dat aan? Ben je soms de minister van Volksgezondheid van Groot-Brittannië of zo?'

'Nee, ik verbaas me gewoon over al die nieuwe dingen die je de laatste tijd bedenkt om zo snel mogelijk het tijdelijke voor het eeuwige te kunnen verruilen!'

Hij niest en schuift de leren band om zijn arm goed. 'Eden...'

'Hé sexy!' Max is terug en neemt mijn gezicht tussen haar handen. 'Ik kan nog steeds niet geloven dat je er bent! Ik ben zo blij dat je bent gekomen.'

En ik wou dat ze haar bek hield. Dat ze helemaal ophield te bestaan. Ze heeft het ordinairste, meest goddeloze engelengezichtje dat er bestaat. En ze klinkt als een cockneyteef die al veertig peuken per dag rookt sinds Margaret Thatcher premier was. Hakken, armbanden, glittermake-up. Ze maakt zelfs nog lawaai als ze haar opgeblazen poppenmondje dicht heeft. Wat nooit gebeurt.

'Ik heb je nog proberen te bellen over deze gig!' gaat ze verder. 'Probeer je me verdomme te ontlopen of zo?'

'Nee.' Ja. Dus daar gingen die vijf voicemailtjes over. Maf idee. Ik was zo depri over Zed dat ik geen zin had om onzintelefoontjes die niet van hem waren te beantwoorden, en al die tijd probeerde ze mij uit te nodigen voor zijn optreden. Het is de wereld op zijn kop. En dat pakje Marlboro Light dat uit haar designertasje steekt is nog een reden om haar van het schoolbord te willen vegen. Wel erg toevallig, hè? Zed doet gewoonlijk aan wiet, niet aan chemicaliën.

'Zeg,' zeg ik, met strakke lippen en trillende stem. 'Heb ik soms iets gemist, jongens?'

Zed kijkt me vorsend aan, blaast lucht uit en kijkt met opgetrokken wenkbrauwen naar de grond. Max is zo blind dat ze het lef heeft om te gaan giechelen en zijn goede hand vast te pakken.

'Ik weet echt niet waar je het over hebt,' zegt ze op samenzweerderige toon. Terwijl ze naar me knipoogt. Ik doe mijn ogen dicht en even draait alles om me heen.

wacht –

Brooklyn, 23 mei

Cherry Pepper,
Ik heb gisteren gedroomd dat je op de bodem van een put zat en je met je nagels een weg naar boven probeerde te banen, als een knaagdiertje, in plaats van te klimmen zoals je had moeten doen. Dat je je krabbend een weg probeerde te banen door het beton! Dus dacht ik bij mezelf, met mijn hand op mijn heup, dus dacht ik: is dat nou mijn nichtje? Mijn kleine vechtjas die brulde als een opera toen ze werd geboren (en hoe je ons aankeek, zo verontwaardigd! Alsof we je midden in een belangrijk gesprek uit de wereld van de geesten hadden gerukt). Ik schreeuwde naar je. Ik vroeg: liefje, waar ga je naartoe? Dat soort praktijken levert niks op, behalve de dood! Je gaf geen antwoord. Ik weet niet of dat was omdat je me niet kon horen of omdat je deed alsof, maar wat voor blokkade er ook in je oren zat, mijn stem was als stof en je bleef maar graven. Jouw hoofd is altijd al harder dan een kalebas geweest.

Hoe dan ook, ik ontwaakte uit die droom met dorst en met een pen in de ene hand en een vel papier in de andere en naast me je moeder die tegen me zei dat ik moest zeggen dat je je niet zo moet opwinden. Terwijl ik dit schrijf, buigt ze zich voorover om de inkt droog te blazen. (Hoe vaak heb ik haar niet gezegd dat ik dat heel irritant vind!)

Ze zegt dat je frisse lucht moet binnenlaten, meisje. De luiken openzetten, de ramen opengooien, zodat de bries door het huis kan waaien en alle rotzooi van de schoorsteenmantel kan vegen. Je moet je hoofd altijd koel houden, hoor je me? Koel.

Ik wil dat je me alles vertelt over je jonge leventje, Cherry Pepper. Schrijf me bladzijden vol. Ik denk vaak aan je en vraag me dan af of je nog steeds foto's maakt, of je getrouwd bent, of je kinderen hebt. Heeft je vader je ooit meegesleept naar die kerk vol vrouwenhaters en klapvee van hem?

En weet je wat? In die droom had ik je moeten zeggen dat je rechtop moest gaan staan in die put, want ik durf te wedden dat je dan gewoon over de rand van dat stomme ding had kunnen kijken!

Ik hoop dat je op een goede dag terugkomt naar ons in Brooklyn, mijn schat. Misschien voor J'Ouvert?

Tot gauw,
Tante K.

schop.

Als ik mijn lichtbruine knikkers weer opendoe, lijken mijn kwelgeesten akelig fris, akelig schoon, terwijl ik hier sta in te storten. Ik ben een boerin. Ik doe een lastminute-check in mijn make-upspiegeltje en mijn gezicht lijkt precies op zo'n 'schop me'-tekst die ze op school op je rug plakken. Plus dat mijn oogschaduw duidelijk een vergissing is. Mocht je me op straat tegenkomen, geef me dan gewoon een doos Kleenex, geld voor een taxi en zeg dat ik meteen naar huis moet gaan en hiermee moet ophouden. Je mag me er zelfs die schop nog bij geven, mocht je daar zin in hebben, maar het zou weleens zinloos kunnen zijn, want ik lijk wel verliefd op pijn.

'Kappen met die bimbo-act, bitch!' zeg ik.

Maar Max denkt dat ik een grapje maakt, dus ze begint te lachen.

'Dave!' roept Zed, waarbij hij vol opluchting zijn hoofd schudt. 'Waar bleef je nou, man?'

Als ik omkijk, zie ik een geïrriteerd ventje staan met een ringetje door zijn neus en een tas vol apparatuur. De microfoons.

'Een drama,' zegt Dave alleen.

Zed mompelt wat tegen de uitsmijter en Dave rent de club in.

'Laten we naar binnen gaan,' zegt Zed.

'Ja, laten we dat doen,' zeg ik, met een lach op mijn gezicht die nog valser is dan een briefje van zes pond.

geld.

Niet te geloven dat het pas drie weken geleden is dat de volwassen Zed en ik elkaar bijna dagelijks zagen. Ik had mezelf tot zijn gids benoemd en dat was mijn excuus, maar in werkelijkheid was hij nog geen week in Londen of hij nam me al mee door straten waar ik nog nooit van had gehoord. Al snel veranderde ik van gids in spion. Ik wilde zijn raadsel ontsluieren, wilde weten hoe het kwam dat hij zo machtig en knisperend als geld was geworden.

'Die zijn echt verschrikkelijk,' zei ik toen hij een paar zwart met gouden Nikes pakte.

'Wat?'

'Die schoenen,' zei ik wat harder, kribbig zonder dat ik er wat aan kon doen, 'zijn zo patserig dat het gewoon belachelijk is. Daar ga je toch zeker niet in rondlopen?'

Een van de laatste winkels waar we samen waren voordat hij zo onbereikbaar werd, was een sneakerzaak in West End, felverlicht en barstensvol jongeren. Hij paste het allernieuwste model dat ze hadden en de manier waarop de zoom van zijn zorgvuldig gekoesterde jeans over het schone leer viel, was een lust voor het oog. Mijn digitale camera brandde in mijn jaszak, zachtjes zoemend. Mijn blauwmetalen schatje, mijn duurste bezit. Ik heb hem een jaar geleden als troostprijs voor mezelf gekocht, een prijs voor mijn mislukking. Maar dat weet die camera niet. Hij zit altijd vol levenslust, knipogend en blozend, en is bijna net zo verzot op Zed als ik. Ik had durven zweren dat hij beefde toen ik hem eindelijk uit zijn hoesje pakte en foto's begon te nemen van Zeds vingers, van zijn voeten en van de volmaakte haarlijn in zijn nek.

De camera negerend, zei hij: 'Zou jij je niet beter druk kunnen maken om je eigen schoenen, schat?'

'Mijn gympen zijn oud, meer niet. Maar die jij daar hebt zien er gewoon vers uit de doos uit.'

'Oud? Die All Star Chucks van jou hebben volgens mij de zondvloed nog meegemaakt!' Hij zweeg even, met een blik op de Nikes. 'Maar misschien heb je gelijk. Shit.'

Uiteindelijk nam hij effen grijze sportschoenen die, dat moet ik toegeven, perfect waren. Klik, klik. Het meisje achter de kassa flirtte met hem terwijl ze het bedrag aansloeg en probeerde hem – tevergeefs – bijpassende sokken en leerbeschermer aan te smeren. Hij gaf haar een creditcard en ik vroeg me onwillekeurig af of ik ooit in aanmerking zou komen om een creditcardaanvraag zelfs maar zonder handschoenen te mogen aanraken.

Uiteindelijk liepen we weer naar buiten, de zwoele, blauwige dag in, het zaterdagse gedrang van Oxford Street. Ik moest me met mijn ellebogen een weg banen tussen alle toeristen en budgetfashionista's door. Voor hem gingen ze wel aan de kant. Ik vroeg of hij soms Mozes was, en hij lachte, blind voor de vrouwen en mannen die mij een snelle blik toewierpen omdat ze op hem vielen. Ach, ze konden natuurlijk niet weten dat ik hem ook niet had.

We liepen het Plaza-winkelcentrum tegenover Wardour Street in om op de bovenverdieping wat te gaan eten. Ik bestelde gebraden kip met friet, hij een sandwich, en we gingen aan een van die witte tafeltjes zitten die waarschijnlijk in alle eettenten over de hele wereld staan.

'Niet te geloven dat je er zoveel voor hebt betaald,' zei ik toen we zaten. 'Voor dat geld had je denk ik wel vier paar gloednieuwe Chucks kunnen krijgen.'

'Dat had gekund,' reageerde hij, 'maar dat is jouw stijl, niet de mijne.'

'Hoezo? Niet chic genoeg voor je?'

'Dat zeg ik toch niet? Sinds wanneer ben je zo onzeker?'

'Onzeker?' Ik klakte met mijn tong, met het gevoel alsof ik een klap had gekregen. 'Wie is hier degene die er probeert uit te zien als de videoclip van een rapper? Alsjeblieft zeg.' Ik nam een hap kip.

'Ja, ik weet dat ik vergeleken met jou veel harder mijn best doe. Maar dat geldt waarschijnlijk voor de meeste mensen.'

'Eikel!'

'Je begon er zelf over.'

Ik wierp hem een dodelijke blik toe, maar voordat ik mezelf kon tegenhouden, ging mijn hand al naar mijn dikke, touwachtige haar en naar de uitgelubberde hals van mijn op een na favoriete T-shirt. 'Wat is er mis met hoe ik eruitzie?' vroeg ik, op een toon alsof het antwoord me niks kon schelen. Ik nam nog een hap kip.

'Kom op. Moet je jezelf nou eens zien...' zei hij, terwijl hij zijn slanke vingers over de scheuren in mijn spijkerbroek liet glijden. 'Moet je kijken. Waarom ben je zo bang om mooi te zijn? Met een trouwjurk aan zou je nog in een plas springen. Zo zit je nou eenmaal in elkaar.'

'Nou, ik ben in elk geval niet het wandelende cliché van een neger die helemaal idolaat is van merkkleding, zoals jij! Waar maak je je trouwens zo druk om? Heb je nog nooit een gescheurde spijkerbroek gezien?'

'Die is spijkerbroek is niet gescheurd, meisje.' Hij lachte. 'Die broek is levensmoe. Als spijkerbroekmishandeling strafbaar was, zou je allang achter de tralies zitten.'

'Nou, weet je wat? Misschien wil ik er wel helemaal niet uitzien als al die andere sletjes!' zei ik tegen hem, maar hij begon nog harder te lachen, recht in mijn gezicht. 'Je mag me vertellen wat ik moet aantrekken als jij degene bent die betaalt, oké? En je houdt je bek maar zolang...'

'Oké. Dan doe ik dat.'

'Wat?'

'Kom mee.' Resoluut veegde hij zijn gezicht en handen af met een servet. 'Ik zal één outfit voor je kopen. En bewaar de bon, dan kun je het terugbrengen als je het niet mooi vindt. Het geld mag je houden.'

'Meen je dat?' vroeg ik grijnzend. 'Ga je nu ook al kleren voor me kopen?'

'Nee, ik koop één outfit voor je.'

Ik keek hem onderzoekend aan en vroeg me af waarom hij dit deed. Bij het idee alleen al schoot ik meteen in de vecht/vlucht-respons. 'Waarom?'

'Omdat dat me leuk lijkt.'

'Waarom, Zed?'

'Omdat je er echt niet uitziet.'

'Rot op!'

'Maar je hebt het wel in je.'

'Wat precies?'

'Luister. Ja of nee?'

Ik knikte langzaam. Ik wilde weten wanneer hij me wel mooi zou vinden.

Zed lachte en trok even met zijn wenkbrauwen.

Een onbekende stem riep me vanaf de andere kant van het klapdeurtje. 'Ik moest van je vriend vragen of je al klaar bent. Hij wil het zien!'

Ik staarde in de spiegel naar mijn dikke benen en volle boezem, naar de taille die ik ineens had. Zo kon ik me echt niet vertonen. Zo kon ik zelfs haast niet in het pashokje blijven. Ik voelde me in het strakke blauwe jurkje dat ik van hem moest passen naakter dan in mijn beha en onderbroek. Er kwam een paradox bij me op. Ze willen je het liefst naakt, maar dan wel perfect. Hoe kunnen ze nou allebei tegelijk verwachten?

Weer vroeg ik me af waarom hij dit deed, en ineens werd ik kwaad.

'Eden?'

Jezus. Had die griet niets beters te doen? Vakken vullen of zo?

'Ja, ik kom zo.' Ik haalde diep adem en trok aan de dunne

zoom van de jurk. Toen ik het pashokje uit kwam, veranderde zijn houding van aanmatigend in geschokt, alsof hij wilde zeggen: ik vat spontaan vlam. Volgens mij wist hij eigenlijk niet eens wat voor rare dingen een stukje lycra met mijn lijf kon doen.

'Wat?' vroeg ik agressief, als een kind dat ruzie zoekt op de speelplaats.

Zijn blik gleed van de piekerige punten van mijn haar naar mijn blote, niet gepedicuurde teennagels. 'Wauw... Eden! Vind je hem mooi?'

'Ik geloof van wel.' Mijn gezicht was knalrood. Mijn handen jeukten om iedere vierkante centimeter van mijn blote en te veel benadrukte huid te bedekken. 'Wat vind jij?'

'Is dat een strikvraag?' De aanmatigende houding was weer terug. 'Verdomme, mens!'

'Nou... eh... dank je.'

'Neem je...'

'Ja, ik neem hem. Zeker weten.' Ik ging snel terug het pashokje in om mijn grote, voornamelijk vormloze kleren weer aan te trekken, maar de koop was gesloten en even later was mijn nieuwe jurkje al betaald en in een tas gestopt. De Arabische man die het geld aannam knipoogde naar ons en maakte met een zwaar accent grapjes over Zed die een outfit had gekocht voor zijn vrouwtje. Zed wees hem niet eens op zijn vergissing.

Ik had de smaak te pakken toen we terugliepen naar Oxford Circus. Omdat ik zulke totaal andere kleren had aangehad, vroeg ik me ineens af wie ik nog meer zou kunnen zijn. Aarzelend liep ik een paar filialen van grote winkelketens in om van mijn magere loontje armbanden, oorbellen en een skinnyjeans te kopen. Ik fantaseerde over hoe ik me zou voelen in mijn gepimpte kleren, met Zed aan mijn arm. Ik zou eindelijk eens iets aan mijn haar kunnen laten doen. Iedereen zou me mooi vinden. Ze zouden jaloers op ons zijn.

'Nou nog wat plastische chirurgie en dan kun je zo supermodel worden.'

Ik bleef staan en liet al mijn tassen op de grond vallen.

‘Wat nou?’ vroeg hij. ‘Dat was een grapje.’
Ik zei niks.
‘Jezus, het was maar een grapje.’

zout.

Als een mak schaap loop ik achter Zed en Max aan de club in, een strak gestileerde tent in oogverblindend wit met lage plafonds, verlichte vloeren en zitjes, ontworpen in slaapkamerstijl. Het wemelt er van de sierkussens, baldakijnen, bont en veren. Binnen is het geen graad koeler dan het buiten in de smerige zomerse straten was en zonder dat ik ook maar één danspasje heb gemaakt, loopt het zweet me al over de rug. Mijn afro krimpt met een snelheid die het waarschijnlijk maakt dat mijn hoofd ergens rond drie uur vannacht zal imploderen.

Het enige wat ik wil, is zo snel mogelijk naar huis gaan en tot diep in de zondag uitslapen met een dekbed over mijn hoofd, want ik weet honderd procent zeker dat deze avond me niks goeds kan brengen. Maar dat zou betekenen dat ik me gewonnen geef.

Max vraagt me wat ik wil drinken en als een robot antwoord ik: 'Rum-cola graag.'

Ik kijk Zed niet aan wanneer hij me voorstelt aan Lisa, een zwart meisje gehuld in twee meter lange haarextensions. Schokkend gewoon. Op haar schedel kun je zien waar echte krullen nephaar raken.

'Hoi,' zegt ze, met een scherpe blik op mij. Misschien ben ik op dit moment overgevoelig, maar ik zou durven zweren dat het dezelfde blik is waarmee mijn moeder op zondagavond altijd naar mijn haar keek voordat ze de kans had gehad om het te lijf te gaan met de steiltang. 'Alles goed?'

'Cool,' lieg ik. 'Dat haar van je,' zeg ik, 'dat is echt ongelooflijk.'

Wanneer het drankje komt, giet ik het zo snel achterover dat ik er eigenlijk draaierig van zou moeten worden, maar dat gebeurt niet. Ik word aan nog een paar mensen voorgesteld, maar ik vergeet hun namen meteen weer. Wanneer een meisje met een enthousiaste paardenstaart een rondje geeft, neem ik een rum-cola. En wanneer Twee Meter Extensions een rondje geeft, neem ik er nog een. De wereld begint te deinen, zich te verlengen en uit te rekken. Alle dingen die uitsteken vallen op: mijn hand op mijn blote bovenbeen, Max' rode mond en witte gezicht, mijn lege glas dat duizelt in de flitslichten.

Mijn lichaam drijft naar boven en mijn hoofd is een stuk steen.

'Hé Eden, wil je er nog een?'

'Ja lekker. Whisky-cola graag.'

Blondie drinkt even snel als ik, maar zij zit aan de wodka.

Wanneer Zed op moet, weet ik me met moeite een weg te banen naar het podium om bij hem in de buurt te komen, door een woud van zorgeloos zwiepende ledematen. De dj draait de muziek weg, en een heel kleine, tengere vrouw in het rood introduceert de volgende artiest. Ze zegt zijn naam. Ik grijp mijn glas stevig beet. Daar heb je hem, hij lijkt nog groter dan anders. Glanzend. Ik neem een slokje, blij met het brandende gevoel.

Zed rapt met zijn kin omhoog en zijn volle lippen in een flauwe grimas gekruld. Zijn flow is naadloos. Hij danst niet. Zijn ene hand zit in de mitella en met zijn andere houdt hij de microfoon losjes vast. Hij laat de ene scherp gebrachte punchline op de andere volgen, battle rhymes en boasts, vrouwen en geld. Hij heeft lenige lippen, een lenige tong en lenige hersens. Tussen de regels door is er haast geen tijd om adem te halen, er valt nauwelijks een verhaallijn te ontdekken en geen glimp van menselijkheid tussen alle scherpzinnigheid. Dit is hiphop voor ADHD-patiënten. Maar hij is er meesterlijk in. Moet je al die gezichten eens zien, al die deinende lichamen. Ze vinden hem geweldig, en ik haat ze allemaal omdat ze zich met hun gore blikken verlustigen aan zijn talent. Vooral Max. Tegen het einde van de twintig minuten durende set heeft ze een bezitterige grijns om haar mond, alsof dit hele optreden alleen maar voor haar plezier was.

Na een uitbundig applaus wenden alle aasgieren zich tot elkaar om te zeggen hoe ze het vonden, nog voordat hij helemaal uit beeld is verdwenen. Dat was goed, hè? Ja, niet slecht! Hij klinkt een beetje als Rakin, hè? Vind je? Ja, zeker weten! Nee, helemaal niet, man! Mankeert er soms wat aan je oren? Klinkt veel meer als...

Een vent met een scheve *newsboy* cap op zwaait zijn bier in het rond en gooit de helft ervan over mijn Chucks. 'Sorry!'

'Rot op!'

Max loopt naar de bar. Met gedreig, gevlei, gelieg en van het bier soppende voeten weet ik backstage te komen, waar Zed al op een houten stoel zit, met zijn hoofd in zijn hand en zijn bovenlichaam naakt en bezweet. Hij zit in de spotlight van het kale peertje aan het plafond.

'Zed.' Ik moet het twee keer zeggen voordat hij opkijkt. Zijn ogen zijn rood. Hij lijkt niet verbaasd me te zien. Ik pak mijn digitale camera uit mijn rugzakje en maak een paar foto's van hem, als herinnering.

'Hou op, Eden. Hou je daar dan nooit eens mee op?'

Ik stop de camera weg. Zeds irritatie windt me op. Meestal is hij hartstikke cool. Lacherig... gesloten. Ik voel me meteen week worden. Ik kan het niet over mijn hart verkrijgen om hem te plagen. Uiteindelijk zeg ik, terwijl ik mijn best moet doen om niet om te vallen: 'Dat was echt heel erg goed.'

'O ja? Nou, dat klinkt nogal raar uit jouw mond.'

'Niet waar.' Ik spreek rustig en langzaam zonder precies te weten waarom, alsof ik hem van een dakrand moet zien te praten. 'Je hebt overduidelijk talent. Iedereen vond het te gek en ze waren... Ze waren onder de indruk. Ik heb hun gezichten in de gaten gehouden.'

Hij knikt en glimlacht mat, terwijl hij een witte handdoek om zijn nek slaat.

'Vond je het zelf niet goed dan?' vraag ik.

'Het was wel oké,' zegt hij na een tijdje. Hij krabt aan zijn hoofd. 'Maar niet goed genoeg.'

'Hoe bedoel je? Ze vonden je te gek.'

Terwijl hij met de handdoek over zijn gezicht veegt, zegt hij: 'Geloof me. Het enige wat ze te gek vinden is mode, en mode is een beschilderde hoer die met iedereen het bed in duikt en alleen maar van zichzelf houdt.'

Omdat ik niet weet wat ik moet zeggen sta ik maar te staan, met wazige ogen van de alcohol en de hormonen. Ik dacht dat hij modegek was. Hij kijkt heel ernstig. Misschien is toch nog niet alles verloren. 'Zed...'

Maar voordat ik kan beginnen aan het toespraakje dat ik voor de spiegel in mijn slaapkamer heb geoefend, zegt hij dat hij even alleen wil zijn en me dadelijk wel weer in de zaal ziet. En dan komt Dave de technicus binnen.

Dus loop ik terug de zaal in, waar mijn zintuigen tot moes worden geslagen door de muziek en ik ga aan een tafeltje zitten met mijn whisky-cola. Ik volg hem met mijn blik wanneer hij tevoorschijn komt, met een gesloten gezicht en zonder ook maar iets van zijn levensangst te laten merken. Er komen mensen op hem af die hem op de rug kloppen en hem briefjes in de hand duwen. Het masker wordt weer opgezet, en ik vind het onverdraaglijk om te zien hoe hij met volle overgave toneelspeelt. Vrouwen duwen hem hun tieten in zijn gezicht en gooien hun haar naar achteren, totdat Max bij hem komt staan. Dat is het moment waarop ik weer meer aandacht aan mijn drankje ga schenken. Ze raakt hem aan alsof hij een net ontdekt land is. Ze hebben het gedaan. Het is overduidelijk dat ze het hebben gedaan.

Opeens dringt tot me door dat de hand op mijn dij niet meer die van mij is. Hij behoort toe aan die mafkees die me al probeert te versieren vanaf het moment dat ik hier binnenkwam. 'Adrian was het toch?'

'Ja, schat.'

En Zed is aan het dansen. Iedere beweging zit bomvol ironie. Hij speelt personages die hij nooit zelf is. Zijn mond staat open van het lachen, gelach dat ik niet kan horen door de harde muziek. Zijn gezicht en lichaam zeggen: kijk naar me (maar niet van al te dichtbij)!

'Gaat het?' vraagt Adrian.

'Ja hoor.'

Zed kan zelfs niet dansen zonder masker op! Hij loopt een beetje te geinen met Paardenstaart en Twee Meter Extensions en doet The Bump. Ze aanbidden hem.

Is dat het enige wat hij wil – aanbeden worden? Vindt hij dat fijner dan een echt mens zijn? Waar is de Zed van backstage gebleven? En hoe zit het met die zere arm van hem – doet die niet te veel pijn om te kunnen dansen? Misschien mag ik niet zo denken, maar ik vind hem leuker als zijn pijn zichtbaar is.

'Ik werk bij Sony Records,' zegt Adrian nat in mijn oor, zonder aanmoediging of nieuwsgierigheid van mijn kant. 'Ben je soms zangeres?'

'Nee, ik heb geen muzikaal gehoor.'

'Nou, je ziet er anders wel uit als een zangeres,' zegt hij met een gespeeld cockney-accent. 'Je bent bloedmooi. En je haar zit fantastisch.'

'Nou, dank je wel.' Ik praat nogal moeizaam. 'Maar ik moet er weer eens vandoor. Eh... Ik zie daar iemand die ik ken.'

Ik duw hem van me af en merk een paar grote, ongecontroleerde passen later dat ik op de dansvloer terecht ben gekomen. Ik voel mijn eigen benen nauwelijks nog en het halfduister draait om me heen. Ze draaien hiphop. De baslijn gaat rechtstreeks door de zolen van mijn All Stars.

Ik wil me verliezen tussen de beats, me met mijn ogen dicht verliezen in de melodieën. Niet meer hier zijn. De grond beweegt en ik voel me als een kind in de speeltuin, dat rondjes draait en draait totdat ze haar evenwicht verliest.

Max komt dichterbij met haar poppenmondje en haar minuscule outfit en begint te dansen als een stripteasedanseres. Niet op de maat. Wat is dat toch met blondjes en striptease? Ik lach sullig. Ik kan Max' adem op mijn gezicht voelen, ze probeert mee te rappen met de muziek, maar ze zit er helemaal naast. Ik beweeg me ook als een stripteasedanseres.

Ze begint te gieren van het lachen, ze houdt het niet meer. Ze steekt me aan en ik voel de lach door mijn hele lichaam trekken. We gillen het allebei uit. Max' haarspelden laten los, ze is bezweet en heeft een knalrode kop. Toch ziet ze er verdomme nog steeds perfect uit.

Ik struikel over mijn veters en het uitzicht is een zuiver wit plafond.

'Eden!'

Zeds gezicht is ineens zo groot! Nee, het is alleen maar dichtbij. Ik kan niet ophouden met lachen. Ik lig te schudden. Mijn buik doet pijn, mijn hoofd bonkt, ik krijg geen adem, maar ik kan niet ophouden met lachen. En ik weet dat ik ook niet kan opstaan.

Ik raak mijn maffe haar aan en lach. Ik denk aan mijn gympen en krijg buikpijn van het lachen. Ik denk aan deze man, zo dichtbij dat ik hem zou kunnen kussen, ik denk aan hoe eenzaam ik me voel. Dat is het: eenzaam! Ik denk aan het woord 'eenzaam' en lach zo hard dat ik bijna in mijn broek pis.

'Zed!' gil ik tegen hem, niet in staat om op te staan. Hij schuift een hand onder mijn linkeroksel en helpt me overeind. Ik val tegen hem en zijn naar Cool Water geurende lijf aan. Zie je wel? Hij is er altijd als ik hem nodig heb. Hij geeft om me. Zelfs met die zere arm van hem is hij nog bereid om me omhoog te hijsen.

De dj kondigt een laatste set van een akoestische act aan, Cody Chestnutt. Iedereen begint te joelen en te klappen. Ik probeer ook te klappen, maar ik sla mis.

En het probleem met alcohol is dat het na het verdwijnen van de eerste kick pas echt menens wordt.

Al willen je knieën je niet meer dragen en al vlieg je alle kanten uit als een plastic tasje op het parkeerterrein bij een supermarkt. Al is je hoofd tien keer zo zwaar als je lichaam en al blijf je doordrinken om alles tot stilstand te brengen, toch komt het hard aan...

Nee. De waarheid. Je zet jezelf publiekelijk voor lul. Je bent alleen. De waarheid is je gezicht in de spiegel, met gesmolten en uitgesmeerde ogen en lippen, terwijl onder de laag make-up op je huid alle oneffenheden weer tevoorschijn komen.

De waarheid is dat je het helemaal niet leuk hebt.

Ik was de dag zo verwachtingsvol begonnen, maar algauw moest ik me wankelend naar de wc haasten en hing ik kotsend boven een niet vaak genoeg gedesinfecteerde wc-pot. Plop. Plop. Plop. Plop. Mijn lichaam accepteert de troep niet die ik erin heb gegoten en heeft besloten in opstand te komen.

Max verschijnt ook weer in beeld, zoals altijd wanneer ze ongewenst is. Ze hangt om me heen en probeert mijn haar naar achteren te strijken. Hoe stom kan een mens zijn? Ik heb een afro!

De hele avond heeft hij continu aan haar gezeten. Waarom doet hij dat nou, terwijl hij toch moet weten wat ik voel voor –

'Gaat het weer een beetje?'

'Ja!' zeg ik tegen haar. 'Het gaat prima! Prima! Ga weg!'

Dan zegt mijn maag opnieuw krachtig 'nee'. En opnieuw en opnieuw...

En het beeld gaat op zwart.

grappig.

Ik klopte nog een keer. Twee weken geleden, na Zeds vernietigende oordeel over mijn gevoel voor mode en mijn aantrekkelijkheid in het algemeen, stond ik een ongewoon lange minuut voor zijn flat, terwijl er in mijn borstkas allemaal bommen afgingen. Tik tik boem. Tik tik... Geen reactie. Het was vijf voor halfvijf 's middags. Ik stond al drie kwartier buiten te wachten.

'Eden?' Dwayne, een vriend van me, stak zijn hoofd uit zijn autoraampje. Zijn blik kleefde aan mijn rug.

'Ja...' Ik keek even naar hem en toen weer de andere kant uit.

'Wat wil je doen? Ik denk niet dat hij nog komt.'

'Natuurlijk wel. Ik sta hier pas twintig minuten!'

'Je staat er al bijna een uur! Zullen we anders naar de bioscoop gaan?'

'Nee, Dwayne. Hij kan elk moment komen. Dat heb ik je toch gezegd.'

'Weet je zeker dat hij er nog aan denkt dat jullie vandaag hadden afgesproken?'

'Ja!' antwoordde ik. 'Als jij weg wilt, dan ga je maar. Ik wacht hier buiten wel. Maakt mij niet uit.'

Zelfs ik wist dat ik mezelf voor schut zette, ik was gewoon verspilde moeite in mijn dunne nieuwe topje. Op de voorkant stond:

– Hij die aarzelt, verliest –
Mae West

Ik had de tekst erop geschreven met textielverf en een lippenkwastje. Eronder droeg ik mijn minst afgeragde afgeknipte spijkerbroek en mijn schoonste paar Chucks, de groene. Ik had nieuw ondergoed aan. Ik had alle essentiële gebieden geschoren, mezelf geparfumeerd met vanille en jasmijn, mijn haar zo steil mogelijk geföhnd en naar achteren getrokken. Terwijl ik me optutte, vroeg ik me voortdurend af waarvoor ik het eigenlijk deed, maar ik wilde het antwoord niet horen. Ik had me door mijn vriend Dwayne naar Zeds huis laten rijden, kilometers om voor hem, en daarna had ik hem ook nog laten wachten omdat ik te vroeg was. Stomme zet.

'Nee, ik vind het niet erg. Ik blijf wel wachten. Voor het geval dat hij toch niet komt.'

'Hij komt heus wel.'

'Je kunt net zo goed weer in de auto komen zitten. Om die mooie benen van je wat rust te gunnen.'

Ik kromp ineen, maar deed toch wat hij voorstelde, aangespoord door de onvriendelijke blik van de vrouw die het huis naast dat van Zed in ging. Te weinig ruimte en zuurstof in de auto. Te veel geklets. Dwaynes aftershave en de luchtverfrisser in de auto vochten om voorrang. Ik vocht tegen mijn kotsneigingen. Ik bracht af en toe een ingeblikt lachje voort, hoewel zijn grapjes onbegrijpelijk waren en ik alleen maar het bloed achter mijn ogen kon horen, en de naam van mijn geliefde die maar bleef rondzoemen door mijn hoofd, en net toen al het geluid op het punt stond om oorverdovend –

Was hij er. Hij kwam brullend in beeld op een glanzend zwarte motor. Ik herkende hem zelfs met helm op. Hij stopte en stapte af.

'Zed,' riep ik zacht, mijn ogen dichtknijpend tegen de botergele zomergloed. Hij zette zijn helm af en liep naar de flat. Ik dacht er net op tijd aan om het portier niet blindelings open te gooien. 'Bedankt voor de lift, Dwayne...'

Maar nog voordat ik de kans kreeg om hem te vragen waar hij mee bezig was, was Dwayne al uit de auto gesprongen en versperde hij Zed de weg.

'*Yo! Wassup?*' riep hij.

'Eh...' Zed schrok zichtbaar. 'Eh. Cool. Wassup?'

'Cool, cool!' zei Dwayne.

Zed keek hem stomverbaasd aan en eindelijk zag hij mij zitten. 'Eden?'

Ik zwaaide mijn benen uit de auto, mijn dijen en handen klam van de hitte.

'Shit! We hadden vier uur afgesproken, hè? Sorry.'

Ik keek naar zijn mond. Ik was blijven steken bij hoe hij mijn naam uitsprak. Eden. Het klinkt anders als hij het zegt.

'Maakt niet uit,' mompelde ik. Ik schraapte mijn keel. 'Is al goed...'

'Wauw! Dat is een sexy geval!' riep Dwayne uit.

Ik liet mijn mobieltje uit mijn hand glippen en het viel in stukken op het beton.

'Wat is het? Een sportmotor?'

Ik vond de batterij terug op nog geen drie centimeter van Zeds volmaakte, grijze sportschoen. Hoewel de sneakers inmiddels een week oud waren, was er nog geen smetje te bekennen.

'Ja, een Honda CBR 1000.'

'Behoorlijk patserig, hè?

Ik kwam net op tijd weer overeind om Zed zijn schouders te zien ophalen, alsof hij wilde zeggen: whatever, maar Dwayne liet zich niet van de wijs brengen. 'Eerlijk gezegd heb ik niet zoveel met motoren, maar als dat wel zo was, dan zou ik liever een gewone hebben. Een grote ouwe Harley of zo. Race je ook?'

'Neuh...' Zed keek alsof hij elk moment in lachen kon uitbarsten. Dwayne is zo'n enigszins mollige gast die eruitziet alsof hij naar de dichtstbijzijnde goedkope, saaie kledingzaak gaat en dan alles koopt wat hij in de etalage ziet. Hij smijt met slangwoorden alsof hij er een cursus in heeft gevolgd. Op zijn tweedehands autootje heeft hij van die grote, glimmende racestrepen zitten. Hij is niet groot en niet klein, maar zo iemand die meteen klein lijkt zodra hij zijn mond opendoet. En naast Zed leek hij met de seconde verder te krimpen. Ik moest hem daar weghalen.

'Ik heb je trouwens een paar weken geleden zien spitten in de

Cargo. Na je optreden hebben we nog even gepraat,' zei hij.

De tijd kroop naar vijf uur.

'Ik was er met Eden,' vervolgde hij. 'Ik ben Dwayne...'

'Aha. Oké. Cool...' Zed knikte instemmend, maar het was duidelijk dat hij hem niet herkende. 'Dwayne. Leuk dat je er was.'

'Geen probleem, man. Ik ga tegenwoordig niet zo vaak meer op stap, weet je wel? Ik zit nou voor mijn master, maar vroeger trad ik ook weleens op hier en daar, weet je? Beetje dj'en. Verdiende goed, weet je. Maar jij moet er echt mee doorgaan, gap.' Dwayne knikte fanatiek, alsof hij een hiphopkenner was in plaats van een of andere malloot die waarschijnlijk dacht dat KRS-one een industrieel schoonmaakproduct was.

'Aha,' zei Zed, terwijl hij een hand over de diepglanzende zwarte lak van zijn nieuwe motor liet glijden. 'Oké.'

'Ja man,' voegde Dwayne er ten overvloede nog aan toe. 'Je moet er echt mee doorgaan, weet je.'

'Dat was ik ook van plan.'

'Cool.' En toen besloot Dwayne om zo'n eenarmige mannenomhelzing uit te proberen. Zed wist hem te ontwijken en schudde hem een beetje spottend de hand.

Ik had zin om tegen Dwayne te schreeuwen: Probeer dan op z'n minst te doen alsof je een bedreiging vormt, maar in plaats daarvan bleef ik gewoon staan, overbodig, opgelaten en boos naar mijn nagels starend. Ik zette mijn mobieltje weer aan.

'Zeg Eden...' zei Zed na een tijdje.

'Eh ja, laten we naar binnen gaan. Bedankt voor de lift, Dwayne. Ik zie je wel weer op het werk,' zei ik. Ik gaf de dombo een kuis kusje op zijn wang. Zich voortbewegend als een krab liep hij met tegenzin terug naar zijn Fiesta.

Ik keek pas weer naar Zed toen de auto zich in beweging zette, en ik zag dat hij zijn wijs- en middelvinger opstak naar Dwayne, achterstevoren. Het vredesteken. Nou ja, in Amerika betekent het dat.

Ik probeerde een opborrelend zenuwlachje in de kiem te smoren, maar er ging wat speeksel de verkeerde kant uit en ik verslikte me.

'Eden! Gaat het?'

'Ja hoor,' zei ik toen ik weer kon praten. Ik veegde mijn ogen en mond af. 'Prima.'

Ik bleef aarzelend naast zijn nieuwe motor staan. Hij was prachtig.

'Je mag hem wel aanraken, hoor,' zei hij. In zijn oor glinsterde een diamantje.

De motor was glad als water. Ik pakte mijn camera en maakte snel een paar foto's. Voor later. Mijn vingers gleden over de lange rondingen, nestelden zich in de inhammen en aarzelden bij het zadel en het stuur. Betekende dit dat hij hier bleef? In elk geval nog een tijdje? De implicaties van die gedachte maakten me in de war. Ik zag mijn onzekere blik weerspiegeld in de glimmende zwarte lak. Zed glimlachte toegeeflijk naar me, alsof ik een kind was of een excentriekeling, of allebei. Hij draaide zich om en liep naar de voordeur. 'Sorry dat ik je heb laten wachten,' zei hij.

'Je moest eens weten.'

'Hm?' Hij keek me afwezig aan, worstelde met zijn helm, handschoenen en tassen en zocht naar zijn sleutels. 'Wat zei je?'

'Het geeft niet, zo lang heb ik nou ook weer niet gewacht. Moet ik je soms helpen?'

Hij zei dat zijn sleutels in zijn spijkerbroek zaten, met een stem die zo dichtbij was dat ik de bastoon ervan tot in mijn slipje voelde. Ik graaide nerveus in zijn broekzak, tussen warme muntjes, een balpen en een vaag vochtige duisternis.

'Oké,' zei ik. 'Ik heb ze.' En toen, alleen maar om wat te kunnen zeggen, zei ik dat hij beter geen pennen in zijn broekzak kon stoppen in verband met eventuele lekkages. En hij zei: 'Juist...' en toen kon ik niet echt meer iets zeggen, want de zijkanten van onze lichamen raakten elkaar, en alles begon te tintelen. Ik maakte de buitendeur open, en toen stonden we samen in het smetteloze halletje.

'Die gouden is voor de voordeur van het appartement,' zei hij. Zijn vingers streelden de mijne toen hij de sleutel aanwees. 'Die Yale-sleutel.'

'Oké.'

'Zeg, hoe zit dat? Heb je tegenwoordig een privéchauffeur, Miss Daisy?'

'Wat? Dwayne? Dat is gewoon iemand van mijn werk, dat marktonderzoekbureau waar ik af en toe werk! Hij is niet mijn...'

Zed grinnikte. Hij zag er geamuseerd en onverstoorbaar uit.

'Fuck you,' zei ik zacht. Ik deed de deur van het slot en duwde hem open.

De flat strekte zich tevreden spinnend voor me uit, klaar voor ontvangst. Beige muren, donkere houten beelden die zich dreigend ophielden in de hoeken van de huiskamer, koel leer en glas. De flat was van Lewis, een vriend van Zed, en de huur was vast torenhoog. Ik gooide mijn dunne jasje over de trapleuning en bleef verloren en zenuwachtig bij de trap staan terwijl ik wat lucht probeerde binnen te krijgen. Ik moest mezelf bekennen dat ik niet zonder bijbedoelingen was gekomen. Zed tikte me zacht op de schouder om me duidelijk te maken dat ik hem in de weg stond, en ik huiverde bij de gedachte dat het tijd werd dat hij begreep dat hij mij ook in de weg stond.

'Zal ik ze dragen?' vroeg ik, toen hij met zijn plastic tassen naar de keuken liep.

'Nee, het gaat wel.'

'Zeker weten?'

'Ga alsjeblieft zitten!'

Ik installeerde me op de bank, een beetje van slag door zijn onbegrijpelijke aankoop. Blijft hij dan? Die vraag bleef maar door mijn hoofd spoken. Geen antwoorden. Wat heeft het te betekenen? Mijn hart trommelde meedogenloos in mijn borstkas en ik had een raar gevoel in mijn buik. Ik voelde me zacht en ik voelde me hard. Want ik heb namelijk een bepaald patroon gevolgd sinds ik hem kwijt was, en dat ging altijd hetzelfde. Er zijn mannen geweest die ik leuk vond. Soms voelde het zelfs als liefde, als een allesverterend verlangen. Maar zodra er lichaamssappen worden uitgewisseld... poef! Weg. Als een stop die is doorgeslagen, waardoor alles donker wordt. Iedere keer weer: poef! Geen tintelingen, geen fantasieën, geen lust meer. *Je mag hem wel aanraken, hoor.*

'Wil je wat drinken?' vraagt hij. 'Eden?'

'Wat? Wat is er?'

'Ik vroeg of je wat wilde drinken.'

'O. Wat heb je?'

'Cola, Ribena... water.'

'Ri- wat?'

'Ribena.'

'Doe mij maar een cola,' zei ik.

Hij ging weer naar de keuken, kwam terug, zette mijn drankje voor me neer op de salontafel en liet zich naast me op de bank zakken. Ik zei tegen hem dat hij Ribena verkeerd uitsprak. Hij haalde zijn schouders op. Ik vroeg hem naar de motor.

'Ik heb hem heel goedkoop kunnen krijgen, via internet,' zei hij, terwijl hij een klein zwart blikje opentrok en zich naar voren boog om een notitieboekje van tafel te pakken. 'Als nieuw.' Hij legde het notitieboekje op zijn knieën en tikte er wat wiet op, waar hij de zaadjes uit haalde; zijn knieën waren zacht tegen elkaar gedrukt, zijn vingers lang en precies. Hij zag er onverwacht zo kwetsbaar uit dat ik even niks hoorde, alleen de spieren die zich soepel bewogen onder de gladde huid van zijn donkere onderarmen en polsen; zijn roze tong die over het vloeipapier gleed. Zelfs een verslaving stond hem goed.

'Cool. Ik wist niet eens dat je kon motorrijden,' zei ik na een tijdje.

'Ik ben er gek op. Ik hou van het gevoel van vrijheid, weet je wel? Als je een bepaalde snelheid bereikt, heb je het gevoel dat je vliegt. Net alsof je je in een vacuüm bevindt, alleen jij en de lucht die langs je zoeft. Dan heb ik het gevoel alsof ik dicht bij God ben, wie Hij dan ook mag zijn...'

'Of Zij! Over wat voor snelheid hebben we het hier?' vroeg ik ademloos. Bezorgd. Het enige wat ik voor me zag, was die steen op de weg. Die auto die een steegje uit kwam net toen Zed zijn meest religieuze moment bereikte, klaar om op te stijgen.

Hij lachte. 'Snel,' antwoordde hij.

'Wat dan? Honderdvijftig kilometer per uur of zo?'

'Op zijn hardst, ja.'

'Je bent compleet gestoord!' riep ik, kwaad, mijn hoofd bomvol vragen en bange voorgevoelens. Waarom had hij die motor gekocht? Wat betekende dat voor ons? En kon een mens zoiets als een Honda overleven? Hij was bijna té gestroomlijnd. Te mooi om hem niets aan te doen. Dat zag ik gewoon.

'Wil je ook?' vroeg hij, terwijl hij me de joint aanbood.

'Nee, ik rook niet. Dat weet je best.'

'Vroeger zei je nooit nee,' zei hij afwezig, hij praatte door zijn neus en nam een stevige hijs.

Ik stoof op.

Hij grijnsde. 'Vergeet niet dat ik het je zelf heb geleerd.'

Herinneringen aan ons samen overspoelden me. Ik kon me niet meer verroeren. 'Je rijdt toch niet op dat ding als je stoned bent?'

'Wat dacht je?' Hij grijnsde weer. 'Je bent toch een rockchick of niet? Wanneer ga je eens mee een eindje rijden?'

Ik zag voor me hoe ik mijn armen om zijn middel had, mijn gezicht tegen zijn rug. Zout en muskus. 'Als George W. Bush zich bekeert tot de islam. Sorry.'

'Goh? Is het zo erg?' Hij stak de joint opnieuw aan. 'Volgens mij kun je wel een trekje gebruiken. Je maakt je veel te druk. Lewis heeft goeie connecties, man. Met dit spul ben je in één keer van al je stress af.'

'Waar is Lewis eigenlijk?' vroeg ik, in de hoop dat hij niet al te snel zou terugkomen. Lewis was een sarcastische kakker die altijd in stilte alles observeerde en me een erg ongemakkelijk gevoel bezorgde. Het type man dat het ziet als je een nieuwe tas of nieuwe oorbellen hebt. Ik geloof dat hij beroemde ouders had. Hij werd gefotografeerd voor bladen.

'Lewis is een paar weken op reis voor een paar events,' zei Zed glimlachend. Blijkbaar had ik mijn afkeer van Lewis te duidelijk laten merken. 'Ik ben helemaal alleen.'

'O,' zei ik. 'Oké.'

Zorgvuldig verplaatste hij zijn lange, stevige lijf, en het eindigde ermee dat hij iets dichter bij me kwam te zitten. Ik zou hem echt kunnen aanraken, er zou niemand onverwacht komen binnenvallen. Ik zou mijn gezicht tegen zijn hals kunnen leggen en mijn handen over zijn borst en gladde hoofd kunnen laten glijden. Ik zou zijn rits en knopen kunnen losmaken. We zouden elkaar kunnen kussen. O god. We zouden elkaar kunnen kussen! En wat doe je als je iets al heel lang wilt en het er eindelijk is en het enige wat je moet doen om het te krijgen is zorgen dat je het niet verknalt?

'Goed dan,' zei ik.

'Wat?'

'*Pass the Dutchie*, Rasta.'

Hij proestte, hoestend en lachend tegelijkertijd. 'Het was maar een grapje, Eden. Dit spul is echt te heavy voor je.'

'Geef hier!'

Hij haalde zijn schouders op. 'Oké dan,' zei hij met een scheef lachje. 'Als je maar niet denkt dat ik je naar de eerste hulp breng.'

Van mijn eerste trekje moest ik zo hard hoesten dat ik bijna overgaf. Ik keek door mijn tranen naar Zed, die hoofdschuddend giechelde. Hij giechelde echt.

'Nogn!'

'Gaat het wel?' vroeg hij, helemaal niet gemeend, terwijl hij de joint van me afpakte. 'Neem een slok cola. Ik zei toch dat dit spul te heavy voor je was?'

'Nog één!'

'Je bent niet goed bij je hoofd...'

'Geef nou maar.' Deze keer lukte het me om het binnen te houden. De rook verschroeide mijn keel en veroorzaakte een stille explosie achter in mijn hoofd. Ineens was er r...u...i...m...t...e.

Zed nam ook een grote hijs, hield de rook even binnen en blies hem toen langzaam en beheerst weer uit. Met een uitdagende blik in zijn slaperige ogen stak hij me de joint weer toe. Toe dan. Als je dan toch zo stoer bent. Zijn lippen. Mijn lippen.

Ik deed het en begon te giechelen, ondanks mezelf. En hij lachte, ondanks zichzelf. We gaven de joint een tijdje door, totdat de kamer blauw stond van de rook.

'Hier,' zei hij. 'Er is niet veel meer over.'

'Nee, ik hoef niet meer. Neem jij maar.'

'Hé...' zei hij. 'Heb je hier soms een oorbel laten liggen, de laatste keer dat je hier was? En je cd van Pharcyde?'

'Is hij roze?'

'Wat?' vroeg hij, met zijn hoofd in zijn nek.

'Die oorbel.'

'Ja.'

'Wauw! Die ben ik al tijden kwijt...' Ik giechelde. 'Je moet niet altijd mijn spullen jatten, smeerlap!'

'Tja, wat kan ik zeggen? Ik hou nou eenmaal van roze, schat.' Hij stak zijn arm uit om mijn verloren spullen te pakken uit de la van een tafel die vlakbij stond. Tussen de broeksband van zijn spijkerbroek en de zoom van zijn T-shirt verscheen een gladde, donkerbruine reep en ik kreeg een droge mond. Hij legde de cd en de oorbel op de bank tussen ons in.

'Jij laat altijd al je spullen bij mij slingeren.' Hij inhaleerde. De askegel lichtte nog een keer op en doofde toen. Hij legde de joint in de asbak. 'Net als Grietje met die broodkruimels of zoiets. Lewis denkt al dat ik de grootste versierder sinds Barry White ben.'

Mijn spullen leken totaal misplaatst, zo vlak naast Zeds bovenbeen. Ze leken zo echt! Echter dan wat dan ook, zoals ze afstaken tegen het beige leer. De lucht was stil als op een foto. Ik stak mijn hand uit naar mijn camera – mijn trouwe klikklakkertje – die als een hondje lag te hijgen in mijn jaszak, maar toen bedacht ik me. Ik wilde dit moment niet verstoren. Ik trok mijn knieën op en trok mijn in roze katoen gestoken voeten onder me. En in die warme kamer kwamen door het open raam slechts zwakke geluiden en helemaal geen lucht naar binnen. Door de uitgebreide lunch die ik met Dwayne had gehad en de warmte en de rook kreeg ik een katachtig, behaaglijk gevoel in mijn ledematen. Ik gloeide en rekte me uit, sloeg mijn benen over elkaar, deed ze weer van elkaar, wikkelde een lolly uit het papiertje, zoog eraan en veegde de zweetdruppeltjes uit mijn nek.

Ik staarde naar Zeds profiel, naar zijn sierlijke wenkbrauwen. Hij boog zich voorover om een uitpuilend blauw notitieboekje te pakken dat onder de salontafel lag, sloeg het open en begon te lezen.

'Dat is ook niet erg sociaal, hè?' zei ik.

'Heb je een beter idee dan?' Hij keek me aan.

Ik zei niets.

'Tong verloren?'

'Ja. Nee. Tuurlijk niet. Gewoon... je weet wel,' wauwelde ik. 'Weet je? Ik heb een idee voor een installatie. Een... een soort slaapkamer. Maar uit alles zou blijken dat er iemand ontbreekt... het bed niet opgemaakt, een halflege kop koffie, overal make-up en kleren...'

Tussen ons verzamelde zich een duisternis die zich meteen weer verspreidde, hele wolken, dikker dan de rook van de wiet of de klamme lucht. Meteen wenste ik dat ik al mijn woorden kon inslikken en terug kon gaan naar het gegiechel en de grapjes. Wat een stomkop was ik ook.

Uiteindelijk zei hij: 'Dat is toch al eens gedaan door zo'n Engelse kunstenares? Tracey nog wat...'

Hakkelend ging ik verder. Ik kon nu niet meer terug. 'Wat zij heeft gedaan, is anders. Bij die kamer van mij zou op de achterwand de foto van een gezicht worden geprojecteerd... of misschien bewegende beelden, als een spook... En uit de luidsprekers zou poëzie klinken...'

'Waarom, Eden? Wat wil je daarmee?' Zonder iets te zien bladerde hij in zijn notitieboekje, met een strak gezicht. 'Maak nou maar gewoon foto's. Ik snap sowieso niks van al die moderne kunstshit.'

'Het is een manier om vraagtekens te zetten bij de werkelijkheid en bij wat je als de werkelijkheid ziet, daar gaat het om,' zei ik, verdrinkend in mijn eigen woorden. 'Het is een manier om alle grote ideeën over God en de mens en de maatschappij met de grond gelijk te maken en te laten zien hoe zinloos ze zijn, dat ze alleen maar tot onenigheid leiden. Het laat zien wat ons bestaan echt inhoudt, dat we allemaal gewoon de weg kwijt zijn en vervreemd en... eh... hoe zeg je dat ook alweer?' Ik wist het even niet meer. 'Autonoom. Ik bedoel, foto's hebben wel een plek, maar het is gewoon een vak dat je kunt leren, net als andere dingen. Kunst gaat verder dan vakmanschap, kunst gaat over in de wereld van...'

'Op mij komt het over alsof je de echte wereld...' Hij zocht naar woorden. 'Goedkoop en belachelijk wilt maken. Het leven is geen installatie! Het is echt! Waarom zou je dat in een of andere steriele galerie willen zetten zodat mensen je hele leven uit elkaar kunnen pluizen?'

'Nou, een van ons zal zich toch met het echte leven moeten bezighouden!' riep ik woedend. 'En aangezien jij dat niet bent...'

'Wat bedoel je daar nou weer mee?'

'Ik bedoel dat je hiernaartoe bent gekomen met die stomme gangstarap van je!' zei ik, ik bruiste van de adrenaline en praatte zo snel als mijn tong toestond. 'Dat meen je toch niet?'

Hij stond op, met strakke kaken en een woeste blik in zijn ogen. 'O mijn god.' Hij beende naar de keuken en weer terug. 'Heb je nou ineens iets tegen mijn rhymes? Bij alle gigs die ik heb gedaan, heb ik je niet één keer horen klagen. Als ik naar het publiek keek, zag ik jou daar iedere keer met je kont schudden alsof het een doosje Tic-Tac was! En nou... omdat ik jouw idee stom vind... En jouw idee is ook stom! Nou begin je ineens van die onzin uit te kramen?'

'Vroeger had je tenminste nog lef!' zei ik, terwijl ik op mijn knieën overeind kwam. 'Toen was je dichter, nu ben je alleen nog maar rapper. Dat is zwaar gênant, man! Alleen maar punchlines en een en al show! Wat bezielt je? Is er geen wet tegen misleidende reclame?' In zijn gezicht verslapte iets. 'Dat ben jij niet, Zed.'

Hij ging zitten, voorovergebogen, met zijn ellebogen op zijn knieën. Ik begon iets verontschuldigends te mompelen, maar hij stak een hand op, vlak voor mijn gezicht. Stop!

'Dus je vindt me nep, hè?' vroeg hij lachend. Hij schudde zijn hoofd.

'Zo bot bedoelde ik het niet. Maar...'

'Nou, misschien zijn we het allebei wel. Jij doet alsof je alle shit onder controle hebt, maar dat is niet zo. Je bent nog steeds in shock na wat ons is overkomen. Je bent geen steek verder gekomen. Je hebt niet geleefd. Je hebt alleen wat posters aan de muur gehangen, een paar muffe borden en glazen neergezet en dat noem je dan je thuis.'

Ik was compleet overdonderd. 'Denk je dat mijn leven er echt zo uitziet?'

Hij lachte zo zacht dat het niet meer dan een ademstootje leek. Een van zijn zachte mondhoeken ging omhoog.'Laat me niet lachen.'

'Zed!'

Eindelijk keek hij op. 'Een beetje mijn huis bespioneren met dat vriendje van je. Wat moest dat voorstellen? Performancekunst?'

'Hij is mijn vriendje niet.'

'Heb je je vriendje wel verteld dat je een oogje op me hebt?'

'Nee... Nee!'

Hij rechtte zijn rug en boog zich naar me toe, grijnzend alsof hij niet bekend was met het fenomeen afwijzing.

Een oogje. Dacht hij echt dat het zo weinig voorstelde? Zijn gezicht was smetteloos en hard. Op de achtergrond blèrde de tv. De wiet dreunde in mijn hoofd. Ik implodeerde.

Hij nam mijn kin tussen zijn vingers. 'Bedoel je dat je geen oogje op me hebt, of dat je vriendje het niet weet?'

Hij boog zich nog verder naar me toe, onze gezichten raakten elkaar bijna. Het was gewoon te gemakkelijk voor hem. Dat zag ik. Het was gemakkelijk.

'Allebei!' schreeuwde ik, terwijl ik zijn hand van mijn kin sloeg. 'En ik heb je al gezegd dat hij mijn vriendje niet is. Shit. En hoe durf je bij mij aan te komen met die versiertrucjes van je, alsof ik een van je sletjes ben?'

Hij deinsde achteruit. 'Sletjes? Je hebt het wel tegen mij, hoor! Na alles... Waarom zeg je zoiets?'

'Omdat ik het ongelooflijk vind, daarom! Je gaat echt te ver. Ik heb je verteld dat ik... dat ik... celibatair leef en dan probeer je me toch te versieren.'

'Je hebt helemaal niet gezegd dat je celibatair bent.'

'Wel waar.'

'Maar ik raakte je niet eens aan. Heb ik soms gezegd dat ik je wilde neuken? Heb ik geprobeerd om je te neuken?'

Ik rilde. 'Nee, maar...'

'Laat maar. Ik heb hier geen tijd voor. Je bent niet goed wijs.'

'Ik ben dus niet goed wijs omdat ik niet met je naar bed wil.'

Zed schudde zijn hoofd, stond op en bracht de glazen en de schaal tortillachips naar de keuken.

'Zed?' Hij reageerde niet. Ik volgde hem de keuken in. 'Zed?'

'Hoor eens, ik wil vanavond echt nog wat schrijven, dus laten we een andere keer afspreken.'

'Maar ik heb die film bij me die ik je wilde laten zien.'

'Ja nou, daar ben ik nu niet echt voor in de stemming.'

'Oké,' zei ik. Ik kreeg het ijskoud. Ik had alles verpest. 'Oké.'

Ik zei verder niets meer en hij ook niet. Niet eens gedag.

Ik pakte mijn spullen en ging weg.

Ik liep langs zijn dodemansspeeltje, naar de grote weg, de hoek om naar de bushalte. Daar bleef ik een hele tijd zitten, terwijl ik de bussen voorbij liet rijden. Denkend aan het bed op een platform, het wegrennen, de schok. En wat doe je als je iets al heel lang wilt en het er eindelijk is en het enige wat je moet doen om het te krijgen is zorgen dat je het niet verknalt?

Dan verknal je het, dat doe je.

En de volgende keer dat ik hem zou zien, zou hij gewond zijn, in kreukels, met blauwe plekken en schaafwonden op zijn ene arm en Max hangend aan zijn andere.

liefde.

'Mama!'

De Ridley-markt. Zaterdagochtend. De groen met blauwe print van haar lange zigeunerjurk. Haar roodgelakte nagels. De hemel was blauw en erg ver weg. Slechts iets dichterbij haar gezicht, daar in de verte, met krullen die los en glanzend om haar wangen vielen. Ze praatte gewoon verder met een man met bruine leren schoenen en een vrouw op gympen.

'Mama.'

Ik moest plassen! Ik wilde patat en sap en zitten, anders zou ik misschien wel gaan huilen. Of gillen. Maar ik was nu een grote meid. Ze had gezegd dat ik een grote meid was en dat ik moest wachten tot ik naar de wc kon.

'Mama! Plasje doen!'

'Nog heel even, liefje.'

'Mama!' Ik was al mijn andere woorden vergeten. 'Mama mama mama mama!'

Ik haatte de marktgeuren. Ik was uit de buggy en stond laag bij de natte, slijmerige grond. Het leek wel een bos van duizenden benen met overal oud, zacht fruit en naar vis stinkende plassen. En ik moest nodig! Zoals gewoonlijk bestond ons 'marktuitje' uit stilstaan, terwijl mijn stomme moeder met stomme mensen over andere stomme mensen praatte. En soms piepten ze wat tegen mij en probeerden ze mijn hoofd aan te raken of mijn handen vast te houden, maar ik vond het niet fijn om mensen aan te raken die ik niet kende.

En ze hield maar niet op. Door haar schuld zou ik zo nog in mijn broek plassen als een baby en dan zou ze boos worden! Waarom kon ze niet gewoon haar mond houden? Ik trok steeds weer aan haar hand, maar ze schudde me van zich af en boog zich zelfs niet naar me toe, met haar haren die zo zoet roken en haar gladde gezicht en hoge stem.

Ik beet haar zo hard als ik kon.

'Au!'

Het was een rare smaak, haar huid door de groen met blauwe jurk heen. Ik hield pas op toen ze het uitgilde van de pijn, me van zich afrukte en tot op ooghoogte neerhurkte. Ze schudde me hard door elkaar en beet me toen in de arm met haar schone, scherpe tanden. Ik krijste.

'Zo, nou weet je hoe dat voelt! Dat doet pijn, Eden!' zei ze. 'Wil je me soms voor schut zetten? Hou je dan niet van mama?'

Ik huilde alleen maar en kon geen woord uitbrengen.

'Nou, daar heb je je handen aan vol, Marie!' zei de stomme man met de bruine schoenen.

'Er is een duivel in dat kind gevaren, echt!' zei ze tegen hem. 'Eden, lieve meisjes doen zulke dingen niet, begrijp je dat? Hou je dan niet van mama?'

Mijn benen jeukten van de urine. Ik zei niets, begon alleen maar nog harder te krijsen. Ik wilde niet van iemand houden als dat betekende dat ik op die akelige, koude markt moest staan en in mijn broek moest plassen. Ik wilde geen liefde.

kwijl.

Wanneer ik mijn benen probeer te strekken, kom ik een obstakel tegen. Waar ben ik? Flarden muziek splitsen zich en komen weer samen in mijn hoofd, Cody Chestnutt die 'Beautiful Shame' zingt. Ik open mijn dichtgekoekte ogen en word meteen beloond met hoofdpijn.

'Gaat het, schat?'

Max. Ze zit aan het uiteinde van de bank, zodat ik genoegen moet nemen met een ongemakkelijke foetushouding. Ze is oogverblindend licht, in een niemendalletje van wit katoen. Haar haar is zo fel dat ik er vlekken van voor mijn ogen krijg. Ik knipper langzaam met mijn ogen. De scène wordt scherp, onscherp en dan uiteindelijk weer scherp.

'Nee,' zeg ik schor, terwijl ik probeer me los te wurmen uit een blauw laken. 'Nee, het gaat niet!'

'God! Sorry... Heb je last van me?' vraagt ze. Ze gaat wat verzitten zodat mijn voeten en enkels vrij komen.

Ik ga rechtop zitten. De kamer slingert zich naar voren en mijn buik probeert door mijn hals te springen. Een flashback naar de neerwaartse spiraal van gisteravond, kots en tranen, en een valpartij voor de club. Een blauwe plek, precies op mijn telefoonbotje. Zeds minachtende blik en zijn sterke, lieve handen die me in hun taxi duwen en ervoor zorgen dat ik mijn hoofd niet stoot aan het dak. Maar hij had me naar huis moeten sturen. 'Wat heeft jouw lever je ooit aangedaan?' zei hij voor de grap. Maar het was niet grappig.

'Zed is even naar de supermarkt en zo,' vertelt Max ongevraagd. Ze kijkt een tekenfilm, met het geluid heel zacht. Tot mijn schrik merk ik dat haar huid er zonder make-up nog beter uitziet. Voorzichtig raak ik mijn lichaam aan. Ik heb een te groot mannen-T-shirt aan, mijn eigen ondergoed en kwijl op mijn wang. Bah.

'Oké,' reageer ik. Ik probeer mijn woorden tot een minimum te beperken. 'Kan hij dat wel met zijn arm?'

Max haalt haar schouders op. 'Hij redt zich wel.'

Ik sla een hand voor mijn ogen en keer een paar zalige seconden lang terug naar de duisternis.

'Je voelt je zeker behoorlijk klote, hè?' vraagt Max.

'Ja.'

'Een lichtgewicht als jij,' zegt ze, 'kan zich beter beperken tot een beetje coke of een pilletje of zoiets. Dat is schoner spul...'

'Shit, ik kan het basisspul al nauwelijks aan. Paracetamol bijvoorbeeld.'

Grinnikend schudt ze haar hoofd. 'Ach, je bent ook nog zo jong.' En dat zegt zij, met haar hele eenentwintig jaar op deze planeet. 'Het is voor jou vast beter om puur te blijven. Als dat je streven is.'

'Maar modellen zoals jij horen toch ook gezond te leven?'

'Mager. Mager, niet gezond,' zegt ze lachend. 'Bovendien heeft het voor mij tot nu toe niet uitgemaakt. Godzijdank bestaat er zoiets als goeie genen. Wil je koffie?'

'Melk en twee klontjes suiker graag, crackbaby.'

Ze steekt haar middelvinger op en is al verdwenen, in een flits van tanden en haar. Ik moet maken dat ik hier wegkom.

Voorzichtig sta ik op om naar de badkamer te gaan, maar als ik mijn jurkje van de bankleuning pak, begint alles te draaien. Voetje voor trillend voetje ga ik de smalle trap op en wanneer ik de douche aanzet, klinkt het zo hard als een leger, maar het is precies wat ik nodig heb. Ik droog me af met een handdoek die op het rekje hangt; hij is vast van Zed, want hij is nog een beetje vochtig. Dichter dan dit zal ik waarschijnlijk niet meer bij hem komen. Ik spoel mijn mond met tandpasta en was het speeksel van mijn gezicht. Ik smeer me in met crème die naar Zed ruikt. Met gedeeltelijk succes weet ik mijn haar in twee vlechten te krijgen, die ik vastbind met twee van de elastiekjes die ik eeuwig bij de hand heb aan mijn linkerpols.

Ik moet wakker zijn, nuchter, alert, stoer. En ik moet maken dat ik hier wegkom, voordat hij terugkomt.

Het jurkje en de Converses weer aan. De armbanden weer om. De wallencamouflage, de inktzwarte kohl en een oude lippenstift die ik als rouge gebruik weer op. Als ik ooit een soort masker nodig heb, dan is het vandaag wel. Maar in de spiegel zie ik er nog steeds uit als een meisje dat je makkelijk laat lopen. Ik trek een kwaad gezicht en doe de lamp uit. Zeds T-shirt gooi ik op de grond.

Het blijkt dat ik beter af was in de badkamer, want wanneer ik de trap af kom, is Zed terug en zitten ze te zoenen. Met tongen en al. Hun lichamen zijn puur wit tegen puur donkerbruin, als de bast en het vruchtvlees van een kokosnoot. Ze heeft haar blote benen en voeten om zijn wijde spijkerbroek geslagen. Margarinekleurig haar; witte, vetvrije ledematen; roze lippen; blauwe ogen. Ze is een wandelende pasteltekening.

Tegen de tijd dat ze hun monden van elkaar losmaken, sta ik alweer boven, kotsend in de wc-pot. Weer. De aanblik van Zed en Max die hun gezichten in elkaar begraven valt niet zo goed op een zwakke maag.

Klop, klop, klop.

'Eden! Alles goed daarbinnen?' Max.

'Prima!' zeg ik. 'Ik kom zo beneden!'

Ik veeg mijn mond af en starend naar de vloertegels wacht ik tot ik haar voetstappen hoor verdwijnen. Ik ga nu meteen naar huis. Ik overleef het wel. Ik raap het op de grond gegooide oversized T-shirt waarin ik heb geslapen weer op en stop het in mijn rugzakje. Een aandenken. Ik overweeg even om op zijn tandenborstel te pissen, maar ik weet niet precies welke van hem is en Lewis – hoe irritant hij ook is – heeft niets gedaan om zo'n behandeling te verdienen. In plaats daarvan jat ik nog een paar souvenirtjes voor onderweg: Zeds vochtinbrengende crème en zijn aftershave.

Ik val bijna van de smalle trap in mijn poging om snel en zeker over te komen. Op de onderste tree verzwik ik mijn enkel. Ik verman me. Geen enkele kneuzing kan zoveel pijn doen als de pijn die ik in mijn hartspier voel.

Max gebaart naar mijn koffie op tafel. 'Daar staat je koffie, schat,' zegt ze, terwijl ze het geluid van de tekenfilm harder zet. 'Gaat het weer?'

'Ik ga naar huis!' verkondig ik tegen de muur. Ik begin mijn spullen te pakken.

'Eden, wil je even hier komen?' Zeds stem vanuit de keuken.

'Ik moet weg!' gil ik.

'Kom even, alsjeblieft.'

Ik strompel naar de keuken en blijf nonchalant in de deuropening hangen. Zed is bezig met één hand de ontbijtspullen uit te stallen. Hij heeft een prachtige brede rug. Terwijl hij eieren begint te kloppen in een schaal, kijkt hij me aan.

'Nou, wat moet je?'

'Je moet iets eten, Eden. Ik maak ontbijt.'

'Heel goed van je, chef-kok *Wake 'n Bake*,' zeg ik, met een blik op de joint achter zijn oor, 'maar ik eet thuis wel.'

'Je hebt de halve nacht liggen kotsen, liefje. Als je met een lege maag naar buiten gaat, zul je hardhandig kennismaken met de stoep.'

'En wat kan jou dat schelen, verdomme?' vraag ik zacht genoeg om niet te worden gehoord in de huiskamer. Hoop ik.

'Eet nou maar wat. Het is over vijf minuten klaar.'

'Blijf je hier ontbijten, Eden?' vraagt Max vanuit de kamer, de luie trut. 'Je hebt nog niet eens van die koffie gedronken waar ik zo mijn best op heb gedaan!'

'Oké dan,' bijt ik Zed toe. 'Whatever. Als je per se iets wilt bewijzen, je gaat je gang maar. Doe mij maar roerei trouwens.'

'Ik probeer helemaal niks te bewijzen. Dat is jouw spelletje,' zegt hij hoofdschuddend. 'Ik dacht gisteravond dat je nog in je eigen tong zou stikken!'

'Jij zou toch moeten weten waar ik mee bezig was.'

'Een alcoholvergiftiging krijgen misschien?'

'Hetzelfde als wat jij probeert met dat ding daar achter je oor. Wat van die klotestress kwijtraken.'

Nog vijf à tien minuten en dan hoef ik die zeikerds nooit meer te zien. Dan kan ik weer proberen mezelf te worden. Misschien deze keer met behulp van reiki of acupunctuur of wat dan ook. Er bestaat vast wel ergens een speciale cursus voor slaafse hondjes als ik.

Zed begint van alles in pannen te gooien. Hij ziet er niet uit als een man die zo handig is. Op het eerste gezicht zou hij heel goed een man kunnen zijn die zelfs water kan laten aanbranden en in zijn hele leven nog nooit een wasje heeft gedraaid. Maar zo is hij niet. Zijn moeder heeft haar opvoeding niet helemaal verknald. Hooguit bijna helemaal. Ik pak mijn camera en klik klik klik. Ik voel me leeg.

'Daar gaat ze weer,' zegt hij. 'Ik snap niet wat je met al die stomme foto's moet.'

Wanneer hij klaar is, gaan we allemaal om de salontafel zitten en eten in stilte roerei, worstjes en geroosterd brood. Na mijn eerste hap heb ik niet meer het gevoel dat ik moet kokhalzen. Zelfs crackbaby Max is stil, want ze heeft haar mond vol. Ze zit behoorlijk te schrokken voor iemand die ongeveer net zoveel weegt als een sleutelhanger. Ze slaakt een zucht en richt haar blauwe blik op Zed. 'Hoe moet dat nou als jij weer teruggaat naar Amerika?' vraagt ze pruilend. 'Dat is al zo gauw. Ik ga dan nog dood van de honger!'

'Daar heb je cornflakes voor, schat.'

'Hard hoor.' Max ziet ineens mijn camera. Ze pakt hem.

Ik kan me niet verroeren, kan mijn oren niet geloven. De kamer krimpt. Gaat hij terug naar Atlanta? Ik dacht dat hij genoeg had van zijn leven daar.

Max zegt tegen hem: 'Maak eens een foto van Eden en mij, schatje.'

Ze buigt zich naar me toe en slaat haar arm om me heen. Ze glimlacht, ik niet. Zed neemt de foto.

'Ga je terug?' vraag ik, voordat ik mezelf kan tegenhouden.

'Ja,' antwoordt Zed. 'De eerste week van augustus.'

'Maar dat is al over een paar weken!' Ik klink verslagen, zelfs in mijn eigen oren.

'Aha, ze kan tellen!'

Ik pers iets als een lach uit mijn keel. 'Was je soms van plan om gewoon weg te gaan zonder het mij te vertellen? Fijn dan. Nou, bedankt in elk geval voor het ontbijt. Het was erg lekker.'

Hij probeert iets te zeggen, maar mijn oren lijken wel dichtgenaaid. Ik draai zijn stem weg en kijk of ik mijn sleutels, mijn portemonnee en mijn metrokaart heb. Klaar voor vertrek. Soms denk ik dat hij het voor de lol doet. Of het nou expres is of per ongeluk, hij lijkt altijd precies te weten hoe hij me kan kwetsen. Hij is net als die gemene hoek van de salontafel, die verliefd is geworden op je scheenbeen.

'Ga je terug naar Hackney?' vraagt Max ineens.

'Wat? Eh... ja...'

'Als je een minuutje wacht, kan ik je een lift geven.'

Ik kijk naar Zeds gezicht. Gewoonlijk valt er niets van af te lezen, maar nu lijkt hij verstoord.

'Echt, het is geen enkele moeite,' wauwelt Max verder, 'ik moet toch die kant uit. Ik ga naar mijn oma in Leyton...'

'Oké dan.'

Wanneer ze snel naar boven gaat om zich aan te kleden, stopt Zed met eten. 'Even voor alle duidelijkheid,' zegt hij. 'Het spijt me wat er is gebeurd de laatste keer dat je hier was, Eden. Misschien heb ik de verkeerde indruk gewekt. Ik wilde je niet beledigen.'

'Jij bent me ook een mooie!' zeg ik. 'Maar maak je niet druk. Ik red me wel. Ik red me altijd!'

'Ik meen het, Eden.'

'Laat nou maar, oké?'

'Waarom kun je niet gewoon –'

'Laat nou.' Ik pak de afstandsbediening en zet het geluid zo hard dat ik zijn stem niet meer kan horen, en verachtelijk snuivend begint hij de tafel af te ruimen. Al na een paar minuten kan ik het niet meer aanzien, want ik merk dat hij steeds ineenkrimpt van de pijn.

'Zed, laat mij maar,' zeg ik zonder hem aan te kijken. 'Je hebt verdomme een gebroken arm!'

'Hij is niet gebroken...'

'Whatever. Ga nou maar aan de kant!'

wacht –

Brooklyn, 3 juni

Herinner je je Soufrière nog, Eden? De vulkanische bronnen, de zwarte modder, de grond en de lucht die even warm zijn? Nou, daar zijn je moeder en ik geboren, op precies dezelfde plaats waar Saint Lucia zelf is ontstaan. Stel je voor hoeveel kracht er bij de geboorte van een heel eiland komt kijken! Pure magie! Vuur dat uit de buik van de aarde spuit, borrelend, dat zich verspreidt en afkoelt in het water, en daarna al het groen en de levende wezens die eruit losbarsten. Wij hebben magma in ons bloed, Cherry Pepper. Dat is niet gemakkelijk. Wij leven in de schaduw van de Pitons. Wij zijn de aardbeving zelf. We zijn de verduisterde aarde.

Je moeder en ik zijn zo blij dat je hebt teruggeschreven met vragen over jouw prehistorie. De laatste tijd voelt het verleden erg nabij, en misschien is het dat ook wel. Wat weten wij daar nou van? Marie zegt dat het anders zit dan we denken. En ze zegt dat je wortels nodig hebt om je te settelen, anders laat je bij de eerste de beste stevige wind los en val je om en rol je de heuvel af. En ze zegt ook dat je het mis hebt, Eden. Ze hield heel veel van je.

Afijn. Onze jeugd... Nou ja, ik was de eerste, zoals je weet, en mijn geboorte werd ook als een wonder beschouwd, hoewel niet als een gelukkig wonder. Als ik mijn ogen tot spleetjes knijp, mijn adem inhoud en terugdenk, kan ik me het gezicht herinneren waarmee mijn moeder voor het eerst naar me keek. Wat een blik! Teleurgesteld en bang, alsof iemand obia over haar had uitgeoefend, zodat ze een duivelskind had gekregen. Ik was zwart, pikzwart bij mijn geboorte. Als koud vulkaanvuur. Ik was net zo zwart als haar eigen vader, met mijn haar vol klitten die als kralen in de nek liggen, en ze was me niet dankbaar voor die herinneringen.

Toen ik groter werd, weken de teleurstelling, de afkeer en een raar soort omgekeerde bewondering niet uit haar ogen. Ik was een wandelende aanklacht met vlechtjes. Ik was het levende verleden. Ze hoorde ketens rammelen wanneer ze naar me keek, ze rook open vuurtjes, gaten in de grond waarin de mensen hun behoefte deden, en ze hoorde landarbeiders op blote voeten. Een tijdje dacht ik dat het zou kunnen helpen om me netjes te gedragen, en ik probeerde niks fout te doen om het niet nog erger te maken. Ik was stil en gehoorzaam. Maar na verloop van tijd drong het tot me door dat ikzelf het probleem was. Dus besloot ik haar te tergen. Ik smeerde mijn huid goed in met olie zodat hij zwart opblonk in de zon. Ik liet mijn haar in mijn nek krullen. Ik reageerde op haar eindeloze fronsen en vloeken en straffen met een brede, witte, onoverwinnelijke grijns. Ik bracht haar helemaal in verwarring. Ik leek precies op haar, alleen zwarter. Ik leerde kwaad te zijn in plaats van verdrietig.

Het duurde ruim tien jaar voordat ze weer zwanger werd. Waarschijnlijk omdat ze 's nachts haar benen gekruist hield en met haar gezicht naar de muur lag, weg van de valse belofte van mijn vaders lichtbruine huid. En dat is het enige van hem waar ze ooit echt van heeft gehouden. Maar scheiden was geen optie en uiteindelijk kreeg ze die dikke buik en moest ze persen, en daar was Marie. Het kind met de zachte krullen en de lichte huid die mijn moeder zelf altijd had willen hebben. Trots zag ze dat Maries ogen helder lichtbruin werden. Haar dochter, de dochter van wie ze altijd had gedroomd.

Mijn moeder zat bij haar wanneer ze sliep. Ze beschermde haar bezitterig tegen de dood, zo bang, en overlaadde Maries krullen met lintjes en mutsjes en strikjes tot het kind haar kin nauwelijks meer omhoog kon krijgen, en ze trok haar jurkjes aan met kant en bloemen. Wat werd die meid verwend! Mijn moeder hield een parasol boven haar hoofdje om te voorkomen dat ze op weg naar de kerk donker zou worden in de zon en ze hield haar continu binnen, alsof ze invalide was. En tegen mij zei ze: 'Katherine, ga buiten spelen!' of 'Ga de was buiten ophangen!' of gewoon 'Maak dat je naar buiten gaat met die zwarte kop van je!'

Iedereen zei altijd dat Marie net zo blank en mooi was als een pop, en 's avonds, voor het slapengaan, borstelde mijn moeder Maries haar en zei tegen haar dat ze alles kon krijgen wat ze maar hebben wilde, iedere man, zelfs de premier of Elvis Presley. En dan moest Marie van haar bidden en haar krullen vastzetten. Daarna stapte ze in bed naast mijn vader, die ze iets minder haatte omdat hij de belofte van zijn lichtbruine huid nog had overtroffen en haar een kind had geschonken dat geler was dan een rijpe banaan.

Ze haatte mij ook niet meer zo erg. Ze zag me niet meer. Ik vervaagde gewoon in de middagschaduw en de nachtelijke duisternis en ik geloof dat ze zichzelf ervan heeft weten te overtuigen dat ik helemaal niet uit haar lichaam was gekomen. Marie en ik kregen zo geen kans om een band op te bouwen, want we bevolkten ieder een ander land in de gedachten van onze moeder. Ze hield ons gescheiden. Volgens mij dacht ze dat zwart-zijn besmettelijk was. En toen ik elf of twaalf was, stuurde ze me weg naar Castries.

Dus nee, je moeder en ik hadden geen hechte band toen we klein waren. Ik ben haar nog nooit zo nabij geweest als nu.

Ik denk dat ik je probeer duidelijk te maken dat ik weet wat eenzaamheid is. Ik weet hoe het voelt om niet geliefd te zijn, maar voor mij is het zoiets als mijn DNA. Voor jou is het geloof ik eerder een kledingstuk dat je draagt. Dus trek iets anders aan.

Tante K.

blik vooruit.

'En...' zegt Max.

'En?' zeg ik.

We zitten in de buurt van Finsbury Park vast in het verkeer. Er klinken sirenes. Een ongeluk! Een ongeluk! 'Voel je je al wat beter?'

'Niet echt. Ik denk dat ik thuis maar even ga liggen of zo.'

'Goed idee,' zegt ze. 'Vind je het erg als ik een sigaret opsteek?'

'Het is jouw auto.'

'Dank je.' Ze steekt er een op en stopt hem in haar mondhoek, terwijl de sirenes langsrazen en wegsterven. 'Ben je kwaad op me?'

Ik knipper met mijn ogen. Mijn hartslag maakt een kleine twostep. 'Waarom zou ik?'

'Je weet wel.' Ze kijkt me niet aan. 'Om mij en Zed.' En omdat ik niet meteen antwoord geef, blijft ze praten en nerveuze trekjes van haar sigaret nemen. 'Want ik weet dat hij voor jou een soort familie is, snap je wat ik bedoel? Ik had je wel eerder over ons willen vertellen, maar ik geloof dat ik wachtte totdat er echt iets te vertellen viel.'

'Geeft niks. Mij maakt het niet uit,' zeg ik. Echt niet. Echt niet. Echt niet.

'Zeker weten? Want ik had de indruk dat jullie daarnet een beetje ruzie hadden...'

'Ja. Nee. Niet echt,' zeg ik tegen haar, 'meer een meningsverschil.'

'Een meningsverschil?'

'Gewoon iets stoms, niks belangrijks.' Ik lach. 'Je weet wel, zoals broer en zus.'

'Oké... Pff!' Ze kijkt me even grijnzend aan en doet alsof ze het zweet van haar voorhoofd moet wissen. 'Ik wilde het gewoon even zeker weten, snap je. Jij bent mijn vriendin en ik wil je niet verneuken. Dat weet je toch wel?'

'Ja hoor,' zeg ik. Ik voel me een beetje wazig en in de war. Mijn vriendin? We hebben helemaal niks met elkaar. Ik ken haar en Dwayne van mijn werk. En ik weet vrijwel zeker dat Dwayne het behoorlijk klote zou vinden als hij wist dat Max de enige was op wie ik een oogje had – van het platonische soort dan. Ik kende bijna niemand die er zo extreem uitzag als zij, en mijn camera houdt daarvan.

Op een dag kwam ik te laat op mijn werk en mijn rij was al helemaal bezet door de zombies toen ik binnenliep. Een van de weinige vrije plekken was naast deze wandelende stripfiguur, dit roomijsblondje dat zelfs ondeugend wist te zítten. Als er een karikatuur van schoonheid zou bestaan, dan zou dat Max zijn. Onwaarschijnlijk grote, blauwe ogen die onwaarschijnlijk ver uit elkaar stonden in haar driehoekige gezicht. Een hoog voorhoofd en een kleine, volle mond, jukbeenderen als scheermessen, witblond haar tot op haar kont. Dun als magere melk, gekleed in een vormloos vintage mini-jurkje over een gekrompen truitje. Ze was schokkend om te zien. Bij haar staken wij allemaal af als kakikleurige slonzen. Dus ging ik op de stoel links van haar zitten, voornamelijk om dit eng mooie geval van dichtbij te kunnen bekijken. En toen, terwijl ik inlogde op mijn terminal ('terminaal' als in ziekte), zei ze in een soort vertraagde reactie tussen twee telefoontjes door: 'Hoi!'

'Hallo.'

'Ben je nieuw hier?'

'Was het maar waar.'

'Zeg dat wel.' Ze lachte.

Ik kreeg een moedeloos gevoel. Ze was zo ontzettend mooi. Ik vroeg me af hoe dat was. 'Leuk jurkje,' zei ik.

'Dank je! Hij kostte maar een tientje!' reageerde ze. Ze begon in haar tas te rommelen, zo'n flutding dat je soms gratis bij vrouwenbladen krijgt. Ze had iets heel ontspannens over zich, alsof ze zich nooit ergens zorgen over hoefde te maken, echt helemaal nooit. Ze droeg schoenen met sleehakken en enkelbandjes in luipaardprint en een paarse panty. Ik nam snel een foto.

'Ben je fotografe of zo?'

'Ja, ik... nou ja. Zoiets. Ik maak foto's.'

'Fantastisch! Ik ben model,' zei ze zonder enige verlegenheid. Met een veelbelovend geritsel haalde ze een rol sinaasappelkoekjes uit haar tas en schoof hem naar me toe. 'Tast toe! Laat je gaan!'

Ik nam er eentje, we stelden ons aan elkaar voor en dat was het begin van ons wederzijdse waarderingsclubje. In de weken daarna maakte ik gratis wat foto's van haar, en sommige daarvan behoorden tot mijn beste werk. Haar portfolio kreeg een oppepper, net als mijn suffe sociale leven toen ik met haar alcoholische uitstapjes begon te maken in Shoreditch.

Nou ja. Het was leuk zolang het duurde.

'Hoe heb je hem eigenlijk leren kennen?' vraag ik, terwijl ik mijn best doe om nonchalant te klinken.

'Heel toevallig eigenlijk. Ik liep hem een paar weken geleden tegen het lijf in Oxford Street en toen raakten we in gesprek.'

'Maar je haat Oxford Street.'

'Ik had een casting.'

'Die belangrijke waar je me over vertelde?'

'Ja, precies! Voor *Gloss*.'

Rancuneuze klootzak. Ik herinner me die dag nog. Vlak na wat er met mij was gebeurd, loopt hij mijn vriendin tegen het lijf en geeft haar zijn nummer.

'Wat heb jij een goed geheugen, zeg. Komt vast door je puriteinse levensstijl.'

'Hoe bedoel je, puriteins? Ik ben alcoholist, hoor, als je dat nog niet doorhad.'

We rijden een tijdje zwijgend verder, terwijl Max meebeweegt en meezingt met de commerciële gangstarap op de radio.

'Vind je deze shit goed?' vraag ik aan haar.

'Niet echt. Maar je moet vanzelf meedoen.'

'Dat is waar.'

'Ik heb hem niet gekregen trouwens.'

'Wat niet?'

'Die opdracht voor *Gloss*. Klootzakken. Ze hebben zo'n graatmagere trut genomen. Echt graatmager. Ze zag eruit alsof ze sinds ze aan de borst heeft gelegen nooit meer iets heeft gegeten.'

Ik kijk uit het raampje.

'En,' zegt ze, terwijl ze haar haren naar achteren strijkt en de spiegel wat verstelt, 'hoe zit het met jou en Dwayne?'

'Dwayne? Wat heeft die er nou mee te maken?'

'Volgens mij vindt hij je leuk.'

'Nou, ik hem niet,' zeg ik, en dan: 'Wel leuk, maar niet op die manier.'

'Het is een goeie gast, Eden.'

'Nou en? Er zijn heel veel goeie gasten voor wie ik geen belangstelling heb.'

'Ach, je bent toch te mooi voor hem.'

'Zo is dat.'

Max trommelt afwezig op het stuur. 'Nou, ik mag Zed echt heel graag,' begint ze uit te leggen. 'Hij heeft iets. Een beetje mysterieus... Snap je wat ik bedoel? Plus dat het natuurlijk helpt dat hij zo'n fuckin' lekker ding is!' vervolgt ze lachend. 'Ik heb hem al gezegd dat hij moet proberen om als model aan de slag te komen.'

'Ja,' zeg ik, terwijl ik iets acceptabels probeer te doen met mijn gezicht. Ik haat haar, ik haat hem, ik haat mezelf. 'Jullie zien er heel gelukkig uit samen.'

Max remt af voor een stoplicht, recht voor zich uit kijkend. 'Dat zijn we geloof ik ook,' beaamt ze, en ze kijkt me snel even aan terwijl het licht op groen springt. 'Jij bent prachtig met dat figuur van je en die mooie ogen... Jij vindt ook wel iemand.'

Ik probeer de vage ronding van mijn lippen intact te houden. 'Eerlijk gezegd ben ik niet op zoek.'

Wanneer we bij Clapton Pond zijn, vraag ik Max om me uit haar aftandse Mini te zetten bij de winkel op de hoek. Ze zegt dat het geen probleem is, dat ze wel even kan wachten om me daarna naar huis te brengen.

'Nee, dat hoeft niet. Ik woon hier vlakbij...' Bemoeial, maar dat zeg ik niet.

'O, nou, goed dan.' Max buigt zich naar me toe om een kus op mijn wang te geven. 'Pas goed op jezelf, hè?'

'Bedankt voor de lift, Max,' zeg ik met een neplachje.

'Ik bel je nog!'

Ik wacht tot ze uit het zicht is en veeg dan de kauwgomroze gloss van mijn gezicht. Ik loop heel snel de winkel in.

'Alles goed, meisje?' vraagt de Turkse man in de slijterij met een knipoog.

'Geef me eerst maar een fles Jack en dan zien we wel weer,' zeg ik tegen hem, net als de plaatselijke gek binnenwandelt voor zijn twintigste blikje bier. Ik ga snel weg, voordat hij de kans krijgt om me lastig te vallen. Ik sla linksaf Kenninghall Road op, waar het landschap wordt gedomineerd door torenflats.

Mijn buurtje is niet zo groen en schoon als Zeds chique Highgate. Het is er vol, lawaaiig en er gebeurt steeds van alles. De mensen lijken er allemaal óf te zwijgen óf te schreeuwen, ze botsen tegen je op of staan je in de weg. Het is er een en al kale, ontmoedigende grasveldjes, onvolgroeide bomen en een smerig wit bestelbusje dat half op de stoep staat geparkeerd. Het is er een en al hondenpoep die hard ligt te worden. Een en al jongens met zachte gezichten en capuchons en rennende kleuters en stomme sletjes die 's middags in uitgaanskleding rondlopen.

Ik ben in geen tien jaar op vakantie geweest. Dit is wat het al die tijd is geweest: het verachtelijke Londen met zijn gehavende stoepen en fletse luchten. Olieachtige plassen. Schaamteloze gekken die eindeloos rondlopen, afstotelijke blikken als de verkeerde kant van een magneet. En zij zijn de enigen die hun mond opendoen, want waar je ook bent in Londen, er is geen ruimte voor grote gevoelens. Inslikken, onderdrukken, bek houden. Dat wordt ons allemaal ingeprent bij onze geboorte of onze aankomst.

Soms kijk ik om me heen en dan snap ik min of meer waarom mijn moeder het gevoel had dat ze hier weg moest. Maar als ze wat beter haar best had gedaan, als ze had geleerd om zich erbij neer te leggen, dan zou het leven van ons allemaal anders zijn verlopen.

Ik wrijf over mijn armen en loop snel naar huis, mannenblikken ontwijkend.

Er is een wolk voor de zon getrokken en ik heb het koud in dit jurkje.

juli

maak dat je wegkomt.

'Ho, Eden!' roept Juliet. Eén wenkbrauw schiet omhoog. Ze stopt met het opruimen van haar kraam en werpt me een dodelijke blik toe.

'Wat?'

'Nog een keer, alsjeblieft.'

Ik zucht. Dit jaar is het seizoen schokkend loyaal aan ons. De zomer in Londen is meestal wispelturig en bang voor vastigheid. Maar dit jaar weet hij van geen wijken. De hitte hangt over ons heen, nietsontziend en zwaar als een liefdesverhouding tijdens de stuiptrekkingen van de eerste ruzie. En Juliet heeft een hoodie aan.

'Heb je het niet warm?'

'Nee hoor,' zegt ze. Zoals meestal heeft ze haar jongensachtige lichaam gehuld in de allerfelste kleuren, die allemaal met elkaar vloeken. 'Natuurlijk materiaal. Als je me vraagt of ik me fris, fruitig en funky voel, kan ik alleen maar bevestigend antwoorden.'

Een meisje met korte dreadlocks en in een poncho komt aanbanjeren en bekijkt de koopwaar.

'En verander niet steeds van onderwerp. Ik vroeg je iets.'

Zacht vraag ik: 'Welk gedeelte precies begreep je niet?'

'Het is alleen dat ik dacht dat ik iets heel bizars hoorde,' zegt ze luid. 'Zei je echt dat je je baan hebt opgezegd vanwege gedoe met een jóngen?'

'Juliet...'

'Hoeveel kosten die oorbellen?' vraagt het meisje gniffelend, terwijl ze een paar oorbellen in de vorm van ijshoorntjes ophoudt.

'Vijf pond.'

'Dan neem ik ze.'

Juliet handelt de koop af op haar snelle, fladderende manier. 'We hebben ook een bijpassende hanger...'

'Nee, dank je.'

Ze wendt zich weer tot mij. 'Wat zei je?'

'Toe zeg. Je hoeft heus niet zo stom te doen. Het is ook weer niet zo dat marktonderzoek mijn levensvervulling was of zo. Het was niet meer dan een lullig zakcentje.'

'En je zakken hebben nu geen centje meer nodig?'

'Verdomme, J, het gaat me op dit moment niet om geld. Ik heb een gebroken hart.'

'Je hart!' gromt ze. 'Ben je duizelig?'

'Hè?' Ik wuif mezelf koelte toe met een van haar reclamefolders. 'Nee...'

'Heb je pijn op de borst of in je arm?' vraagt ze, met een blik op de mensenmenigte op Portobello Road. 'Last van kortademigheid?'

'Nee!'

'Dan mankeert er niks aan je hart, bella. Je bent een stoere meid! Bedenk eens wat je allemaal hebt meegemaakt, wat je allemaal al hebt overleefd!' Op haar gezicht vechten medelijden, respect en droefheid om voorrang. 'De meeste mensen hadden het niet gekund. Vind je zelf ook niet dat je beter verdient?'

'Weet ik veel...'

'En wat ga je doen aan je inkomen, of aan het ontbreken daaraan?'

'Ik mag rood staan.'

'Eden!' Ze schudt haar hoofdje en haalt geïrriteerd een hand door haar eeuwige vlechtjes. 'Schulden moet je altijd afbetalen, weet je nog? Geen schuld aan het eind van het jaar! Misschien dat je het nu niet wilt horen, maar je moet leren om een beetje respect te hebben voor geld. Alleen met geld kun je echt onafhankelijk worden. Plus dat harde contanten je nooit in de steek zullen laten voor een of ander blondje! En als je goed voor je geld zorgt...'

'Dan zal mijn geld goed voor mij zorgen. Ja, ja, ja. Luister je eigenlijk wel naar me of kijk je in je hoofd naar een herhaling van *Oprah*? Alsof je daar al niet genoeg naar kijkt!'

'En jij te weinig.'

'Ik moest daar gewoon weg, zo is het nu eenmaal. Ik vind wel wat anders. De meeste mensen ontkomen er niet aan, en dat zal voor mij ook wel gelden. Maar in de tussentijd vraag ik me af wat voor zin het heeft om snel weer aan het werk te gaan, alleen maar om mijn tijd te verdoen en uit zelfmedelijden spullen te kopen die ik niet nodig heb. Ik staak.'

'Nou, gelukkig staakt je vader niet, anders zouden jullie in een kartonnen doos wonen.'

Ik grom wat.

'Maar even serieus,' zegt Juliet. Haar scherpe, kleine, donkerbruine gezicht is verwrongen van ergernis. 'Je kunt niet bij de pakken blijven neerzitten, meisje. Ik durf te wedden dat je tot één uur 's middags met je luie reet in bed naar rotzooi ligt te kijken en scheten laat en huilt en je zuurverdiende geld opmaakt aan verrot afhaaleten! Ik durf te wedden dat je niet eens de moeite neemt om je tanden te poetsen! Voordat je het weet, douch je je ook niet meer en stop je met sporten en kam je je haar niet meer, zodat het één grote –'

'Hou op, J!' roep ik. Voor het eerst sinds dagen moet ik weer lachen.

'En dan weeg je tweehonderd kilo en komt de afstandsbediening klem te zitten in je gigantische reet en dan moet je met een kraanwagen uit je slaapkamerraam getakeld worden en –'

'Verdomme, Juliet! Je krijgt nog pijn in je kaken van al dat getetter!'

Ze lacht haar hese lach en slaat haar armen over elkaar. 'Ik wil alleen maar zeggen dat je Gezond Verstand weer op je gastenlijst moet zetten en moet ophouden je feest te laten verknallen door Dwaasheid, snap je?'

'Zit wat in.'

'Je bent mijn beste vriendin en ik hou van je, Eden.' Ze klopt op mijn schouder. 'Ik wil gewoon niet dat je verdriet hebt.'

'Dat weet ik wel.'

'Je zou naar haar toe moeten gaan.'

'Naar wie?'

'Je tante. Misschien kan zij je hiermee helpen. Snap je? En dan kun je meteen je moeder opzoeken. Bloemen brengen....'

Ik zeg niets.

'Oké, het is vier uur. Laten we 'm snel smeren.'

We pakken in, laden haar spullen in de auto en ze zet me af bij het metrostation.

wacht –

Brooklyn, 3 juli

Ja, ik ben het, zeg hem dat maar! Ik ben de dochter van de nacht en de moeder van de vernietiging. Waarom niet? Je vader zegt altijd dat 'de mensen' dit zeggen en dat 'de mensen' dat zeggen, terwijl hij degene is die het zegt! Hoe kan het nou verdacht zijn dat een vrouw van bijna negentig sterft! Hij vertelt iedereen dat ik mijn moeder heb vermoord met obia en mijn rastatrucs en kruiden en verdorvenheid, maar ik was een robot toen ze nog leefde. Hij kent me niet eens, die stomkop! Ze zou het trouwens verdiend hebben. Dat ze nou dood is, wil nog niet zeggen dat ze niet slecht was. Zo slecht dat ze waarschijnlijk nog steeds slecht is, waar ze ook is. Alleen nog maar as, in een lege rumfles, op de boekenplank naast de Bijbel. Ze heeft altijd gezegd dat ze terug wilde naar Saint Lucia wanneer het zover was, maar ik weet niet of ze dat wel verdient en ook niet of ik het wel verdien om na al die jaren die pijnlijke reis terug te moeten maken.

Het spijt me dat ik het je niet heb verteld toen je oma vier jaar geleden stierf, Eden. Ik had geen zin in al die hypocriete lui om haar kist, met hun lange gezichten en achterbakse ogen, terwijl het ze niets kan schelen! Ik ben de enige die echt om haar heeft gegeven en ik ben de enige die haar zal missen nu ze er niet meer is. Het viel niet mee om van die vrouw te houden, en haar eigen ouders zijn allang dood, net als haar broers.

Als je haar eer wilt bewijzen, vul dan een bordje voor haar wanneer je eet. Je hoeft er alleen maar een klein beetje van alles op te leggen, want ze was een gulzige vrouw, en doe er extra veel ketchup bij. Dan zal ze wel naast je komen zitten. Ze was dol op ketchup! Schenk ter ere van haar wat witte rum in een glas en draai Jim Reeves. Dat is de manier om goed afscheid te nemen.

En je kunt tegen je vader zeggen dat ik de duivel helemaal niet aanbid, alleen maar omdat ik kaarsen en wierook aansteek! Hoe kunnen mensen nou zo verdomde onnozel zijn? En omdat ik dreadlocks heb, ben ik meteen een rasta? Ik heb niks tegen rasta's, maar dreadlocks bestonden al voordat de mensen Haile Selassie begonnen te aanbidden! Mijn haar brengt me in contact met onzichtbare dingen, Cherry Pepper, net als het jouwe. Wij zijn vrouwen met kracht. De mensen komen van heinde en verre voor mijn spirituele begeleiding en bescherming, mensen uit alle rangen en standen. Artsen, muzikanten, juristen, politici. Ik verdien nu beter dan toen ik nog op dat advocatenkantoor werkte. Er is hier genoeg ruimte voor je. Kom maar wanneer je zin hebt, je hoeft je nergens druk over te maken. Gun jezelf de tijd om te helen en op te bloeien.

Je wilde weten waarom eenzaamheid in mijn DNA zit? Nou, dat is omdat er een breuk in mijn wereld zit. Mijn lichaam is bijna zestig jaar oud in Brooklyn, maar mijn geest is nog steeds elf, donker en knokig, en knielt neer in de zon van Soufrière. Scherpe stenen snijden in mijn knieën. Ik heb mijn vuisten gebald. In mijn ogen prikken zweet en tranen. En Angeline staat boven me met ogen die niet de ogen van een moeder zijn. Een kleine zwarte *salope* als jij kan niet tegen de zon? Die harde zwarte huid van je, en dan toch denken dat de stenen erdoorheen kunnen prikken? Zelfs een mes zou er niet doorheen komen!

Mijn moeder heeft me verpest voor de wereld. Op haar

oude dag werd ze wat milder, zoals bijna altijd gebeurt, maar toen was het te laat. Ik ben mijn hele jeugd gestraft voor de duivelse blikken die ik haar zogenaamd toewierp. Ik probeerde haar niet aan te kijken, maar toch werd ik geslagen. Ik brandde me aan het strijkijzer terwijl ik de jurken van mijn zusje streek en steef. Ik kreeg kokend water over me heen terwijl ik voor het avondeten zorgde. Ik was lelijk, ik was zwart, ik was stom en ik was gedoemd. Niemand zou van een meisje zoals ik houden. Ik krijg die tijd nooit terug, Eden, dat is iets wat ik accepteer. Wat toen is weggenomen, is voorgoed weg. Ik schrik van onverwachte bewegingen, ik kan er niet tegen om aangeraakt te worden. Ik zit achter mijn gordijn, maak de wereld onzichtbaar en lach alle kletsende mensen uit.

Ik heb het allemaal gedaan, Cherry Pepper, ik ben de beste leerling van de klas geweest, heb rechten gestudeerd, ben een verantwoordelijke huizenbezitter geweest, en toen je oma stierf en er geen liefde meer te halen viel, werd ik een junkie. Ik werd wakker in huizen die ik niet kende, bij mannen die ik niet kende. Ik werd wakker op straat zonder te weten hoe ik daar was beland. Nu ben ik weer terug en help anderen, en dat geeft het allemaal enige zin. Ik heb vrede met mezelf. Het ergste ligt achter me en voor me is... niets meer.

Tante K.

bakbanaan.

Wanneer ik de voordeur opendoe, is mijn huis gevuld met jankerige ouderwetse countrymuziek. Wat een teringherrie. Het belabberde, toonloze gejammer van mijn vader maakt de boel er niet echt beter op. Als hij zingt, klinkt het alsof zijn okselhaar er met een pincet uitgerukt wordt.

'Pap!' roep ik, maar hij kan me natuurlijk niet horen boven het met gitaar begeleide drama van Peggy Sue die door de stad rent en het hart van een in geruit flanel gestoken cowboy in tweeën breekt. 'Je bent er weer!'

Het ruikt naar avondeten in de keuken. Mijn lange vader met zijn ronde buikje staat bakbanaan te bakken, meedeinend en enthousiast zingend. Zijn haar is keurig geknipt en zijn beige broek past bij zijn overhemd. De afgelopen vier dagen heb ik het huis voor mezelf gehad omdat hij weg was, ik weet niet precies waarnaartoe. Waarschijnlijk had hij een of ander teambuildinguitstapje, om te leren televisies te verkopen met meer oog voor culturele gevoeligheden of zo. Ik schrik er zelf van hoe opgelucht ik ben hem te zien. Dan moet ik me wel heel erg vervelen. Misschien heeft Juliet gelijk en had ik mijn baantje niet moeten opzeggen. Ik heb niks anders te doen dan de hele dag naar geestdodende talkshows kijken en eten en tobben.

'Pap!' schreeuw ik boven de muziek uit. Hij deinst dodelijk geschrokken achteruit, alsof ik hier niet woon. 'Ik had net zo goed een inbreker kunnen zijn!'

'Hm? Ik versta je niet.'

'Dat verbaast me niks.'

'Wat?'

'Ik zei dat het me niks verbaast dat je me niet kunt verstaan!' krijs ik. 'Wil je soms doof worden of zo? Zet die country alsjeblieft even uit, pap! Ik word er gewoon levensmoe van.'

'Jij hebt geen smaak als het om muziek gaat,' zegt hij, terwijl hij het geluid van zijn verrassend krachtige kleine gettoblaster zachter draait. 'Alles goed met je?'

'Ja hoor.' Ik ga aan de keukentafel zitten. Op zijn schort staat 'WHAT'S MISSING IN CH-RCH? Ik begin te lachen.

'Wat is er?'

'Niks.'

Hij kijkt me achterdochtig aan en zegt dan: 'Ben je zo de straat op geweest? Die broek is volgens mij niet eens gewassen.'

'Nou, dan heb je mijn schoenen nog niet gezien!' zeg ik, terwijl ik een groezelige gymschoen onder de tafel uitsteek zodat hij hem aan een nader onderzoek kan onderwerpen. 'Kijk! Damesachtiger dan dit kan toch niet!'

'Je bent me er eentje,' zegt hij hoofdschuddend. 'Je zou eens wat meer aan je uiterlijk moeten doen. Waarom laat je je haar niet... doen?'

'Ontkroezen? Dat bedoel je toch?'

'Nou ja...'

'Zodat ik het over mijn schouders kan gooien, zo.' Ik doe het voor. 'En het sierlijk om mijn vingers kan winden. Ja, ik zou een echte kleine zwarte barbie kunnen zijn. Dokter Barbie. Of anders accountant Barbie.'

'Doe toch niet altijd meteen zo theatraal! Het zou gewoon mooi en netjes staan, meer niet. Je zou er leuk uitzien, en dat is ook goed voor je sollicitatiegesprekken.'

'Heel subtiel.' Ik pak lachend wat cranberrysap uit de koelkast. Vanaf het moment dat ik ontslag heb genomen bij het marktonderzoekbureau zeurt hij iedere dag dat ik iets anders moet zoeken. 'Waar heb jij eigenlijk gezeten?' vraag ik voordat hij mij kan vragen wanneer ik voor het laatst bij het arbeidsbureau ben geweest. 'Ik heb je sinds donderdag niet meer gezien.'

‘Grotemensenzaken.’

‘Kom op, pap. Ik ben nu ook grote mensen!’

‘Voor mij niet. Voor mij zul je altijd een kleine snotneus blijven!’

‘Ben je soms weer met die ouwe Chanders weg geweest?’

‘Zo moet je haar niet noemen, Eden. Dat heb ik je al eerder gezegd. Maar...’ fluistert hij, ‘ja, ik ben een paar dagen weg geweest met de verrukkelijke Rose Chanderpaul.’

‘Leuk.’

‘Ik ben met haar naar Parijs geweest.’

‘Wauw,’ zeg ik, en ik probeer te glimlachen. ‘En laat ik nou hebben gedacht dat je aan het werk was. Hoe was het? Ik dacht dat amoureuze weekendjes niet mochten van je geloof?’

‘Aparte kamers natuurlijk, Eden!’

‘O, stouterd! Vertel! Heb je het leuk gehad?’

Hij werpt me een blik toe, besluit dan te doen alsof mijn vraag oprecht bedoeld is en vertelt me dat zijn uitstapje heel leuk was en echt een koopje. Onderwijl gaat hij verder met banaan bakken en rommelt een beetje rond in zijn gele keuken. Die heeft hij vorig jaar in een doe-het-zelfaanval geschilderd, dus het lijkt er nu heel zonnig, net als hijzelf de laatste tijd, met zijn nieuwe schorten en tripjes naar Europa. Gelukkig is het eten wel vertrouwd. De geur van gestoofde kip walmt op uit de pannen op het gasfornuis; verder is er rijst met erwten, en op het aanrecht staat een met folie afgedekte vuurvaste schaal macaroni met kaassaus. Wat er ook gebeurt op de wereld, het zondagse menu blijft in dit huis onveranderd. Zelfs als we maar met ons tweeën zijn.

‘Toevallig zit ik er ook over te denken om een uitstapje te maken, pap.’

‘O ja? Waarnaartoe? Naar je werk?’

‘Ha ha. Nee, naar New York.’

Er valt een lange stilte.

‘Waarom?’ vraagt hij, hoewel hij het antwoord al weet.

‘Tante K.’

Hij schudt zijn hoofd en haalt zijn neus op. ‘Pff! Ik heb je toch al over Katherine verteld! Ik weet dat ze familie van je is, maar dat maakt je nog niet immuun voor waar ze zich mee bezighoudt. Ze is een obiavrouw. Het is beter om geen contact met haar te hebben.'

'O, alsjeblieft zeg! Ze is gewoon eenzaam.'

'Er bestaat kwaad in deze wereld, hoor Eden! Geesten bestaan! Tante K. is er nooit vies van geweest om zich te bemoeien met dingen waar een goed christen zich beter verre van kan houden. En trouwens, wat heb je nog met haar? Het is al tien jaar geleden dat je haar voor het laatst hebt gezien. Laat haar toch.'

'Ik heb van alles met haar, want ze is familie! Hoe zou je het vinden als iemand me verbood om met jouw zussen om te gaan?'

'Mijn zussen zijn goede christelijke vrouwen, Eden! Geloof me. Laat die vrouw met rust, want zij is wel de laatste persoon die je kunt gebruiken in je leven. Moet je zien hoe het de afgelopen paar weken met je ging! Ik dacht dat je je leven eindelijk op orde kreeg, maar moet je jezelf nou eens zien, je bent alle richtinggevoel kwijt! Je hebt geen werk, je gaat in vieze kleren de straat op. Het enige wat je doet, is een beetje in die kamer van je zitten. En ik zeg ook niet dat ze je iets heeft aangedaan, maar als je met bepaalde mensen omgaat, dan weet je gewoon niet...'

'Niet te geloven! We hebben het hier wel over de zus van mijn moeder, hoor! Hoe kun je dat nou zeggen? Zelfs als ze een of andere boze heks was, waarom zou ze mij kwaad willen doen?'

'Als je maar voorzichtig bent. Dat is alles wat ik zeg.'

'Volgens mij heeft ze gelijk, pap. Je hebt echt iets tegen haar, hè?'

'Welnee!'

'Wel waar!'

Hij maakt een geluid om te laten merken dat hij er schoon genoeg van heeft en richt zijn aandacht weer op het eten. 'Zoek nou maar gewoon werk, Eden,' zegt hij. 'Misschien dat je dan eens kunt gaan denken over een wereldreis.'

steek het.

'Naar wat voor werk gaat je belangstelling uit?' vraagt een opgewekt vrouwtje in een roze blouse. Op haar naamplaatje staat 'Margaret'. Ze is hier duidelijk nog niet lang genoeg om het intense gevoel van zinloosheid te hebben geabsorbeerd dat haar collega's zich eigen gemaakt hebben. 'Weer iets met marktonderzoek misschien?'

'Dat weet ik niet precies.' *Ik scheer nog liever mijn hoofd kaal en steek het dan in de hete frituurpan.*

'Administratief werk?'

'Eh...' *Is er nog een baan vrij als loterijwinnaar? Als internationale superster? Als rijke erfgename?*

'En er is natuurlijk altijd winkelpersoneel nodig, misschien dat dat wat voor je is...'

Spion? Moordenaar? Premier? Astronaut?

'Lijkt dat je wat?'

'Kweenie.'

'Waar ben je goed in?'

'Nergens in eigenlijk.' *Ik kan dertig seconden mijn adem inhouden. Ik kan zweven. Ik fabriceer bommen. Ik kan het Oude Testament boeren in het Latijn.*

'Tuurlijk ben je wel ergens goed in! Ik zie hier dat je al aardig wat banen hebt gehad.'

'Ik kan wel met computers omgaan.'

'Mooi! Welke programma's?'

'Mahjong,' zeg ik.

Ze kijkt me bevreemd aan.

'Daar ben ik aardig goed in,' voeg ik eraan toe.

'Mahjong?' herhaalt ze langzaam, het woord uitrekkend in de hoop dat ze het dan beter zal begrijpen.

Ik kijk om me heen naar alle andere werklozen in de stoelen, die redenen proberen te verzinnen waarom ze van praktisch nut zouden kunnen zijn. Voor deze of gene. Voor wie dan ook. Iedereen kijkt verveeld, ook degenen die de vragen stellen. Ze zien er allemaal uit alsof ze moeten meedoen aan een spel waarvan de winnaar al bekend is, en het is geen van hen.

'Ja, en Pacman.'

'Ik weet niet of ik wel helemaal begrijp...'

'Mijnenveger. InkBall. Af en toe patience.'

'Patience?' Margaret veegt haar pony uit haar gezicht en begint dan te lachen. 'O! Dat is grappig.'

Ik lach niet. 'Hoeveel ga ik per week verdienen?' vraag ik.

ophangen.

Er is een vrouw die mijn kaptafel bewaakt vanuit haar fotolijstje van £1,99. Het is een foto die ik een keertje heb gemaakt, een paar jaar geleden. Ik noem haar 'De vrouw die heeft weten te ontsnappen'. Op dit moment hangt ze tussen een kalender en een paar flyers van een optreden van Zed, die ik nog steeds niet heb weggegooid. Heel vaak zie ik de vrouw niet eens, maar wanneer ik haar wel zie, praat ze tegen me.

Eerst vallen haar ogen op, een bleek, wezenloos blauw. Ze kijkt naar de lucht alsof lijn 253 – de foto is genomen bij een bushalte – als een bliksemflits van boven zal neerdalen. Maar ze wacht zonder enthousiasme of angst. Ze wacht alleen maar. Meteen na de doorschijnende blauwe ogen zal haar keurige kortgeknipte kapsel je opvallen. Dan het getailleerde jasje van spijkerstof, tot aan de hals dichtgeknoopt, haar strakke spijkerbroek en de felgekleurde slippers. Misschien dat zelfs haar gelakte teennagels je zullen opvallen. En dan pas zul je je afvragen wat er mis is met de foto, waarom er zo'n maffe laag op de vrouw zit.

Maar dat is geen speling van het licht. Het zal je duidelijk worden dat de vrouw in werkelijkheid onder het vuil zit, vanaf haar slippers tot en met haar keurige kapsel; ze is zo smerig dat het moeilijk is de werkelijke kleur van wat dan ook vast te stellen, behalve van die vochtige blauwe ogen. Ze is gekleed op de zomer, maar als je de achtergrond van de foto bekijkt, zie je een paar andere mensen staan, ineengedoken in hun donsjacks, met paraplu's opgestoken tegen de motregen. Ze hoort daar niet thuis, op die koude, nare winterdag, in haar zomerse kleren.

Ik heb tientallen verhalen verzonnen, maar het verhaal dat blijft hangen is dat ze een heel normaal meisje was, dat al die dingen deed die een mens doet om normaal te zijn. En toen, op een dag, dacht ze: Genoeg! Het was geen tragische gebeurtenis. Misschien was ze op weg naar haar werk, keek ze op haar horloge en spatte alles ineens uiteen en kon ze er niet meer tegen, tegen al die dingen die je doet alleen maar om je te handhaven. Je maakt je bed op en dan slaap je erin en raakt de boel weer door elkaar en dan maak je het weer op, je drinkt thee en wast het kopje af en maakt het weer vuil met theedrinken, en dan voel je je eenzaam en bel je een vriendin en hebt het over niks en dan hang je weer op en voel je je eenzaam, en dan ontmoet je een aantrekkelijke man en ga je met hem naar bed en belt hij je niet en dan ontmoet je een andere aantrekkelijke man en ga je met hem naar bed en word je verliefd en dan leer je zijn familie kennen en dan maak je het uit en dan word je weer verliefd en – en – en...

Maar op een zeker punt gedurende al deze bezigheden, was ze er klaar mee.

Ze zou nooit meer haar bed opmaken, schone kleren aantrekken, een zondags diner eten, een kop thee zetten, een tijdschrift lezen, een rekening betalen, lachen, met iemand naar bed gaan, verliefd worden. Ze zou al die stompzinnige cycli achter zich laten en in plaats daarvan door de onverschillige Londense straten dwalen en laag na laag van vuil verzamelen.

Soms wanneer ik naar haar kijk, ga ik bijna kapot van medelijden. Maar meestal ben ik alleen maar jaloers.

praten in Kate Bush.

Ik schud mijn hoofd. 'Niet te geloven dat ik ja heb gezegd,' zeg ik tegen Juliet. 'Te gênant.'

'Er is niks gênants aan een zak vol poen!' zegt ze grijnzend. 'Ze kosten maar drie pond! Reken maar dat de mensen ze willen kopen!'

We zijn in de Nice and Friendly, een pub vlak bij Portobello Road, en Juliet heeft een tas vol illegaal gekopieerde films die ze aan de klanten probeert te slijten.

'Je zei dat je wat wilde gaan eten!' beklaag ik me.

'Precies. Ik probeer wat geld voor eten bij elkaar te verdienen. Dvd's?' zegt ze zachtjes maar vasthoudend tegen een stelletje dat net op weg is naar de uitgang.

'Sorry?'

'D,' fluistert ze hard, 'V, D's!'

'Verkoop je dvd's?' vraagt de jongen met rossige dreadlocks en een neusringetje.

'Ja, dat zei ik!' Wanneer ze haar verbaasd aankijken, zegt ze lachend: 'Wat nou, omdat ik geen Chinees ben? Nogal racistisch, hè?' En dan verkoopt ze hun een kopie van de nieuwste *Spiderman.*

'Hoor eens, ik wil niet flauw doen, Juliet, maar kunnen we niet gewoon wat gaan eten? Dit is belachelijk.'

'Oké, oké.' Terwijl ze me meetroont naar de bar, zegt ze: 'Maak je niet zo druk, zeurpietje. Ik trakteer.'

'Nou, heel erg ontzettend bedankt, oké?'

Ze bestelt een Guinness. Ik vraag om een rum-cola.

'Dat meen je niet! Lijkt het je ook niet een beetje te vroeg voor sterkedrank?'

'Maar jij neemt zelf verdomme een Guinness!'

'Ten eerste heeft Guinness een volstrekt andere connotatie dan rum-cola. Er zitten vitamines in. Ten tweede zijn jij en ik heel verschillende mensen. Jij hebt zelfdestructieve neigingen. Ik daarentegen probeer te leven! Snap je wel?'

'Voor mijn part. Geef me dan maar wat jij vindt dat ik moet drinken.'

Ze bestelt een kleintje lager voor me. Wanneer ik haar aankijk, zegt ze: 'Andere connotatie.'

'Je spoort niet.'

'Juist wel.'

We bestellen twee porties fish-and-chips en gaan bij het raam zitten wachten.

'Wat heb je gedaan de laatste tijd?' vraagt ze.

Wat moet ik haar vertellen? Dat ik in mijn kamer naar mijn mobieltje heb zitten staren, me afvragend of ik Zed zou bellen, om na te hebben besloten hem niet te bellen dat toch te doen en dan zijn voicemail te krijgen. Dat ik de dagen tot zijn vertrek aftel. Ik zeg niks, maar ik weet vrijwel zeker dat mijn gezicht boekdelen spreekt.

'Hoor eens, Eden Zweden,' verzucht ze. 'Misschien is deze teleurstelling eigenlijk wel goed. Het is veel te ingewikkeld wat jullie met elkaar hebben, dat is ongezond. Alleen al van het feit dat hij in de buurt is, raak je helemaal van slag. Hoe zou je nou ooit een relatie met hem kunnen hebben? Dit is de kans om verder te gaan met je leven en eindelijk eens serieus over je toekomst na te denken.'

'Mijn toekomst?' Ik lach. 'Wat voor toekomst?'

'Hou eindelijk eens op met doen alsof je die baan hebt opgezegd vanwege de toestand in de wereld. Je bent daar weggegaan omdat die gast je heeft gekwetst.'

'Hij is niet zomaar een gast, Juliet. Dat weet je best. We zijn niet allemaal cyborgs zoals jij, hoor.'

'Ja, nou, als ik een cyborg ben omdat ik hersens heb en die ook gebruik, dan mag je me voor mijn part Robocop noemen.'

'Fish-and-chips met erwten?' De serveerster geeft het bord met erwten aan Juliet en ik neem het bord zonder. Ze valt er met smaak op aan en belaagt haar bord met ketchup, zout en azijn, mes en vork. Van genot neuriet ze binnensmonds. Ik kijk naar mijn eten met hetzelfde gevoel dat ik krijg wanneer ik door een treincoupé loop om een verdwaalde krant te pakken en dan ontdek dat het een buitenlandse is.

'Juliet, ik...' zeg ik, licht in mijn hoofd, maar te uitgehongerd om te kunnen eten. Ik nip van mijn bier en mors wat over mijn hand wanneer ik het glas weer op tafel zet. Ik hou niet eens van bier. 'Zo zit ik niet in elkaar. Was het maar waar.'

Ze schudt haar hoofd vol vlechtjes. 'Hou eens op met de Ophelia uit te hangen. Ga verder met je fotografie of zo. Misschien dat je er nooit rijk van zult worden, maar je wordt er in elk geval gelukkig van.'

'Jij bent nooit echt verliefd geweest. Je weet gewoon niet hoe het is! Hij beantwoordt mijn telefoontjes niet eens. Niet te geloven toch? Ik ben niet degene die iets is begonnen met een vriend van hem! Niet te geloven dat ik mezelf zo in de hoek heb laten zetten. Juliet, *I threw my shoes in the lake and they sunk to the bottom, no trace. Had to walk home barefoot through,*' zeg ik lachend, met brandende ogen, '*horse shit.*'

'Oef!' Ze krimpt ineen. 'Je moet er wel erg beroerd aan toe zijn als je in Kate Bush begint te praten. En je kreeg zeker niet de kans om een paar *steps on the water* te maken?'

'Nee.'

Ze wrijft onhandig over mijn arm, waarschijnlijk probeert ze iets vriendelijks te bedenken om te zeggen. Maar vriendelijkheid is niet echt haar fort. 'Ik snap,' zegt ze na een minuut, 'dat je het er op dit moment heel erg moeilijk mee hebt, maar toch moet je proberen om positief te blijven. Concentreer je op jezelf. Er gebeurt niets zonder reden. Het is de kosmos aan het werk.'

'Vertel de kosmos dan maar dat hij een functioneringsgesprek nodig heeft.'

‘Maar even praktisch. Red je je wel? Of heb je soms wat poen nodig tot je alles weer op de rails hebt?’

‘Wat?’ Ik zit te denken, zoals zo vaak, aan dat ogenblik in Zeds huiskamer toen we alleen waren, al die weken geleden, toen het allemaal had kunnen gebeuren, en ik het heb verknald. Al die verspilde, doodgeboren momenten tussen ons flitsen door mijn hoofd als in een eeuwigdurende diashow. ‘Sorry?’

‘Ping ping, ponden, dinero...’

‘O dat, ja... ja, ik weet het. Nee, ik red me wel. Ik heb mijn limiet nog niet bereikt, dat had ik je toch verteld? Bovendien denk ik dat ik wel een uitkering kan krijgen.’

‘O o. Daar begint het mee. De volgende halte is de fles.’

‘En nou kappen, Juliet.’

zondags menu.

Boem, boem, boem! Daar komen die zware voetstappen weer de trap af bonken. Ik kijk naar mijn vader, maar op zijn gezicht valt alleen genegenheid te lezen. Met kuiltjes in zijn gladgeschoren wangen maakt hij zich druk over de tafelschikking. Nieuwe borden, echte servetten. Boem, boem, boem. Ze is zo elegant als een tank. Ik zit erop te wachten dat de kalk van het plafond valt en probeer halfhartig een beleefde ontsnappingssmoes te bedenken. Maar ik heb al zoveel tijd doorgebracht in mijn bedompte slaapkamertje dat ik niet weet wat me meer afstoot: het vooruitzicht het vijfde wiel aan de wagen te zijn bij het romantische avondje van mijn vader of weer terug te gaan naar mijn hok.

Mevrouw Chanderpaul verschijnt eindelijk in de deuropening, en net als altijd ben ik stomverbaasd. Ze is geen indrukwekkend lange, enorm dikke vrouw van honderdvijftig kilo. Ze is zelfs behoorlijk klein. Anderhalve meter en als een balletje zo rond. Ik bedenk dat het soortelijk gewicht van haar lichaam hoger moet zijn dan dat van een gemiddeld mens. Misschien is ze afkomstig van Krypton, de planeet van Superman.

En ik hoor die luide voetstappen van haar hier steeds vaker. In de wasbak tref ik steeds haar lange krullende haren aan, in de gang haar schoenen, op de bank haar handtas, en haar zware parfum bezoedelt mijn zuurstof.

'Hallo lieverd!' zegt ze. Haar glimmende donkerbruine gezicht straalt. Ze is van top tot teen gekleed in fuchsiaroze – inclusief haar oogschaduw. Ze is een donkere Hindoestaanse uit

Trinidad, met glibberig, zwart, getoupeerd haar dat boven op haar hoofd is vastgezet met haarspelden. De grootste suikerspin die ik ooit buiten Nashville heb gezien. Nou ja, niet dat ik ooit in Nashville ben geweest. Maar ik heb Dolly Parton op tv gezien.

'Hoi.'

Ze besmeurt mijn wang met felle lippenstift, dichtbij en weer weg. Mijn zintuigen verdrinken in lavendel. 'Je ziet er... goed uit,' zegt ze.

'Dank je,' reageer ik, terwijl ik mijn glas jus d'orange leegdrink. 'Papa is het daar niet mee eens. Hij vindt dat ik iets moet laten doen aan mijn stugge schuursponshaar en armoedige kleren. Ik denk dat hij zich voor me schaamt.'

'Eden!' Mijn vader lijkt verstijfd van gêne.

Chanders kijkt hem met een vaag paniekerige blik aan en zegt dan: 'Ik vind dat je prachtig haar hebt! Heel mooi! Je vader wilde vast alleen maar behulpzaam zijn.'

Dus nu weet ze ook nog beter dan ik hoe mijn vader over me denkt. 'Ja vast.'

'Maar ik vind je echt een mooi meisje. Ik kleedde me vroeger ook altijd heel maf,' zegt ze in een poging zich op hetzelfde niveau als 'de jeugd' te plaatsen. 'Toen ik jong was, in de jaren zeventig.'

Ik heb eigenlijk zin om te zeggen: 'Dan is er niet veel veranderd, hè?', maar ik ben bang dat ze dat verkeerd zal opvatten.

'Ik heb iets lekkers voor jullie!' zegt ze, terwijl ze bukt om iets in aluminiumfolie uit de oven te pakken. Ze komt ermee naar me toe en vouwt de folie open. Er komen gele platte broden tevoorschijn. Ze kijkt me aan. 'Hou je van roti?'

'Ja hoor,' zeg ik, want roti is heerlijk, vooral versgemaakte, maar wij eten die nooit, omdat mijn vader dat niet kan maken. Ik voel me onverklaarbaar nerveus. Bovendien, heb je geen curry nodig voor bij de roti? Je kunt het echt niet met alleen maar gestoofde kip eten. En er is ook al rijst en macaroni met kaassaus. Persoonlijk vind ik het allemaal een beetje te veel van het goede. 'Papa vertelde me over jullie romantische uitje.'

Mevrouw Chanderpaul bloost zowaar. O nee, ze is te bruin om

te kunnen blozen. Ik denk dat het door dat fuchsiaroze komt. Maar ze ziet er gelukkig en quasi-verlegen uit. 'Je vader is een heerlijke man!' zegt ze.

'Nou, niet heerlijk genoeg blijkbaar...' beklaagt mijn vader zich. 'Ze wil niet samen met mij weglopen!'

'O Elliot! Doe niet zo gek.'

'Verstandige vrouw,' weet ik eruit te brengen.

Ik kijk naar mijn vader, mollig en keurig in zijn bij elkaar passende kleren, met zijn keurige lachje, samen met zijn fuchsiaroze vriendin, en ik voel me weggeduwd door dat beeld. Ik hoor niet thuis in dit plaatje.

'Eh,' zeg ik, 'ik wil niet onbeleefd zijn of zo, maar ik geloof dat ik maar boven ga eten. Ik wil jullie niet tot last zijn.'

Mijn vader trekt een gezicht als een donderwolk, Chanders kijkt beteuterd.

Voordat ik me schuldig kan gaan voelen, pak ik mijn bord en glip weg.

knotje.

En dit is hetzelfde huis waar mijn moeder in de huiskamer zat, bits en bleek, nu veertien jaar geleden. Ze was katachtig en zat vol geheimen en wachtte tot ze de aanval kon openen op ons leven samen, tot ze het aan stukken kon scheuren met haar slanke vingers, net als de kip die ze zat te eten. Ook toen was mijn vader degene die kookte.

'Ik kan dit niet meer, Elliot.'

Ik herinner me dat haar lippen glansden van de kip. Ik herinner me dat haar lippen glansden, want toen ze begon te praten, dacht ik aan haar glanzende lippen en hoe mooi ze erdoor werd, zelfs al was het alleen maar kippenvet. En ik vroeg me af of ik later ook zo mooi zou worden en ik bedacht hoeveel prettiger het voor mijn schedel zou zijn als ik ook van die losse krullen had als zij. Ze waren zijdezacht, zwart, en in een romantisch knotje boven op haar hoofd gespeld. 'Jij bent niet echt zwart,' zei ze vaak, 'maar ook weer niet zo licht als ik. Mijn overgrootvader was blank, wist je dat? Bijna.' Ze zei dat zo vaak dat het me op de zenuwen begon te werken. 'Jij lijkt op je vader.'

Ik was toen al langer en breder dan zij en bad dagelijks dat ik niet verder zou groeien. Ik herinner me dat ik dacht dat haar niet erg moederlijke kleren op precies de goede plaatsen strak zaten, zodat ze eruitzag alsof ze in *Top of the Pops* zat of in een of andere soap, wat ze ook liever wilde dan in onze slecht verlichte huiskamer zitten.

'Ik kan dit niet meer, Elliot.'

‘Wat zei je, Marie?’
‘Ik kan dit niet.’
‘Wat niet?’
‘Dit. In deze koude kamer zitten.’
‘Het is zonde om de verwarming aan te zetten.’
‘Dat is niet zonde als het daarna niet meer zo koud is.’
‘Waar heb je het over?’
‘Hoe kan het nou zonde zijn om de verwarming aan te doen als het daarna niet meer zo koud is!’
‘Waarom schreeuw je zo?’
‘Omdat ik het koud heb!’
‘*Chu!* Zet de verwarming dan maar aan. We zien het wel als de rekening komt.’
‘Nee.’
‘Nee? Mens, je zei net dat je het koud had! Zet de verwarming hoger!’
‘Nee. Ik doe dit niet meer. Ik ga weg. Ik haat het hier!’
‘Ik snap je niet...’

Mijn vader raakte tijdelijk zijn greep op het Engels kwijt, hoewel het de enige taal was die hij sprak. Mijn moeder bleef herhalen dat ze bij hem wegging, maar hij snapte het pas toen ze de trap op rende, met mij vlak op haar hielen. Vanuit de deuropening keek ik toe hoe ze kleren in een van mijn vaders lelijke, goedkope koffers begon te gooien.

En ik wist dat ze me niet zou meenemen.

blauwe krijs.

Dus nu hang ik ondersteboven op mijn onopgemaakte bed naar het vochtige plafond en de paarse verf te staren. Naar de niet-ingelijste posters en volgekalkte Post-its op de muren. Kleren op de grond. Overal stapels cd's en boeken. Mijn geruite laken bezaaid met een laptop, pennen, potloden en een schetsboek. En foto's van hém, verborgen in een kleine collage aan de muur, foto's van hém rondslingerend in mijn lades tussen halflege doosjes paracetamol en stukjes blauwe putty, foto's van hém rondrazend in mijn hoofd als een diashow die nooit ophoudt. Ik zou niet weten waar ik moest beginnen om deze rotzooi op te ruimen.

Ineens trillen mijn voeten. Ik duik naar mijn tas die op het voeteneind van het bed is beland en gooi alles op de vloer en het is mijn mobieltje dat zijn blauwe krijs krijst. Zed.

'Hallo?' zeg ik buiten adem.

'Hé! Sliep je al?'

Stilte. Het is Zed niet.

'Met wie spreek ik?'

'Met Max! Ik had al een tijdje niks van je gehoord...'

'Dat,' zeg ik tegen haar, 'is niet jouw telefoon.'

'Maar Zed kan gratis bellen toch? Zuinigheid kent geen tijd! Maar hoe gaat het met je?'

'Prima.'

'Waarom heb je me niet verteld dat je ontslag ging nemen? Wat is er gebeurd?'

'Ik had er gewoon genoeg van.'

'Weet je zeker dat er niks is? Je klinkt een beetje depri.'

'Nee, ik voel me fantastisch.'

'Nou, zo klink je niet. Je klinkt gewoon beroerd. Heb je soms zin om vanavond mee op stap te gaan? Ik ga naar een feest in Shoreditch. Het wordt vast –'

'Nee, bedankt. Ik hou me maar bij thee en tv.'

'Doe niet zo flauw! Heb je echt iets leukers te doen? Tv is helemaal niks tegenwoordig. Ik bedoel, wat ben je nu aan het doen?'

'Niks.' Jezus! Dat had ik niet moeten zeggen.

'Nou, dan is er dus niks wat je tegenhoudt. Als het om je problemen met Zed gaat, praat er dan vanavond over en maak het goed, want jullie zijn al zo lang vrienden.'

'Gaat Zed ook?'

'Tuurlijk.'

Mijn gezicht wordt knalrood en ik sla met mijn vuist op het nachtkastje en dat doet pijn, want een van mijn zware metalen armbanden ligt er. 'Fuck!'

'Wat hij ook heeft gedaan, zo erg kan het ook weer niet zijn.'

'Eh, Max, ik moet echt hangen.'

'Wat?'

'Dag.'

'Wacht! Wat zit je nou eigenlijk zo dwars? Je doet al tijden hartstikke raar!'

'Niet waar.'

'Wel waar! We hebben elkaar niet eens meer gesproken sinds je ontslag hebt genomen. Ga nou mee, dan trakteer ik je op een drankje en dan kunnen we –'

'Val dood.'

'Jezus, ik wilde alleen maar helpen.'

'Nou, je helpt me niet! Laat maar zitten. Je denkt toch niet dat je zomaar mijn leven binnen kunt banjeren en me de les kunt lezen! Je kent me niet eens! Zorg eerst maar eens dat je je eigen leven op orde krijgt, stomme anorectische crackhead!'

Stilte.

Dan zegt ze: 'Waarom doe je zo lullig?'

'Ik doe niet lullig. En als ik een lul was, dan zou je me misschien voor vijf pond kunnen pijpen.'

'Zal ik jou eens wat zeggen? Nou ga je echt te ver!' schreeuwt ze, eindelijk kwaad. 'Wat de fuck zit je precies dwars?'

'Jij zit me dwars! Dat belt me maar de hele tijd! Heb je dan helemaal niks door? Je werkt me op de zenuwen en ik kan je niet uitstaan!'

'Je bent ook zo'n... Weet je, ik belde alleen maar omdat ik wist dat je in je eentje zou zitten somberen als een zielig oud wijf, want je hebt zelf helemaal geen leven, en het enige wat je doet is als een kip zonder kop rondrennen en je afreageren op mensen die zo stom zijn dat ze om je geven! Ik word echt doodziek van je, Eden. Je bent ook zo'n –'

Klik.

Ik ga naar buiten. Ik heb frisse lucht nodig.

in de schaduw van Rose.

'Eden? Kan ik even met je praten?'

Mijn vader staat onder aan de trap met een blik op zijn gezicht die zegt: bezorgd.

'Ik ga net weg, pap,' zeg ik, terwijl ik halverwege de trap blijf staan en wou dat ik door het dak zou kunnen wegvliegen. Dat zou pas hekserij zijn. 'Ik heb haast.'

'Wacht eens even jij! Ik maak me echt zorgen om je gedrag!' zegt hij. Hij gaat zo staan dat ik door hem heen zou moeten om bij de voordeur te komen. 'Ik hoorde je net in je kamer tegen iemand schreeuwen door de telefoon!'

'Ik was gewoon met Juliet aan het kletsen. Je weet toch dat we dat voor de grap doen...'

'Ik begrijp werkelijk niets van je houding van de afgelopen tijd! Het enige wat je doet is in die zwijnenstal tv zitten kijken, terwijl je eigenlijk werk zou moeten zoeken!' Hij maakt een afkeurend geluidje. 'Ik kan het niet aanzien dat je, na al die tijd nog, jezelf te gronde richt. Je drinkt te veel, je hebt je opleiding niet afgemaakt en je plant een reis naar New York die je niet eens kunt betalen! Waarom kun je het niet achter je laten, Eden?' vraagt hij, op een toon alsof hij om zijn leven smeekt. 'Wat heb je toch?'

'Niks.'

'Het heeft zeker met mijn vriendschap met mevrouw Chanderpaul te maken, hè?' Hij gaat wat zachter praten, zodat de ouwe Chanders het niet kan horen – hoewel die tussen al het sop zo hard staat te zingen dat ik me afvraag of ze überhaupt iets zou kunnen horen. Zelfs afwassen doet ze luidruchtig. Beng beng beng doen de borden, en haar stem hapert en start weer als een onbetrouwbare motor. 'Eden, dit... dit is voor het eerst dat ik weer iets voor iemand voel sinds...' hij zwijgt even. 'Sinds je moeder. Ben je niet blij voor me?'

Ik kijk hem alleen maar aan.

'Eden? Je moet niet denken...' Hij zucht. 'Ik probeer haar niet te vervangen of zoiets...'

'Natuurlijk ben ik blij voor je, pap. Zie ik er niet blij uit? Voel je de opwinding en vreugde niet uit al mijn poriën stromen?'

'Je kunt beter even in de kamer komen.'

'Ik zei toch dat ik wegging?'

'Eden, laat het me geen twee keer hoeven zeggen! Je komt nu meteen.'

Dus lopen we onze ouderwetse huiskamer in, die tegenwoordig een paar ontroerend moderne details heeft. Een Ikea-lamp naast de boekenkast die propvol moderne thrillers en stichtelijke literatuur staat. Houten luxaflex in plaats van de oude velours gordijnen. Een gestreept vloerkleed. Maar toch is het weer net alsof ik achttien ben, of dertien, of tien, wachtend op mijn preek. Maar ik ben vijfentwintig! Mijn vader zegt dat ik moet gaan zitten.

'Zo,' zegt hij, terwijl hij met een zakelijk air in zijn handen wrijft. 'Hoe kunnen we jouw probleem met mevrouw Chanderpaul oplossen?'

'Ik heb nooit beweerd dat ik een probleem met haar had,' zeg ik tegen hem. 'Dat zei jij.'

'Eden, ik zie hoe je naar haar kijkt, hoe je tegen haar praat. Je bent niet eens aan tafel komen zitten voor het eten! Je bent gewoon naar je kamer gerend. Ze heeft er niets van gezegd, maar je snapt toch wel dat mevrouw Chanderpaul zich daar heel onprettig bij voelt? Ze doet altijd zo haar best met jou! Ze probeert voortdurend om een goede band met je op te bouwen...'

'Daar heb ik niet om gevraagd.'

Ik weet wanneer mijn vader boos is, want dan puilen zijn

ogen uit zijn hoofd en zou je waarschijnlijk een hele trein door elk van zijn neusgaten kunnen laten rijden. Ik voel me vreemd opgelucht, want dit ken ik, dit dansje hebben we al zo vaak samen opgevoerd. Zijn tevredenheid is de buitenaardse indringer die ons huis binnensluipt en de dimensies ervan verandert, de geur, de mate van verval. Hij wordt zachter om zijn middel. De lachrimpeltjes om zijn ogen en mond verdiepen zich. Hij wordt oud.

'Allemachtig!' roept hij. Hij werpt zijn handen in de lucht en zijn achterste op de bank naast het mijne. Zijn bewegingen worden sneller, de beenderen van zijn gezicht prominenter. Als hij boos is, lijkt hij meer op de man die hij was. 'Ik snap niet hoe je zo egoïstisch en negatief kunt zijn! Ik heb mijn hele leven voor je opgeofferd en nu gun je me niet eens een beetje geluk? Voor het eerst van mijn leven? Je bent geen kind meer. Je bent een volwassen vrouw!'

Voor het eerst. Van zijn leven.

'Heb je niets te zeggen?'

'Pap, je bent een volwassen man en ik vind dat je moet doen waar je zin in hebt. Daar heb je mijn goedkeuring niet voor nodig.'

'Weet je wat jouw probleem is? Je bent nooit echt volwassen geworden! Je bent ergens blijven steken en weigert verder te gaan! Het ligt niet aan mijn opvoeding dat je zo'n snotaap bent!'

'Ik ben geen snotaap.'

'Dat ben je wel! Ik schaamde me dood voor jouw gedrag. Alsof ik je totaal geen manieren heb bijgebracht. Je hebt me gewoon voor schut gezet! Als je respect voor mij hebt, dan moet je ook respect hebben voor mevrouw Chanderpaul, want ik heb voor haar gekozen, en ze heeft je nooit anders behandeld dan met liefde en begrip –'

'Je hebt helemaal niet voor mevrouw Chanderpaul gekozen! Ze heeft jou uitgekozen! Ze is gewoon de eerste vrouw die je een beetje aandacht schenkt. Ze is niet half zo aantrekkelijk of intelligent als... als jij.'

De mondhoeken van mijn vader gaan naar beneden en op kalme, doodse toon vraagt hij: 'Als je moeder, bedoelde je? Niet zo mooi of intelligent als je moeder?'

'Dat heb ik niet gezegd, papa. En ik moet nou echt weg.'

'Nou, ga dan.'

'Pap...'

'Ga maar! Ga dan als je dat per se wilt!'

'Wat heb jij nou ineens? Ik ben niet over mama begonnen. Dat heb jij gedaan!'

'Maar zij is wel de echte reden van jouw boosheid, hè? Niemand kan tippen aan die vrouw die jij bij elkaar hebt gefantaseerd. Zelfs jij niet!' sist hij. 'Het is gewoon zielig. Je kleedt je als een dakloze. Je hebt geen enkele hartstocht voor het leven, geen enkel doel! Weet je hoe dat voor mij is, om te moeten aanzien dat jij je leven vergooit?' Hij schudt zijn hoofd. 'Ik snap niet hoe je zo kunt leven. En jij wilt een oordeel vellen over Rose? Ze is een prachtvrouw... Waarom zie je dat niet? Het enige waar jij naar kijkt, is de buitenkant! Je moeder kan nog niet in de schaduw staan van Rose!'

Een hele tijd kan ik geen woord uitbrengen. Als ik wel iets zou zeggen, kon er hier weleens een erg vijandige sfeer ontstaan. 'Mij best, pap,' zeg ik uiteindelijk. 'Maar als je ze dan toch wilt vergelijken, moet je wel eerlijk zijn tegenover je zelf.'

'Het gaat er maar om wat je waardeert aan een mens,' verzucht hij alsof hij alle hoop heeft opgegeven. 'Als het gaat om vriendelijkheid, liefde, deugdzaamheid en kracht, dan... Ik weet niet wat er is misgegaan. Ik heb mijn best gedaan met je, maar je bent net zo'n blinde en arrogante vrouw geworden als zij.'

vals.

KLA-BENG!

Mijn moeder schrok zich wild toen beneden het kabaal losbrak. Die dag waarop ze ons verliet. Ze liet alle kammen uit haar hand vallen, allemaal van verschillende kleur, breed- en fijngetand. Houten kammen en een paar kammen van felgekleurd glitterplastic. Ze stuiterden op van de vloer en schoten in de richting van de deuropening. Mijn moeder verroerde zich niet.

Ik rende de trap af en na een tijdje hoorde ik dat ze achter me kwam staan in de huiskamer.

Overal scherven porselein en kristal.

Het deftige servies.

De kristallen glazen en dierfiguurtjes.

En mijn vader ging nog een paar luidruchtige minuten door.

Nadat de rust was weergekeerd, schreeuwde of huilde ze niet, maar nu ze geen toevluchtsoord meer had, was het helemaal zeker dat ze weg zou gaan. Haar mooie spulletjes, haar zijden kussens, haar kristallen glazen en haar servies vormden voor haar een ontsnapping uit het dagelijkse leven.

En hij had alles kapotgemaakt. Gescheurd, vernield en stukgegooid.

Toen hij klaar was, liep ze zonder iets te zeggen de gang door en weer naar boven. Mijn vader zat op de grond, te midden van zijn hulpeloosheid. Hij had haar gedwongen om weg te gaan omdat haar smeken om te blijven onverdraaglijk voor hem was.

Ik haalde mijn elfjarige voet open toen ik haar volgde over de puinhopen van haar vernietigde schatten, maar ik liep gewoon door. Ik wist dat er nog maar een paar foto's van haar overbleven – bloed of geen bloed.

'Luister naar me,' zei ze, terwijl ze boven lukraak en steeds sneller spullen in de koffer smeet, 'laat je nooit door een man zo gek krijgen dat je hem je ziel geeft. Begrepen?'

Ik volgde haar met mijn blik toen ze kleren uit haar nieuwe ladekast pakte. Mijn vader en zij hadden het hele huis opnieuw geschilderd en behangen. Hij had het toen niet geweten, maar het was haar laatste poging om haar leven leefbaar te maken.

'Ja, mam.'

'Ze zijn vreselijk achterbaks.' Ze huilde inmiddels – om haar kapotte spullen, niet omdat ze mij achterliet, dacht ik. 'Ze zeggen altijd dat wij achterbaks zijn, maar dat zijn ze zelf.'

Foto: een harde groene blik mijn kant uit vanuit haar ooghoeken, haar vingers achter haar linkeroor om een losgeraakte krul te fatsoeneren, haar lippen naar beneden.

'Al die praatjes van ze dat ze je zullen aanbidden!' Een T-shirt, een broek. 'Ze willen je hart in hun eigen borst planten en het nauwgezet water geven.' Bh's, panty's, slipjes. 'Maar ze menen er niks van. Ze willen het alleen in handen krijgen.' Een nooit gedragen jurk. 'En zodra ze het hebben, is je hart een vaatdoek. Je ziel is het vuur achter in de tuin waar afval wordt verbrand. Je moet jezelf nooit aan een man uitleveren, Eden!'

Ik had geen flauw idee waar ze het over had; het enige wat ik wist, was dat het stom en verzonnen klonk. Mijn vader zou nooit dingen zeggen als: 'Ik wil je hart in mijn eigen borst planten.' Dat was gewoon fucking maf. Een en al smoesjes.

'Oké. Goed,' zei ik, maar ik dacht: En ik dan, mama? Ben ik ook jouw gevangenis? Nou? Ben ik ook achterbaks?

'Waag het niet om vanwege een of andere man de beste jaren van je leven te vergooien als een handvol vals geld.'

Maar als ik dan toch aan jouw kant sta... 'Waarom mag ik niet met je mee?'

Ze stopte met praten, heel even.

'Hij is zo fantastisch,' zei ze toen, zonder mijn vraag te beantwoorden.

Ik kreeg een moedeloos gevoel. Ze liet me dus echt in de steek.

'Ik... ik heb iemand leren kennen, Eden. Ik weet dat je dit soort dingen nog niet begrijpt, maar...'

'Wel waar.' Ik zwom tegen de stroom van mijn West-Indische opvoeding in – kinderen zetten geen vraagtekens bij opmerkingen van volwassenen en het kleinste spoortje brutaliteit is een vergrijp waar een pak slaag op volgt – en vroeg: 'Heb je een minnaar?'

'Een minnaar?' Ze was even van slag toen ze geconfronteerd werd met dit harde roddelbladenwoord. Ik stel me zo voor dat het in haar hoofd anders klonk. 'We zijn verliefd. Ik heb hem een maand geleden leren kennen, toen ik op bezoek was bij tante Katherine in New York.'

Ik had toen zo graag mee gewild. Maar ze had het toen niet gewild en ze zou het nu ook niet willen.

'Hij is een jonge acteur... Je weet wel, net als ik. Hij is zo knap.'

Ik dacht aan mijn vader beneden die er ook niet slecht uitzag en op wie ik leek en er kwam een verlaten gevoel over me. Ik had zijn neus. Dat zei iedereen. 'Mama, je bent helemaal geen actrice. Je bent receptioniste.'

'Alleen maar parttime! Dat is niet mijn droom, en hij snapt dat! Hij steunt me. Hij is gek op me.'

'Dat is duidelijk.'

'Hoe bedoel je dat?'

'Dat hij wel gek moet zijn.' Ik wilde haar losrukken uit haar meedogenloze fantasie. Ze had nog geen moment aan mij gedacht. Die man die beneden zat te huilen bij haar kapotte zondagse serviesgoed – die man was mijn vader. 'Of misschien wilde hij alleen maar seks met je en meer niet. Op school zeggen ze dat overspel een zonde is en dat je naar de hel gaat als je het toch doet.'

'Eden!'

'Mijn vriendinnen,' zei ik, ademloos van oneerbiedigheid, 'zeggen dat het betekent dat je een vieze vuile hoer bent en waarschijnlijk herpes hebt.'

Sprakeloos stond ze me aan te kijken, met een panty over haar arm. Ze kéék echt naar me, alsof ze me voor het eerst zag. Ik dacht aan de liedjes die ze soms draaide op de stereo: 'I Can't Stay Away From You' van Gloria Estefan, en aan hoe zacht haar gezicht er dan uitzag en ik vroeg me af of ze dan soms aan hem dacht, aan haar nieuwe man. Ik vroeg me af of we ooit nog samen met overgave zouden dansen op 'Blue Bayou' en 'Wuthering Heights'. Een paar korte seconden lang dagdroomde ik over een leven in Amerika, maar toen belandde ik weer met beide benen op de grond.

'Tot straks,' zei ik, en ik liep weg zodat zij verder kon gaan met inpakken. Ik ging naar mijn kamer, trok mijn schoenen en een jasje aan, liep de trap af en naar buiten. Er was niemand die me tegenhield.

Ik ging naar Juliets huis en bleef daar tot ik dacht dat mijn moeder wel weg zou zijn, en toen ging ik terug en hielp mijn vader met opruimen.

baksteen.

Daar staat hij. Een silhouet in het licht van het raam, als een kever gevangen in barnsteen. Hij ziet me niet. Mijn loodzware voeten staan op de oneffen straat, het trottoir gescheurd door boomwortels. Een lange zucht ontsnapt aan de kooi van mijn borst, mijn hoofd wordt leeg, een auto komt met veel kabaal de hoek om. Ik had dit met geen mogelijkheid kunnen vermijden. Het was net zo onontkoombaar als het einde van mijn jeugd en net zo onvoorstelbaar.

Na de ruzie met mijn vader had ik een simpele afleiding moeten zoeken, me door Juliet laten meenemen naar de kroeg of me door Dwayne nog meer van die flauwe grappen van hem laten vertellen. Ik had naar de bioscoop kunnen gaan. Mijn gebroken ik volstoppen met chocopinda's, hotdogs en Pepsi. Ik dacht ook dat ik dat zou gaan doen toen ik de voordeur uit liep, de straat met de lage huizen in. Ik was er eigenlijk zeker van. Wat kon ik anders? Het alternatief was niet eens bij me opgekomen, maar toch werd ik ernaartoe getrokken, door de diepe aders van de stad.

In de bus, in het harde licht van het bovendek, pakte ik potlood en papier uit mijn rugzakje. 'Ik ben bont en blauw van liefde, bezweet als een hardloper,' schreef ik hem. Mijn handschrift was springerig door de bewegingen van de bus en de woorden stroomden uit me als bloed uit een diepe snee, te diep om de pijn te voelen. 'Bijna geen adem, mijn borst een grot vol vleermuizen.'

Ik schreef totdat er niets meer te zeggen viel en vouwde toen mijn brief op en stopte hem veilig weg in het voorvakje van mijn rugzak. Ik pakte mijn mobieltje en toetste Juliets nummer in, terwijl ik mijn gedachten liet dwalen over alle dingen die ik zou moeten doen. Maar het woord 'zou' viel steeds dieper de afgrond in. Het woord 'zou' heeft niets met de natuur te maken. Ik stapte uit de ene bus en in de volgende, op weg naar hem. Ik wilde per se bovengronds blijven. Ik liep de lange, flauwe helling op die leidt naar de straat waar hij woont, loodzwaar, op het maniakale getrommel in mijn borst na. Dat wat ik voel, dat wat me hiernaartoe heeft gebracht, is net zo onafwendbaar als de wisseling van de seizoenen. Het ís de natuur.

Ik ben er. De enige vraag die rest is: wat nu?

Zed loopt weg bij het raam. Mijn hoofd komt weer tot leven, langzame gedachten. Ik zou de brief in zijn brievenbus kunnen stoppen. Of ik zou kunnen aanbellen. Maar wat zou ik moeten zeggen? Het enige wat ik weet is dat ik dit stukje beton, dit moment, niet kan verlaten totdat alles anders is. Ik moet hem eraan herinneren dat ik besta, mezelf eraan herinneren dat ik besta.

Ik heb eens ergens gelezen dat mensen hun gedachten uitdrukken met woorden, maar dat ze met kunst hun gevoel overbrengen. Ik geloof dat het Leo Tolstoj was. En ergens anders heb ik gelezen dat kunst zich afscheidt van het dagelijkse leven, dat kunst binnen een lijst en buiten de tijd hangt. Net als die stapel bakstenen die zwijgend in de voortuin van Zeds buren ligt. Die stapel zou kunst kunnen zijn als hij dat wilde, als die stapel het gevoel had dat het fijn zou zijn als er naar hem gekeken werd.

Ik probeer Zeds nummer, maar hij neemt niet op. Ik zie voor me hoe hij daar zit, geërgerd naar zijn mobieltje starend...

Het begint te regenen.

De bakstenen flirten met me. De nacht staat wagenwijd open. Mijn hoofd is stil.

Ik buk me, steek mijn hand door het hekje van de buren en pak een baksteen. Ik voel het gewicht en de ruwheid ervan. Koel en hoekig, stoffig en puur. Een baksteen stelt geen vragen. Hij wil niet liever een stapel zand zijn of een drilboor. Een baksteen is een baksteen.

Mijn arm is soepel, mijn pols klapt moeiteloos naar voren, de baksteen...

... vliegt met een boog naar Zeds raam en...

... ka-deng!

Het glas bezwijkt en versplintert en valt in duizend scherven uiteen op straat. Het klinkt alsof de hele straat ontploft! Mijn hersens komen stotterend weer tot leven. Snelle gedachten. Ik. Ik heb dat gedaan. Ik heb dat gedaan. Ik moet rennen. Ik kan het niet. De tijd tikt zo snel door dat ik hier achterblijf en hij zonder mij naar de bushalte terugsprint.

Het licht gaat weer aan en Zed staat te vloeken. Hij doemt op achter het kapotte raam, een gekarteld silhouet, woedend en met ontbloot bovenlijf.

Nu ziet hij me ineens wel staan.

Zed verdwijnt uit beeld. Ik begrijp dat hij op weg is naar de voordeur, en opeens komen mijn voeten weer tot leven. Het moment stort in elkaar en ik ben al aan het rennen. Maar niet hard genoeg. Lang niet hard genoeg.

Ik ben nog niet eens halverwege de straat of hij is al buiten, op sneakers met losse veters en in een spijkerbroek waarvan de riem loshangt.

'Eden, ben jij dat? Shit! Shit! Fuck! Ben je helemaal gek geworden? Niet te geloven... Verdomme!'

Van schaamte knijp ik mijn ogen even dicht en ik bots bijna tegen een boom op. Ik struikel, maar ik val niet. Volgens mij dacht ik dat de baksteen in de echte wereld geen enkele impact zou hebben. Het zat allemaal in mijn hoofd. Ik dacht dat het in mijn hoofd zou blijven. Ik draai me om en zie hem op straat staan. Hij kijkt naar boven, naar het raam, in spijkerbroek en zonder shirt aan en met één arm boven zijn hoofd, in zichzelf vloekend. Hij rent een stukje mijn kant uit, maar blijft dan weer staan, alsof hij bang is voor wat hij zal doen als hij me te pakken krijgt. Dan hobbelt hij terug naar de lichtvlek voor zijn kapotte raam. Hij loopt nog steeds een beetje mank, wat me verdriet doet. Per slot van rekening is hij ook maar een man.

'FUCK!'

'Het spijt me!' schreeuw ik naar hem, terwijl ik de brief in mijn hand verfrommel tot een bal.

'Gestoord wijf! Fuck! Ik zou de politie op je af moeten sturen...'

En dan ren ik tot ik hem niet meer hoor schreeuwen. De brief gooi ik in de prullenbak voor het metrostation.

Meer dan wat ook ter wereld wil ik hem schilderen. Ik zou het zwarte vinyl van een plaat van Marvin Gaye smelten, er wat donkere rum aan toevoegen en hem met mijn vingers op ruwe baksteen schilderen. Ik zou hem naakt schilderen. Hij naakt. Ik naakt. In een lichte kamer zonder gordijnen of tapijt, met in de hoek een matras bedekt met bont en veren. Ik zou hem schilderen terwijl hij sliep, met zijn mond iets open, met zijn geest iets open en boordevol dromen. Zijn notitieboekjes zouden op een stapel naast een blik vol vulpennen liggen. Ik zou hem schilderen terwijl hij aan het schrijven was. Met geloken, aan het papier vastgeklonken ogen, met gebogen schouders en driftige vingers. In de hoek tegenover de matras zou een badkuip op leeuwenpootjes staan en ik zou hem schilderen terwijl hij een bad nam, met al zijn harde en zachte delen glanzend in het water. Ik zou er maanden, jaren voor uittrekken. Ik zou hem vanuit alle hoeken onsterfelijk maken en daarna zou ik al het werk in een galerie hangen en dan zou ik daar gaan wonen. Met hem...

bella, wat?

'Juliet! Ik probeer je al zo lang te pakken te krijgen.'

'Wat is er aan de hand, Eden?'

'Van alles... van alles. Kan ik vannacht bij jou slapen?'

'Ja natuurlijk! Geen enkel probleem. Maar probeer eerst een beetje tot rust te komen, oké? Hoe kom je hierheen? Het is al aan de late kant toch?'

Ik neem mijn mobieltje van mijn oor en kijk hoe laat het is. Bijna twee uur. Ik heb de afgelopen drie, vier uur continu drank naar binnen zitten gieten terwijl ik probeerde haar te pakken te krijgen, want ik had een slaapplaats nodig, een luisterend oor.

'Je had zeker een van je weekendvriendjes op bezoek, hè?' vraag ik met een doods lachje.

'Zo te horen ben je stomdronken! Kun je eigenlijk wel komen zo?'

'Maakt mij het uit. Ik kan niet naar huis. Volgens mij heeft mijn vader me er net uit gegooid. Ik zit in de bus. We zijn vlak bij Trafalgar Square.'

'Ho eens even, bella, wat zei hij precies? Weet je zeker dat je hem niet verkeerd hebt begrepen? Want daar ben je heel goed in namelijk!'

'Ik heb hartstikke stomme dingen gedaan vanavond, Juliet! Ik ben teruggegaan naar huis om me te verontschuldigen,' ik worstel met mijn woorden, 'om me te verontschuldigen voor mijn gedrag, maar hij begon gewoon opnieuw en toen ontplofte ik!'

'O shit, Eden! Wat heb je gedaan?'

'Het was gewoon een fucking klote-avond, Juliet.'

'Wat is er dan gebeurd? Je vertelt me niet alles!'

'Juliet, weet je nog dat je zei dat ik wel wat geld van je kon lenen?'

'Ja?'

'Nou, hoeveel dan?' vraag ik, terwijl het in mijn hoofd zigzagt als een weefgetouw dat er meters en meters nieuwe stof uitbraakt, heen en weer. 'Hoeveel heb je precies?'

augustus

andere tijd, ander weer.

New York.

De stad heeft een smaak, een geur waarvan ik niet wist dat ik me die nog herinnerde, een spurt naar mijn koffer, gezoem in mijn hoofd. Vliegveld La Guardia, levendig en tjokvol mensen. Verwachtingsvolle gezichten en kartonnen bordjes die in de lucht worden gehouden. Lonkende fastfoodzaken, plus metro's en pendelbussen, sieraden, kleren. Reizigers die zich verspreiden in hun afzonderlijke levens, elke tijdelijke kameraadschap alweer vergeten. In mijn hoekje naast de informatiebalie word ik omringd door extatische herenigingen. Ik ben zo wakker dat ik er niet meer tegen kan. Ik ben doodsbang. Een man – duidelijk op zoek naar wanhopige, onwetende toeristen – komt op me af. 'Taxi?' vraagt hij, en ik zeg: 'Nee,' maar hij hoort 'misschien', dus vraagt hij: 'Waar moet je naartoe?' en ik zeg: 'Dat maakt niet uit, want ik wil geen taxi!' en hij hoort weer 'misschien'. Dus blijft hij in de buurt rondhangen. En ik denk, beweegt mijn mond soms? Ik zeg: 'Rot op!' en hij hoort: 'Blijf nog even in de buurt.'

De taal is dezelfde, maar anders. Misschien heb ik wel een geweer nodig.

Nog zo levendig, de eerste keer dat ik naar de Big Apple vloog. Ik was in alle staten. Grote trillende ogen. Ik kon gewoon niet geloven dat ik mijn moeder zou terugzien. In die tijd leken jaren nog meer op eeuwen en het was alsof zich in de tijd die was verstreken tot ze me eindelijk een vliegticket stuurde, hele nieuwe sterren hadden kunnen vormen, om uit te groeien tot supernova's en vervolgens weer af te koelen tot rode dwergsterren en te eindigen als zwarte gaten.

Terwijl toch altijd wordt beweerd dat moeders zich vastklampen aan hun kinderen. Wat voor iemand was zij, om zomaar te kunnen weggaan zonder ooit nog om te kijken? Wat voor kind was ik dat ik zo weinig liefde wist op te roepen? Stug ging ik naar school, kwam weer thuis, ging naar de bibliotheek en kwam weer thuis, at wat, keek tv, maakte mijn huiswerk en kamde mijn haar. Ik leerde mezelf om niets te verwachten, zelfs geen telefoontje. Ik aanvaardde dat ze me had vergeten.

Maar uiteindelijk liet ze me toch overkomen, toen ik vijftien was. Misschien dacht ze dat ik dan wat interessanter zou zijn. Eerst kwam er een korte brief waarin stond dat ze me voor de zomer wilde laten overkomen. Ja vast, dacht ik, terwijl ik de brief zo klein mogelijk opvouwde en in mijn bureaula stopte. Ik las en herlas hem zo vaak dat hij uit elkaar viel, maar ik geloofde er geen woord van. Zelfs niet toen het ticket arriveerde. Pas toen ik bij de incheckbalie stond met mijn koffer, paspoort en angstig kijkende vader. Maar zelfs toen verwachtte ik nog te worden weggestuurd. *Eden Baptiste? Helaas is er een fout gemaakt...*

Maar ik had het mis. Het was geen grap. Als verdoofd liep ik door de veiligheidscontrole. Ik bleef maar piepen omdat ik was vergeten het kleingeld uit mijn zakken te halen.

De vlucht was op de een of andere manier tegelijkertijd lang en snel voorbij. Uit kleine luidsprekers klonken krakende mededelingen: andere tijd, ander weer, en ik weet nog dat ik dacht dat het zo maf was dat zulke dingen niet vaststonden. Waar kun je nog op vertrouwen als je er niet op kunt vertrouwen dat het 18.07 uur is, precies zoals je horloge aangeeft?

De stad welde op als tranen, en ik dook ernaartoe, stevig samengebald in mijn stoel, terwijl in mijn buik sterren ontploften. Mijn keel kneep zich samen. Mijn oren krijsten. Ik probeerde me haar gezicht voor de geest te halen, maar dat was al onscherp geworden.

Het vliegtuig gleed over de landingsbaan, en ik stapte uit in een nieuw land, met mijn ogen knipperend en vreemd gevoelloos. De rijen voor de security waren eindeloos lang, zo lang dat ik bijna vergat wat ik hier kwam doen. Ik hoorde mezelf zeggen dat ik de zomer zou doorbrengen bij mijn moeder. Een douanebeambte die zo hoekig was dat hij bijna geen mens meer leek, knikte dat ik door kon lopen, de weidse en kwetterende aankomsthal in. Ik dacht dat het een wonder zou zijn als ik haar überhaupt zag. Ze was het vast vergeten. Of van gedachten veranderd...

'Eden!' riep ze, wuivend. Ik zag haar meteen staan. Beide armen een gerinkel van armbanden. Het licht kwam van achteren en legde een glans over haar zwarte krullen en beigebruine huid. Haar glimlach was puur Hollywood. 'Eden, hier!'

Ze kuste me luidruchtig op beide wangen. Ik wist niet goed wat ik moest voelen. Mijn hoofd was nog steeds bij de verandering van de wereld, hoe 18.07 uur 13.07 uur kan worden.

'Mama.'

'Ongelooflijk dat je er nu bent!' Haar zachte Caribisch-Engelse accent had plaats gemaakt voor een nog zachter Caribisch-Amerikaans. Ze hield me op een armlengte afstand om te kijken hoeveel ik in die vier jaar was gegroeid. Ik deinsde achteruit. Ik was een puber die zich overal tegen afzette, en meestal leek dat heel cool, maar op dat moment voelde ik me behoorlijk stom in mijn slecht bij elkaar passende kleren. Ik had helemaal niks van Lisa uit *The Cosby Show*. Ik had echt mijn best gedaan op mijn haar, maar in het vliegtuig was het helemaal gaan kroezen. Ik zag eruit als een kuikentje.

Ze glimlachte. 'Moet je jou nou eens zien! Je bent aangekomen, hè?'

'Ja, en ik heb ook tieten gekregen,' zei ik.

Mijn moeder lachte alsof het grappig was. Ik had haar sinds mijn elfde niet meer gezien en het enige wat ze kon zeggen was: je bent aangekomen?

'Ik zei toch dat ze heel grappig was?' zei ze tegen haar nieuwe man, Dominic. Hij stond een beetje aan de zijkant en zag er helemaal niet uit zoals de echtgenoot van een volwassen vrouw eruit zou horen te zien. Hij leek net de juiste leeftijd te hebben om tieners te kunnen spelen in films. 'Ze is haar hele leven al een grapjas geweest!'

Hij schonk me een meelevende blik en schudde een beetje zijn hoofd, alsof hij wilde zeggen: let maar niet op haar, zo doet ze altijd.

Ik wendde mijn blik af.

'Ik ben blij dat ik je eindelijk leer kennen, Eden,' zei hij, weer oogcontact zoekend. Over één oog viel zwart haar, en hij veegde het weg.

Hij trok mijn koffer naar de auto en laadde hem in, terwijl mijn moeder babbelde over de zomers in New York en hoe leuk ik het zou vinden en dat het haar speet dat ik bij tante K. moest logeren, maar dat mijn tante en ik tenslotte altijd heel goed met elkaar hadden kunnen opschieten, en dat Dominics appartementje echt heel klein was. Je weet hoe dat gaat, lieverd. Haar toyboy gaf me een flesje Coke en een zak Fritos en vroeg of ik moe was. Hij vroeg van wat voor muziek ik hield, want dan kon hij dat onderweg naar Park Slope opzetten.

'Eden?'

Ik schrik me dood. Uit het niets klinkt mijn naam, dichtbij en uit een onbekende mond. Een lange, donkere oude man staat vlak bij me, zijn gezicht heel kalm in al het rumoer. Ik lach. 'Sorry,' zeg ik, terwijl ik weer tot bedaren kom. 'Hallo.'

'Ik wilde je niet aan het schrikken maken.'

'Het geeft niet...'

'Ik ben Baba,' zegt hij op vormelijke toon. 'Ik moest je ophalen van je tante. Welkom in New York.'

'Dank u,' zeg ik.

Hij pakt mijn koffer. Zijn tred is zelfverzekerd en vloeiend. 'Graag gedaan.'

'Hoe heeft u me herkend?'

'Ach...' zegt hij met een glimlach waarbij een glinsterende gouden tand zichtbaar wordt. 'Ze heeft je perfect beschreven.'

feller en harder.

Er is alleen nog het zingen. De rest is vergeten. Geen versleten podium, geen onflatteuze verlichting, geen samenraapseltje van stoelen of oude, beschimmelde gordijnen. Als je je ogen sluit, is er geen publiek in dit buurthuis dat stampvol mensen zit. Alleen nog een warme, zachte stem die iedere noot perfect weet vast te houden.

Net als de zaal kun je de zangeres ook niet echt opvallend noemen. Ze is mollig, van gemiddelde lengte en draagt geen oorbellen of lippenstift. Haar goedkope bloemetjesjurk past niet bij haar schoenen. Om haar hoofd heeft ze een stuk zwarte stof gewikkeld. Mijn camera is tegenwoordig overmand door verdriet en soms zelfs ronduit cynisch, maar toch maak ik een foto.

'Waar is mijn tante?' vraag ik fluisterend aan Baba nadat ik een paar foto's heb gemaakt en mezelf heb wakker geschud uit de betovering die hier hangt. 'Is ze eigenlijk wel hier?'

'Natuurlijk! Kijk maar,' zegt hij, wijzend naar een slanke vrouw met lange dreadlocks en een onberispelijke houding aan de andere kant van de zaal.

'Maar ze is dik!' fluister ik. Hij kijkt me bevreemd aan. 'Nee, ik bedoel niet nu. Ze is nu niet dik. Ik bedoel, ze hoort dik te zijn. Ze is altijd dik geweest...'

'Nou, dat is toch je tante, Eden,' zegt hij lachend. 'Ik stel voor dat je het er verder met haar over hebt.'

Ik baan me een weg door de glimlachende mensen van alle

leeftijden en ga naast haar zitten op een stoel die ze blijkbaar voor mij hebben vrijgehouden. Even zit ik daar zwijgend, niet in staat een begroeting te formuleren.

Ze kijkt niet op of om. 'Je bent er.'

'Ja.'

'Mooi.' Ze werpt me een snelle grijns toe. Ik lach opgelucht, als een kind in het kielzog van haar indrukwekkende, ongepolijste charisma. 'Daar ben ik blij om.'

'Ik ook,' zeg ik, met een hulpeloos hoog stemmetje. 'Niet te geloven dat ik hier ben. Thuis was alles zo klote en...'

'Wacht,' zegt ze. Ze steekt een lange, slanke hand op, opnieuw bloedserieus. 'Luister.'

De stem van de zangeres zeilt moeiteloos naar wat de top van haar bereik moet zijn, zonder enig spoor van inspanning of ademloosheid. Geen gewicht. Zelfs de afgezaagde tekst van de ballade die ze zingt kan haar puurheid niet verhullen.

'Zo klinkt hoop, Cherry Pepper. Er is een goddelijke kracht voor nodig om zacht te durven zijn in een harde wereld. Het is net als wanneer de jonge, groene loten zich, ieder jaar weer, door de aarde en het ijs naar boven werken om naar het licht te gaan. Dat is pure magie.'

'Magie,' herhaal ik. De klank van het woord bevalt me wanneer zij het uitspreekt. Een ding dat gebeurt, dat ís. 'Ik snap wat je bedoelt...'

'Sst!' zegt een streng uitziende vrouw achter me. Ik kijk haar even met samengeknepen ogen aan en trek aan de arm van mijn tante. 'Maar over magie gesproken, tantetje, wat is er in vredesnaam met je gebeurd?' vraag ik fluisterend. 'Waar is de rest van je gebleven? Je bent hartstikke mager!'

'Heb je ooit een dikke crackhead gezien?'

'Tante K!'

'Het is een deel van wie ik ben, Eden. Zo ben ik nu niet meer, maar het heeft iets heel bevrijdends om aan de grond te hebben gezeten. Alles is afgebrand, alleen de kern is er nog. En dan weet je wat echt is.' Tante K. schudt haar hoofd en wijst onopvallend naar de zangeres. Hoewel ze bijna op fluistertoon spreekt, kan ik toch elk naar kruiden geurend woord verstaan. 'Violet heeft het ook allemaal meegemaakt, en ik ken niemand die zo sterk is als zij.'

'Wat is er dan met haar gebeurd?'

'Op haar derde is ze door haar moeder in de steek gelaten en kwam ze bij de pleegzorg terecht. Tien jaar lang is ze van gezin naar gezin doorgeschoven, zonder ergens te kunnen aarden. Op de een of andere manier kwam ze op haar dertiende, nog steeds in het bezit van haar volle verstand, bij een oom terecht die,' haar stem klinkt nog zachter, laag en bitter, 'haar verkrachtte in plaats van haar te beschermen. Toen ze zestien was, besloot ze dat zelfs dakloos zijn nog beter was dan het leven dat ze had, en zo eindigde ze dus in stegen en opvanghuizen, op smerige vloeren. Op zoek naar de liefde die ze zo lang had gemist raakte ze op haar zeventiende zwanger van haar eerste kind en werd vervolgens in de steek gelaten door de vader. Geen huis, geen familie, geen opleiding, geen inkomen.'

De zangeres bereikt behendig het hoogtepunt van het lied, zichtbaar vervuld van emotie. Haar stem klinkt krachtig en zeker. Een meisje dat vlakbij zit, veegt haar tranen weg.

'En daar staat ze nu, Eden. Ze zingt!' zegt tante K. 'Negentien jaar en ze heeft al alle seizoenen van de ziel meegemaakt.'

'Negentien? Allemachtig!' Ik kijk aandachtig; de vrouw lijkt wel dertig. 'Meen je dat?'

'Natuurlijk.'

'En nu? Waar woont ze nu?'

Met een diepe lach legt tante K. haar dreadlocks over één schouder. 'Nu woont ze bij mij, Eden. Net als jij.'

Het lied komt tot een zacht einde en wordt onmiddellijk gevolgd door een uitzinnig applaus.

'Dank je wel, Violet!' zegt de presentator, een kleine man met bril. Het applaus gaat maar door, onderbroken door gefluit en geroepen complimenten. 'Wat is ze fantastisch, hè? Fantastisch gewoon!' Hij klapt opgetogen in zijn handen. 'Dames en heren, we zijn aanbeland bij het eind van de avond en zo meteen zullen we allemaal naar huis gaan. Maar eerst zou ik graag nog een keer de vrouw naar voren roepen die jullie eerder vanavond trompet hebben horen spelen. Mevrouw Katherine Montrose, of Umi zoals we haar allemaal noemen, is de vrouw achter de workshops over man-zijn en vrouw-zijn die zoveel van onze jongeren verder helpen. Umi, kom naar voren en spreek ons toe!'

Gejuich volgt mijn tante terwijl ze opstaat en via het middenpad naar het podium loopt. Ze kust de man op beide wangen. 'Goedenavond, allemaal,' zegt ze. En ik kan het nog steeds niet bevatten, zoals ze was en zoals ze nu is. Ze is altijd dik geweest, van haar prachtige overrijpe hoofd tot aan haar uitpuilende schoenen, met minstens twee onderkinnen, en borsten groter dan mijn hoofd. Een echte matrone. En moet je haar nu eens zien, deze magere en pezige toverheks met paars in haar haren.

'We kunnen bakens zijn,' zegt ze. 'We kunnen aarde zijn. We kunnen het vertrouwen van jongeren herstellen wanneer anderen hen keer op keer in de steek hebben gelaten.' Ze zucht, en de hele zaal doet met haar mee. 'We kunnen het licht zijn en ze helpen, zoals ik Violet heb geholpen. Ik wil jullie allemaal bedanken voor jullie komst naar deze avond waarop we geld hebben ingezameld voor de naschoolse opvang. In een maatschappij die zo vernietigend kan zijn voor de levenslust en het gevoel van eigenwaarde van onze kinderen is het belangrijk dat ze een plek hebben waar ze hun creatieve energie kunnen uiten. Dankzij jullie is het ons dit jaar al gelukt om computers en opnameapparatuur aan te schaffen voor ons centrum, om een paar uitstapjes te maken en onze workshops man-zijn, vrouw-zijn en *life-skills* voort te zetten. *It takes a village*, mensen. En wij zijn dat spreekwoordelijke dorp. Als je wilt meewerken aan een van de cursussen, neem dan contact op met Alex.' Ze wijst naar de man met de bril die in een hoek van het podium staat. 'Hij is hoofd outreach van het Bright Prospect Community Centre hier. Rij voorzichtig. Dank je wel.'

Er wordt weer geklapt, maar ik ben zo moe dat ik mijn handen nauwelijks op elkaar kan krijgen. Er lopen mensen naar mijn tante toe om haar respectvol te begroeten. Ze delen visitekaartjes uit, schudden handen en omhelzen elkaar. Na een tijdje, wanneer de zaal begint leeg te lopen, komt ze terug naar mijn stoel en legt een hand op mijn schouder. 'Kom nichtje, tijd om te gaan. Je ziet er doodmoe uit.'

'Sorry.' Ik lach zenuwachtig naar haar bijna onbekende gezicht. 'Het is nogal een lange dag geweest.'

'Zeg dat wel,' zegt ze. Haar gezicht is een fractie van een seconde zo ontoegankelijk dat ik het gevoel heb dat ik zal sterven van eenzaamheid.

'Maar wat een fantastische bijeenkomst,' zeg ik tegen haar. 'Je bent net Oprah Winfrey of Maya Angelou of zoiets.'

'Niet bepaald,' zegt ze. 'Ik heb nog wat te doen, dus Baba zal je naar huis brengen.' Weer een flits van die plotselinge, onverwachte grijns. 'Ik zie je vanavond. Violet kookt.'

Een paar minuten later zit ik te dommelen op de achterbank van een warme auto. Het valt me op hoe anders het licht hier is, feller en harder, zelfs nu de zon al bijna ondergaat. Ik kijk naar de wereld die aan me voorbijtrekt totdat Baba me in slaap sust met een keur aan easy listening op de radio en zijn aangename stilzwijgen.

Ik word wakker in straten die me in toenemende mate bekend voorkomen. De slijterij en het Caribische restaurant op de hoek. De kruidenier waar Zed en ik altijd Lays-chips en limonade kochten. Ik ben over mijn hele lichaam klam en voel me opgewonden en klaarwakker. Ik krijg een brok in mijn keel wanneer we het huis naderen.

'We zijn er,' zegt Baba alleen maar.

Door het autoraam zie ik het oude, drie verdiepingen tellende huis opdoemen dat er kalm en gekweld uitziet. Trots op zijn eigen bakstenen ik. Ik blijf roerloos op de achterbank zitten, met de autogordel nog om, en kijk naar Baba die mijn koffer uit de kofferbak tilt en naast de voordeur neerzet. Even later komt hij terug en tikt op het raampje. 'Ga maar naar binnen, er doet wel iemand open,' zegt hij glimlachend. Ik heb de indruk dat hij vaak glimlacht. 'Ik moet nog even olie en aardappelen voor Violet gaan kopen.'

'Oké,' zeg ik. Maar ik blijf zitten.

'Eden,' zegt hij met een blik vol stil medeleven. Alleen maar mijn naam. Hij weet het vast allemaal.

Ik sleep mijn zware lichaam de auto uit en probeer niet na te denken terwijl ik door het hekje naar de blauwe voordeur loop en met een trillende vuist aanklop. 'Hallo?' roep ik. 'Hallo?'

Ik moet echt even zitten.

'Ik kom eraan! Ogenblikje!'

En nog geen minuut later doet mijn moeder –

troebele spiegel.

Ik verlies bijna de controle over mijn blaas. 'Mama!' zeg ik, voordat ik mezelf kan tegenhouden.

Ze kijkt heel bezorgd en zegt: 'Nee... schat...'

En natuurlijk is ze het niet. Natuurlijk niet. Ik ben verblind door haar snelle gestalte die zich naar buiten haast. Binnen de kortste keren heeft ze mij en mijn bagage het huis in gesleept. Ik mompel tegen haar dat ze even moet wachten en ren dan naar de wc beneden, waarvan ik me herinner dat die zich in de gang, vlak voor de keuken, bevindt.

De wasbak met een scheur erin, het kleine douchehok, de gebarsten, troebele spiegel, mijn gezicht alsof het dat van een ander is. De badkamer ruikt naar chloor en leegstand; oud, maar vlekkeloos schoon. Aan mijn plas lijkt geen einde te komen. Ik was mijn handen. Droog ze af aan mijn T-shirt.

Wanneer ik terugkom, schrik ik opnieuw van de onbekende vrouw. Ze staat met een enigszins zenuwachtig lachje in de slecht verlichte gang op me te wachten. Ze klopt me op de schouder, neemt me mee de huiskamer in en duwt me in een stoel.

'Gaat het wel, liefje?' vraagt ze met een vet, nasaal Brooklyns accent. 'Je lijkt nogal van slag.'

'Jij...' In de huiskamer is het een stuk lichter dan in de gang en ik zie nu dat ik me de gelijkenis tussen de vrouw en mijn moeder niet heb ingebeeld. Lichtbruine huid, zwarte krullen, lichte ogen. Al zijn de ogen van deze vrouw grijs, niet groen. 'Sorry, maar je lijkt precies op iemand die ik ken,' zeg ik tegen haar. Ze is weliswaar langer, maar ze heeft hetzelfde tengere figuur en dezelfde fijne beenderstructuur. Dezelfde jukbeenderen. De kamer draait een wals om me heen. Ik wou dat een kamer af en toe eens even stilstond. En ik heb niet eens echt veel gedronken in het vliegtuig.

'Oké.' Ze werpt me een scherpe blik toe. 'Wil je een glaasje water?'

Ik knik.

Wanneer ze terugkomt, gaat ze vlak bij me op een voetenbankje zitten, geeft me een glas en kijkt naar me terwijl ik een slokje neem. 'Gaat het al wat beter?'

Weer beweeg ik mijn hoofd, ja.

'Niet dat ik het afkeur of zo, maar ik wil het wel weten. Ben je high? Want dan –'

'Wat?' Dit is te bizar allemaal. 'Natuurlijk niet! Nee!'

'Oké. Godzijdank. Dan is het waarschijnlijk gewoon de hitte,' zegt ze, waarbij ze theatraal met haar ogen rolt. 'Die maakt ons allemaal gek! Trouwens, ik ben Brandy.' Ze geeft me elegant een hand. 'Ik vind het zo leuk dat je er bent! Je tante heeft het continu over je! Ik heb nooit iemand van haar familie leren kennen, maar voor mij is ze altijd fantastisch geweest, en wie familie van haar is, is familie van mij. Die vrouw is een engel!'

'Dat is waar,' zeg ik zwakjes. Ik heb het gevoel dat ik als een heliumballon naar het plafond zal opstijgen als ik mijn rugzak afdoe. 'Het was echt gaaf wat ze... eh... in dat buurthuis deed. Ik ben rechtstreeks van het vliegveld naar die inzameling gegaan.'

'God, ik vind het zo erg dat ik niet kon! Ik had filosofiecollege op Brooklyn College.' Ze vervolgt: 'Ik ben deeltijdstudent. Een goede opleiding is belangrijk! Hoe was het trouwens?'

'Het was...' Ik glimlach wanneer ik ineens aan Juliet moet denken. Ze zou ervan hebben genoten. 'Inspirerend.'

'Heeft Violet gezongen?'

'Ja. Ze pepte de hele boel op.'

Brandy lacht. 'Ja, typisch Violet. Ze heeft me wat tips gegeven voor een showtje dat ik bijna elke avond geef en het publiek is nu echt dolenthousiast.'

Zelfs haar lach doet me aan haar denken, de rechte witte tanden. Ik pak de zijkant van mijn stoel beet. 'God, wat is dit maf...'

'Wat?' Ze kijkt me onderzoekend aan en langzaam begint het haar te dagen. 'Ja, je tante... Ze zegt vaak dat ik haar zo aan haar zus doe denken! En dat is dan jouw moeder, toch? Misschien is dat wel een van de redenen waarom ze zich over me heeft ontfermd.'

'Ja... je... je lijkt echt op haar.'

'Eigenlijk heel grappig!' zegt ze lachend. 'Een jongen die op iemands móéder lijkt!'

'Pardon?'

Ze lacht weer en haalt een hand door haar lange donkere krullen. 'Schat, ik ben een man! Laat je nooit foppen door een mooi uiterlijk. Toen ik je tante leerde kennen, werd ik dagelijks in elkaar geramd en maakte ik tietjes van sokken.'

'Ben jij een mán? Neem je me nou in de maling?'

'Piemel, ballen, alles erop en eraan,' zegt ze lachend. 'God, wat heb je toch een schattig accent!'

'Nou ja!' Het idee maakt me met een klap wakker. Hoewel ik het nu weet, kan ik het nauwelijks aan zijn... haar gelaatstrekken zien. 'Maar je bent wel heel mooi!'

'Dank je.' Glimlachend schudt ze met haar haren. 'Je moet het doen met wat je hebt, hè?'

'Nou ja.'

'Als ik geen meisje ben, mag je me Brandon noemen.'

'Oké.'

'Op dit moment ben ik een "zij", en in een broek ben ik een "hij". Je went er vanzelf aan.'

'Oké.'

'Goed,' zegt ze, terwijl ze denkbeeldig vuil van haar handen veegt, 'we moeten je maar eens even in het souterrain gaan installeren. Ik ben zo jaloers. Je tante heeft het net laten opknappen en het is echt heel cool geworden, chica.'

'Leuk.' Ik zit nog steeds zijn/haar beenderstructuur te bestuderen. Hij is mooier dan ik. Zij. Wanneer ze 'Brandy' is, is ze een zij. Goh. Mijn arme hersens.

'Kom,' zegt ze met een bemoedigend lachje.

We pakken mijn bagage en lopen een deur naast de keuken door, tegenover de vroegere slaapkamer van mijn oma. In het voorbijgaan werp ik een blik op de gesloten deur en probeer de geluiden van haar gescharrel in die kamer, van de radio die zacht stond afgestemd op het nieuws, tegelijkertijd op te roepen en te vergeten. Op de een of andere manier is het raarder als er iemand is gestorven die nooit erg veel indruk op je heeft gemaakt. Ik weet niet wat ik moet voelen bij haar dood, ik geloof dat ze voor mij altijd al dood was. We lopen een paar treetjes af en komen uit bij een gedeelte dat helemaal afgezonderd ligt van de rest van het huis. Het souterrain, dat bijna onder de hele lengte en breedte van de benedenverdieping lijkt door te lopen, is in aardkleuren geschilderd en gemeubileerd met een bed, een bank en een kleine koelkast. Het meubilair neemt maar een klein gedeelte van de beschikbare ruimte in beslag; verder staan er nog een wasmachine en droger en vele dozen en boekenkasten. Het ruikt er pas geverfd, een geur die op de een of andere manier een rustgevende uitwerking op me heeft. Het is een nieuwe wereld hier beneden, een ruimte waar ik nog nooit ben geweest. Vroeger was dit het meest onheilspellende gedeelte van het huis, maar nu heb ik het gevoel alsof dit de enige plek is die ik kan verdragen.

'Zie je hoe licht het hier is? Er valt daglicht door zo'n speciaal, eh, lichtbuissysteem.'

'Tjonge...'

'Ja, dat zei je tante ook toen ze hoorde hoe duur het was.' Ze lacht. 'En je hebt ook tv... Hij is oud, maar hij doet het. En we hebben Wi-Fi.'

'Nou nog een magnetron en een schildersdoek en dan krijg je me hier nooit meer weg.'

'Dat hoeft ook niet, ' zegt ze. 'Je bent hier veilig. Bij Umi ben je veilig.'

Nadat Brandy weg is, ontstaat er een paniekerig gevoel in mijn borstkas. Het volle gewicht van het huis drukt op me. Wanneer ik me op bed laat zakken, zie ik een briefje liggen. Een paars handschrift op ruw crèmekleurig papier.

briefje.

Cherry Pepper,

Haal maar eens diep adem. Je bent precies waar je hoort te zijn.

Ik hoop dat het souterrain je bevalt. Toen ik het opknapte, had ik jou in gedachten, in de wetenschap dat je ooit naar ons zou terugkeren, dus doe alsof je thuis bent. Brandy woont in de slaapkamer aan de voorkant op de benedenverdieping, wat vroeger de eetkamer was. Violet en haar zoontje wonen op de eerste verdieping. Baba woont daar ook af en toe, in de slaapkamer aan de voorkant. Als je met praktische problemen zit, als er iets kapotgaat of niet werkt of gerepareerd moet worden, dan kun je bij hem terecht. En als hij er is en je hebt een lift nodig, dan kun je die ook aan hem vragen.

Voorlopig zit ik helemaal boven, maar maak je niet al te veel zorgen als ik er niet ben. Mijn mensen zijn jouw mensen. Ga naar hen toe als je ergens mee zit.

Neem rustig de tijd, nichtje. Ik ben blij dat je er bent.

Tante K.

doen alsof.

Ik word wakker van het licht dat door de 'lichtbuis' naar binnen stroomt. En een kort fel, helder moment lang heb ik geen flauw idee waar ik ben, of wanneer, of zelfs maar wie. De gelatineachtige hitte hecht zich vast in al mijn lichaamsplooien, blij met zijn volgende slachtoffer. Ik ben een hoop zweterige ledematen en een mond van tapijt, van teennagel tot gespleten haarpuntje zwaar als een emmer water. Ik kan nog steeds niet geloven dat ik hier ben.

Gisteravond heeft Violet gekookt: meerval en gebraden kip, rijst met groente en bananentaart met karamelsaus als toetje. Ik kreeg de indruk dat het een hele eer was om tante K. en haar nichtje aan tafel te hebben. Als een bezig bijtje darde ze om ons heen, met een lieve lach om haar mond en kuiltjes in haar wangen. Ik at alles wat me werd voorgezet schoon op en hield verder mijn mond. Laat de anderen maar praten. Onderuitgezakt op mijn stoel luisterde ik naar het volle timbre van Violets stem – zelfs als ze sprak – dat zich mengde met de alt van tante K. en de bas van Baba's niet nader te duiden accent. Al snel bestonden er geen woorden meer, alleen nog een doorlopende harmonie van klanken en de duisternis achter mijn oogleden.

Mijn tante bracht me, halfblind van vermoeidheid, naar bed. Ze stopte me in alsof ik een kind was en zei dat ze het vandaag druk zou krijgen, maar dat Brandy me met alle plezier opnieuw zou laten kennismaken met de stad.

En inderdaad is er vanochtend een briefje onder mijn deur

door geschoven. Brandy schrijft me in haar ronde, krullerige handschrift over mijn ontbijt: de muffins op het aanrecht, de wafels in de diepvries en de stroop in de kast. Ze moest gauw naar haar afspraak in een schoonheidssalon, maar komt snel weer terug voor ons 'diva-uitstapje'. 'Pimp je maar vast op,' schrijft ze. 'Later! Brandy, xxx.'

Me oppimpen? Ik verfrommel het briefje en gooi het in de prullenbak die vlakbij staat. Ik slaak een zucht en kijk naar het door jetlag getekende gezicht in de spiegel die op de muur is geplakt. Nou heb ik zo ver gereisd en toch ben ik nog ik. Gewoon dezelfde als altijd. Volgens mij weet ik niet eens hoe dat moet, me oppimpen. Me mooi maken, sletterig, netjes, cool, chic. Ik heb echt helemaal niet het gevoel alsof ik net een vlucht achter de rug heb, eerder alsof ik aan mijn enkels ben vastgeketend aan de aarde.

Nadat ik me vermoeid heb gedoucht, trek ik mijn netste korte broek en een T-shirt aan en weet mijn haar met moeite in een paardenstaart te krijgen, maar tegen de tijd dat ik daarmee klaar ben, loopt het zweet me alweer zo'n beetje over mijn hele lijf. Ik voel me alsof ik een dag zwaar lichamelijk werk heb verricht.

'Brandy?'

Nog geen teken van leven. Het is stil in huis wanneer ik de trap naar de keuken op loop, een stilte die wordt benadrukt door het vage geluid van een kinderprogramma op tv dat van Violets verdieping naar beneden komt. Zoals Brandy al schreef, ligt er op het aanrecht een papieren zak met muffins. De zoete, versgebakken geur ervan is zo typisch Amerikaans dat het me met een schok terugbrengt naar de eerste keer dat ik hier was. Ik herinner me de zoetheid van vijftien zijn, hoe boos ik toen ook was, de zoetheid van absolute waarheden en gloednieuwe plaatsen. Ik zal daar nooit meer naar terugkeren, naar het begin van die zomer. Ik wend mijn blik af van het raam en het uitzicht op de achtertuin. Ik hoef niet naar buiten te kijken om te weten dat het daar vol geesten uit het verleden zit.

Ik ga buiten op de door de zon geblakerde stoep zitten wachten op Brandy, met mijn muffin, een boek en mijn camera. Af en toe rijdt er een auto voorbij, blikkerend in het felle licht, met muziek die uit de luidsprekers blèrt. Aan de overkant van de straat kibbelen een paar kinderen met schorre stemmen. Klik, klik, klik doet mijn camera. Een meisje in de onzekere, houterige fase tussen kind en puber, met honderden kleine vlechtjes in haar haren, staat met haar handen in de zij te schreeuwen naar een jongen met een dikke buik en vlechtjes. Een kleiner meisje met paardenstaartjes volgt het tafereel opgewekt. 'Die moeder van jou!' 'Hou je mond over mijn moeder!' 'Waarom? Wat ga je eraan doen?' 'O, laat je haar echt zoiets over je moeder zeggen? Echt?'

Uit het huis naast de kinderen komt een man de deur uit. Hij wandelt de kant van Flatbush Avenue uit. Hoewel hij niet zo opvallend of lang is, doet hij me aan Zed denken – dat New Yorkse loopje van hem. Mijn hart gaat ervan dansen. Ik herinner me Zed als puber, ik herinner me hoe wij hier door dezelfde straat liepen, op ditzelfde stoepje zaten. Door aan hem te denken mis ik hem zo hevig dat het overal pijn doet, in mijn botten, mijn bloed, mijn spieren – maar dat is niets nieuws voor me. Ik heb hem altijd gemist, zelfs als we samen waren, want hoeveel vlinders je ook in je buik hebt, hoeveel slapeloze nachten ook, je komt nooit voorbij de grenzen van de huid of van de geest van iemand anders. Hoe graag we ook de gedachten van een geliefde zouden willen leren kennen, we zijn er doof voor; en hoeveel we ook van iemand houden, we kunnen niet bij hem of haar blijven. Als het leven hem ons al niet ontneemt, dan doet de dood dat wel.

Wat een doodlopende klotesituatie is dit ook.

'Zo te zien,' zegt Brandy, die ineens voor me opduikt, schitterend in een witte zomerjurk, 'gaat er heel wat om in dat hoofd van je, meisje. Pas maar op.'

'Niks nuttigs,' zeg ik.

'Nou, je zult die sombere blik toch van je gezicht moeten vegen en glimlachen, schat! Het is weer een prachtige zomerdag in Brooklyn!' Ze maakt een weids gebaar, zoals die modellen in spelletjesprogramma's altijd doen: En kijk eens wat u hebt gewonnen! 'De vraag is, wat wil je ermee doen?'

Ik haal mijn schouders op. 'Weet ik veel, zeg jij het maar.'

We lopen naar metrostation Prospect Park en kopen kaartjes uit de automaat, gaan door de grote metalen draaihekken en dan de trap af naar het perron. Ik herinner me de metro als somber, met gedempt geel licht, verzengend heet. Een paar seconden later stappen we in een koude wagon vol nogal bizarre types met wie je oogcontact liever vermijdt. Brandy en ik zeggen bijna niets, terwijl we ons hortend en stotend door de onderwereld verplaatsen. Ik staar naar alle jongens die staren en probeer niet te lachen. Brandy lijkt er gek genoeg niks van te merken.

Op Atlantic Avenue begeven we ons weer in de bovenwereld, met zijn knalblauwe lucht en trottoirs vol lawaai en mensen.

'Vind je het erg om eerst hier even naar binnen te gaan? Ik heb een paar dingen nodig. Dan gaan we daarna wel naar Manhattan voor de toeristische route, oké?'

We steken de straat over naar het winkelcentrum, duwen de klapdeuren open en laten ons de airconditioning welgevallen. Alle gezinnen zijn aan het winkelen. Kinderen worden toegeroepen en geknuffeld, pubers slenteren rond, gegeneerd of vol van zichzelf, afhankelijk van met wie ze zijn. De vrouwen zien er vooral gestrest uit, de mannen onverstoorbaar.

We bekijken wat kraampjes en gaan winkel in, winkel uit, terwijl Brandy maar loopt door te emmeren over koopjes en lichaamstypes. Ik betast T-shirts en spijkerbroeken met namaakdiamantjes erop en minuscule vrolijke jurkjes. Geen wonder dat Zed me een slons vindt. De meisjes in New York doen niet aan ook maar het kleinste beetje overbodige stof. Zelfs de jongens in New York die zich als meisjes kleden niet.

'In Londen heb je vast veel leukere winkels, hè?'

'Kweenie... Kan wel.'

'Aparter?'

'Ja, dat wel. Maar veel mensen zijn weer op dezelfde manier "apart", snap je? Handgemaakt door robots.'

'Grappig gezegd.' Ze lacht.

'Maar, zoals je ziet,' ik wijs naar mijn eigen kleren, 'past alles wat ik van mode weet in een gemiddelde puist.'

'Nee,' zegt ze met een snelle, steelse blik. 'Er is helemaal niks mis met jou.' Ze loopt naar de kassa om oorhangers en twee tanktopjes af te rekenen.

Bij de deur haal ik haar in. 'Meen je dat? Dat er niks mis is met me?' Ik kijk van haar oogverblindend witte jurkje naar de slonzige nonchalance van mijn eigen outfit en terug. 'Je hoeft niet aardig tegen me te doen alleen maar omdat ik een buitenlander ben! Ik zie er niet uit!'

'Shit,' zegt ze lachend. 'Waarom moet ik altijd weer iemands modegoeroe worden?'

'Sorry.'

'Geeft niks. Talent brengt nu eenmaal verantwoordelijkheid met zich mee.' Ze maakt een wegwerpgebaar met haar bevallige hand. 'Je moet niet zeggen dat je er niet uitziet, Eden. Mensen zeggen zulke dingen altijd als er van alles in hun hoofd is veranderd, maar niet in hun klerenkast. Wat vind je precies verkeerd aan je uiterlijk? Voel je je er niet meer prettig bij?'

'Ik...' zeg ik hulpeloos, als een vis die aan een haak spartelt. 'Ik weet het niet.'

Ze glimlacht. 'Het enige wat je waarschijnlijk hoeft te doen, is een beetje glitter over die look van jou strooien, snap je wat ik bedoel? Je tante klaagt er altijd over dat de vrouwen van tegenwoordig niet weten hoeveel macht ze hebben.' Ze tikt nadenkend met een lange roze nagel tegen haar lippen. 'Kom, laten we naar mijn lievelingswinkel gaan. Dan spelen we een andere keer wel voor toerist.'

We gaan terug de duizelingwekkende, horizonvervormende hitte in.

'Ik heb het gevoel dat ik dat helemaal niet heb,' zeg ik na een tijdje.

'Wat?'

'Macht.'

Zuchtend schudt Brandy haar hoofd. Uit een pizzeria komt

een walm van gesmolten kaas. Een groepje tienerjongens loopt ons tegemoet, breed als cowboys, in een geanimeerd gesprek over basketbal gewikkeld.

'Iedereen heeft de absolute macht over zichzelf,' zegt ze. 'De vraag is alleen: wat doe je ermee? Je beslist zelf wat je aantrekt, hoe je loopt, en of je wel of niet aan accessoires doet. En dat doe je allemaal met een, zeg maar, met een doel voor ogen, of het nou bewust of onbewust is.'

'Echt waar?'

'Ja.'

We lopen een tijdje door, Brandy met een blik van geoefende nonchalance op haar gezicht en ik vechtend tegen mezelf. Maar na een tijdje moet ik toch de voor de hand liggende vraag stellen: 'Nou, wat zeggen mijn kleren dan over mij?'

Brandy blijft met een ruk midden op straat staan, zwiept haar haren uit haar ogen en neemt me van top tot teen op. Net als alle andere gebaren van haar is dat al een gebeurtenis op zich. 'Draai je om,' beveelt ze, de norse blikken van de voorbijgangers negerend. Ik doe wat ze vraagt en ze schudt haar hoofd. 'Je hebt aardig wat problemen, schat.' Ze loopt meteen weer door.

Ik rol met mijn ogen. 'O nou, dank je wel! Ben je soms helderziend of zo?'

'Grapje,' zegt ze lachend. 'Maar ben je klaar voor de waarheid?'

Ik knik.

Ze kijkt naar me. 'Nou, ik zie het volgende,' zegt ze. 'Je gaat voor een artistieke, creatieve look. Maar met iets hards, alsof je mensen op afstand probeert te houden, snap je wat ik bedoel? Ze niet binnen wilt laten. De vormen zijn niet al te flatteus. Je wilt je lichaam verbergen, niet benadrukken. En je houding is echt verschrikkelijk, alsof je bang bent dat je, als je iets meer je best zou doen en sexy en vrouwelijk zou zijn, toch niet tegen andere vrouwen op zou kunnen.'

'Jezus. Oké.'

'Maar,' zegt ze glimlachend en met samengeknepen ogen, 'tegelijkertijd... Als ik zo naar je verkreukelde, versleten kleren kijk, dan is het net alsof je graag wilt dat iemand al die barstjes ziet en je onder zijn hoede neemt. Een arm om je heen slaat en je een glas melk geeft.'

We blijven staan voor een winkel met een naakte paspop in de etalage. Ze vraagt niet of ze op het goede spoor zit. Ze is volkomen overtuigd van zichzelf.

'Hoe dan ook, deze winkel moet je echt even zien. Het is de beste tweedehandszaak in Brooklyn en vintage is jou gewoon op het lijf geschreven.'

'Ik hou niet eens van melk,' zeg ik tegen haar, maar ze glimlacht alleen maar en gebaart me naar binnen te gaan.

De bel rinkelt en er klinkt onmiddellijk een kreet van achter uit de winkel op. 'MISS GORGEOUS!'

'JAY!'

Geritsel van hangers. Dan komt een kleine, aantrekkelijke man in een getailleerd zwart overhemd, een zwarte broek met smalle pijpen en een witte riem achter de kassa vandaan om haar enthousiast te kussen. 'Hoe gaat het? Je ziet er idioot goed uit, schat!'

'Jij ook. Staat je goed, die emo-look! Heb je soms een nieuwe scharrel?'

'Schat! Je bent net een helderziende in een wonderbra! Heftig!'

Ze giechelen het uit van plezier.

'Oké,' zegt Jay na een tijdje, terwijl hij me mijn tweede van-top-tot-teenblik van de dag toewerpt. Een wat minder vergevingsgezinde deze keer. 'Wie is die vriendin van je?'

'Dit is Umi's nichtje uit Londen! Eden, Jay, Jay, Eden.'

'Meen je niet! O mijn god! Wauw! Die vrouw is pure royalty! Hoe gaat het?' vraagt hij, terwijl hij me een hand geeft.

'Hoi,' zeg ik.

'Hoe vind je het in New York?' Hij leunt tegen de kassa. Zijn stem en manier van doen verbazen me; hij is net een zwart tienermeisje dat gevangen zit in het lichaam van een blanke man van in de twintig.

'Wel cool tot nu toe,' antwoord ik. 'Nou ja, bloedheet, maar cool.'

Hij lacht. 'Hoe lang blijf je?'
'Kweenie... Minstens drie maanden.'
'Wauw, dat is een lange vakantie.'
Ik knik en haal mijn schouders op.
Brandy slaakt een zucht. 'Blablablabla. Genoeg kletspraatjes, schoonheid! Heb je me niks te laten zien?'
'Nou...' Hij glimlacht. 'Het is een erg goede dag in tweedehandswinkelland! Kom verder, ik heb deze net binnengekregen...' Ze lopen tussen de rekken door. 'Die jurk is trouwens echt cool! Probeer je ons jaloers te maken of zo?'
De winkel is helder verlicht en netjes, helemaal niet wat ik had verwacht. Het ruikt er niet naar mottenballen of oude mensen. Ze hebben zoveel spullen dat ik me tijdelijk verlamd voel.
'Hé, Eden!'
'Ja?'
'Wat doe je daar?'
'Niks.'
'Dat is het probleem! Ga eens kleren bekijken! Daarvoor zijn we hier toch?'
Het lijkt maar een paar seconden later wanneer Brandy van achter uit de winkel naar me gilt. 'Kom eens kijken wat ik aanheb!'
Ik loop in de richting van de gil. Ze staat voor een antieke passpiegel een mini-jurkje uit de jaren zestig glad te strijken over haar smalle heupen.
'Leuk,' zeg ik.
'Echt?'
'Ja, echt.'
'*Hear hear!*' roept Jay vanaf de andere kant van de winkel, waar hij tassen staat te rangschikken.
'Hij zou echt goed bij mijn shows passen,' zegt ze bij zichzelf. Ze loopt terug naar het kleurige rek. 'Probeer jij deze eens,' zegt ze, terwijl ze een baljurk uit de jaren tachtig in mijn krachteloze armen propt. 'Die staat je vast fantastisch!'
'Ik weet niet...'
'En deze ook.'

Ik verroer me niet.

'Eden, hier komen jij!' zegt ze. Ze duwt me een pashokje met paarse gordijnen in. 'Ik wil je echt niet vertellen wat je moet doen of wat je moet denken. Maar er is één ding dat chicks als ik,' ze legt een hand op haar opgevulde borst, 'heel goed weten, namelijk dat je er wat voor over moet hebben om een chick te zijn. Dat is het probleem met jullie. Jullie worden al depressief als jullie er 's ochtends vroeg niet meteen uitzien als een topmodel! Hallo! Wees blij dat je je niet elke dag hoeft te scheren!'

Ik begin te lachen.

'Ik meen het, chica! Om iets te bereiken, moet je vrouwelijkheid als een concept opvatten, snap je? Ik ben zelfs bezig om daar een paper over te schrijven! Vrouwelijkheid kost moeite, vergt onderhoud. En kom niet aan met die smoesjes dat het je niet interesseert, want je zit er duidelijk mee! Anders zou je niet zo doen van: "O Brandy! Help me alsjeblie-ieft! Red me van mezelf!" '

'Hou op! Zo klink ik echt niet!'

'Ik vertel je alleen de harde waarheid, en daar kun je niet tegen!'

'Oké, oké, ik pas die stomme dingen wel even! Nou blij?'

'Maar ik heb je wel aan het lachen gemaakt,' zegt ze. 'Ik heb je wel aan het lachen gemaakt!'

Ondanks mezelf word ik echt opgevrolijkt door de baljurk met kant en lovertjes, en ik kan niet anders dan lachen om het uitbundige applaus van Jay en Brandy wanneer ik in modellenhouding ga staan.

'Nou nog een paar mooie sneakers erbij en dan kun je los!' zegt Jay, die me van top tot teen monstert. 'Basketbalschoenen misschien. Desnoods van die Chucks die je nou draagt.'

'Vind je niet dat hier hakken bij horen?'

'Welnee! Ken je dat nummer van Prince, waarin hij zingt: "I've never seen a pret-ty girl look so tough, baby! You got that look!"?' Jay zingt met een angstaanjagende kopstem.

Ik lach. 'Jawel...'

'Nou, dat ben jij, schat. Je bent ervoor in de wieg gelegd!' Hij knipt in zijn vingers. 'Hé, ik ga die plaat meteen opzetten!'

Brandy vindt dat ik ook een romantische jurk met wijde rok moet passen. Ze pakt een riem en trekt hem strak aan om mijn middel. 'Ik ben gek op riemen!' zegt ze. 'Vind je dat geen sexy gevoel?' Ze doet een stap naar achteren en bestudeert mijn figuur. 'Jay, moet je dit prachtige zandloperfiguurtje eens zien!'

'Bitch, ik ben gewoon jaloers!' Jay knikt mee met de jarentachtigmuziek: 'Little Red Corvette' van Prince.

'Zei je niet dat je fotografeerde?' vraagt Brandy.

'Ja... eh... inderdaad.'

'Nou, ik ken een paar van de ijdelste bitches van het westelijk halfrond, dus ik denk dat ik je wel aan klussen kan helpen als je wilt. Om dit kleine modeproject van je te financieren. Lijkt dat je wat?'

Ik laat mijn spierballen zien, Jay knipt weer in zijn vingers, Brandy giechelt, en voor het eerst sinds tijden bespeur ik enige afstand tot alles wat me droevig maakt. 'Dat lijkt me eigenlijk een heel goed idee,' zeg ik.

'En Eden...'

'Ja?'

'Eh, ik wil me echt nergens mee bemoeien of zo,' zegt ze wat zachter, 'maar ik weet hoe het voelt om gekwetst te worden, ik weet hoe het voelt om verdriet te hebben.' Ze pakt mijn schouder beet en kijkt me glimlachend en met glanzende ogen aan. 'Maar je moet niet zo te koop lopen met je littekens. Oké? Je bent niet je littekens.'

soort familie.

'Hey, Violet.' Wanneer ik terugkom van de kruidenier waar ik wat lekkers heb gekocht, zie ik haar voor het huis staan met haar zoontje en boodschappen. 'Moet ik je even helpen?'

'O! Ja, graag!' zegt ze. Haar huid heeft de kleur van dikke jus en lijkt net zo voedzaam. Ze heeft een simpel honkbalpetje op en haar oogopslag en glimlach zijn sereen. Bij haar vergeleken voel ik me jong, slungelig en beschadigd. 'Alles goed?' vraagt ze.

'Ja, cool,' zeg ik, terwijl ik het zweet van mijn gezicht veeg. 'Wat zal ik dragen?'

'Als jij de tassen neemt,' zegt ze, 'dan draag ik mijn zoontje. De buggy haal ik zo wel op.'

'Nee, dat hoeft niet, het lukt me wel.'

Ze maakt haar zoontje los en tilt hem uit de buggy. Zijn slapende lijfje, gekleed in vrolijke kleren en kleine sandaaltjes, plooit zich als vanzelf tegen haar hals.

'Wauw! Hij is zo schattig dat het bijna pijn doet! Goed gedaan, zeg!' zeg ik, en ze begint te lachen. 'Hoe heet hij ook alweer?'

'Eko.' Ze streelt zijn hoofdje. Hij heeft een lief gezichtje, rond en helemaal áf.

'Past goed bij hem.'

Wanneer we eindelijk in haar woonkamer zijn, legt ze haar zoontje in zijn box en vraagt of ik zin heb in ijsthee en bananencake.

'Ja, lekker.'

Ze loopt door de gang naar haar keuken en ik zet me schrap

tegen de geschiedenis. Probeer in het nu te blijven! Per slot van rekening is het maar een kamer. Huizen hebben geen hersens, dus kunnen ze ook geen herinneringen hebben. Niets lijkt meer op hoe het vroeger was, toen deze kamer een bibliotheek was en Violets slaapkamer de mijne. Die zomer. De kamer is nu ingericht in crème- en goudtinten, met een glanzende houten vloer. In de hoek naast de box een speelgoedkist, op de salontafel een fruitschaal en een stapel tijdschriften. Een donzig uitziende deken ligt over de armleuning van de bank. Het ziet eruit alsof hier nooit iets akeligs zou kunnen gebeuren.

Voor de deur is de trap die rechtstreeks naar de bovenste verdieping leidt. Om daar te gaan wonen, moet tante K. wel ziek of gek zijn. Ik weet niet welke van de twee.

'Alsjeblieft.' Ze zet mijn drankje en een dikke plak cake op de salontafel. 'Ik hoop dat je het lekker vindt! Ik heb net een nieuw cakerecept uitgeprobeerd.'

We zitten even te genieten van haar nieuwste creatie, die wel een moment van stilte verdient en ook krijgt.

'Dit is echt hartstikke lekker,' zeg ik zo enthousiast mogelijk. 'Ik wil niet brutaal zijn, maar ik denk dat je me een stukje zult moeten meegeven voor straks.'

Ze mompelt iets over mijn 'schattige' accent en lacht. 'Ik zal kijken wat ik kan doen,' zegt ze. Daarna kijkt ze me aan met een blik die op de een of andere manier tegelijk verlegen en beschuldigend is. 'Ik vind je haar mooi.'

'Dank je.'

'Is het allemaal echt?'

'Tuurlijk!' roep ik uit. Ik klop op mijn afrokapsel dat in een waterval van glanzende kronkels is gekneed en zacht is door mysterieuze oliën. 'Brandy heeft me meegenomen naar een kapsalon in Harlem. Volgens mij ben ik op het moment haar projectje.'

Violets ogen schieten even naar de houten vloer en dan weer omhoog. 'Die zaak ken ik wel. Hair and Now, toch? En zijn jullie daarna wat gaan eten in dat soulfoodrestaurant een eindje verderop in de straat?'

'Ja,' zeg ik. Ik voel me een beetje bekocht. 'Ja, inderdaad. Dus dat doet ze met iedereen.' Ik lach. 'Misschien moeten we een keer wat met z'n allen gaan doen.'

'Ja, dat zou leuk zijn,' zeg ze. Na een korte stilte vervolgt ze: 'Je bent echt mooi. Ik wou dat mijn haar ook zo zou opknappen van een beetje olie.'

Ik kuch. Dit is een onbekend gevoel voor me. 'Nou, ik heb echt heel lastig haar, hoor. Ik kom er nauwelijks met een kam doorheen. Ze hebben een wonder verricht.'

'Dat zeggen meiden met goed haar altijd.'

'Goed haar? Waar heb je het over?'

Ze glimlacht bedroefd, terwijl ze aan de klep van haar honkbalpetje trekt. 'Ach, laat maar zitten. Zeg nou maar gewoon dank je wel. Het was als compliment bedoeld.'

'Ben jij al bij die zaak geweest? Echt, ze kunnen van ieder type haar wel wat –'

'Tegen mij zeiden ze dat ik alles eraf moest laten knippen.'

Even zeggen we niks.

'Waarom?'

Ze haalt haar schouders op. 'Het is te erg beschadigd. Ik bedoel... Ik wilde mijn relaxer er langzaam laten uitgroeien, maar ze zeiden dat het het beste was om alles er in één keer af te scheren.'

'Misschien moet je dat dan ook maar doen. Je hebt er echt het gezicht voor.'

'Dat zei Brandy ook. Maar ik kan niet zonder mijn haar! Ik wil er gewoon leuk uitzien, snap je? Als een meisje,' zegt ze.

Haar directheid bevalt me wel. Ze is niet bang om te willen wat ze wil.

'Maar goed,' vervolgt ze met een lachje, en ik zou haar echt willen vertellen dat ze met zo'n lach helemaal geen haar nodig heeft, maar het moment is alweer voorbij. 'Wil je nog een plak cake? Ik zal je dan ook meteen wat meegeven voor straks...'

'Ja, graag.' Eigenlijk zit ik al te vol voor de plak cake die ze me brengt, maar ik eet hem toch op, gewoon om iets te doen te hebben. 'Waar ken je mijn tante eigenlijk van?'

'Een paar jaar geleden heb ik haar ontmoet bij Bright Prospects. Ik was toen zwanger van Eko.' Violet lijkt het fijn te vinden dat we het ergens anders over hebben. 'Ze gaf daar een workshop in life-skills en daar heeft ze me echt mee geholpen. Ze heeft me geholpen om anders naar dingen te kijken. Alsof ik nog een toekomst had.' Ze schenkt nog wat ijsthee voor me in. 'Daarna ben ik zangworkshops gaan geven aan kinderen en zo. Ik woonde toen in een opvanghuis, en die hadden een woning voor me gevonden. Maar toen Umi dat appartementje zag, zei ze dat ze niet kon toestaan dat ik in zoiets zou wonen, en toen heeft zij me een dak boven mijn hoofd gegeven. Het is echt een zegen om haar te kennen, ze is eigenlijk een soort familie voor me, en die heb ik nooit echt gehad.' Ze neemt een slokje thee. 'Ik zal haar behoorlijk missen als ze weg is!'

'Weg?' Ik stop halverwege een hap. Ik leg de cake terug op mijn bordje. 'Waar gaat ze dan naartoe?'

'Ze vliegt morgen naar Saint Lucia!'

Ik weet niet of ik het wel goed heb gehoord. 'Pardon?'

Violet kijkt me aan. 'Jezus, heeft ze je het nog niet verteld? Typisch iets voor haar! Ze doet altijd gewoon waar ze zin in heeft.'

'Maar ik ben hier net! Ik dacht dat ik hiernaartoe was gekomen om van alles met haar te doen. Ik had het gevoel,' ik krijg de woorden nauwelijks mijn mond uit, 'dat ze me nodig had!'

'Schat, je moet één ding weten over Umi. Ze heeft helemaal niemand nodig! Wij hebben haar nodig! Als zij heeft besloten je hier een tijdje alleen te laten, is dat omdat ze denkt dat je beter af bent zonder haar.'

'Echt niet te geloven.'

'Maak je geen zorgen, je hebt ons toch? Als je iets nodig hebt, kun je het me altijd vragen. Of anders Brandy, of Baba, als hij in de buurt is...'

'Ja, nou... Dank je.'

Ik pak mijn plak cake en vertrek, maar ga expres niet op zoek naar tante K. om haar te vragen hoe het zit. Wie denkt ze wel dat ze is? Met al die mensen om zich heen verzameld als een stelletje maffe discipelen in de Kerk van Katherine! Ik moet denken aan de eerste avond, toen ik naar boven ging om bij Violet te eten. Ik aarzelde onder aan de trap, een trap waarvan ik had gedacht dat ik die nooit meer op zou hoeven gaan. We zouden weliswaar niet helemaal naar de bovenste verdieping gaan, maar het kwam er behoorlijk in de buurt. Ze keek me toen aan met een harde, onverzoenlijke blik en zei: 'Eden. Wij zijn geen zwakkelingen! Wij volharden, wij overleven. En nou ophouden met die fratsen en naar boven!'

Ik was verbaasd en voelde me vernederd toen ik daar zo stond. Ze had het recht niet om me te veroordelen omdat ik was beschadigd. Ik had er recht op. Bijna had ik haar dat met zoveel woorden gezegd, maar ze was al weg voordat ik mijn mond kon opendoen en ik moest in mijn eentje die trap op.

Nou, deze zomer overleef ik ook wel in mijn eentje. Daar ben ik verdomme wel aan gewend.

verkeer op een film.

Het is heel donker. Mijn droom ontglipt me. Weg. Bezwete lakens hebben zich om mijn benen gewikkeld en ik ben ergens wakker van geworden, maar ik weet niet waarvan. Het is inmiddels een week geleden dat tante K. naar Saint Lucia is vertrokken. Ze omhelsde me nonchalant, alsof het voor haar de normaalste zaak van de wereld was om iemand te logeren te vragen en dan zelf weg te gaan. Het huis voelt anders zonder haar, een stuk gevaarlijker. Voor haar vertrek woonde ik bij tante K. Nu woon ik gewoon in Flatbush in een huis met bijnavreemden.

Ik zal zo blijven liggen, heel rustig en stil. Dan komt het vanzelf wel terug. Buiten op straat flarden van gesprekken tussen voorbijgangers. Politiesirenes. Bij de buren klinkt hiphop uit een blikkerige radio. Katten die vechten. Maar dat zijn niet de geluiden waarvan ik wakker ben geworden. Volgens mij is er iemand boven, op de benedenverdieping. En Brandy is dit weekend weg, naar een schoonheidswedstrijd in Washington DC. Ik heb haar zelf zien vertrekken met haar koffer. Weer dat geluid.

Voetstappen.

Het bloed klopt luid in mijn slapen en ik weet niet of ik wel moet opstaan, want als het een inbreker is, hoort hij me misschien. Maar als ik wakker was geworden van iets groots, zoals glasgerinkel of een deur die werd ingeramd, dan had ik dat toch wel geweten? Er gaat een deur open. En weer dicht. Er wordt iets over de vloer gereden. Ik zou echt moeten gaan kijken. Als het

Brandy is, als ze eerder is teruggekomen, of als het Violet is die niet kan slapen, of Baba op een of andere onverklaarbare nachtelijke missie, dan wil ik dat nu meteen weten, zodat ik niet meer bang hoef te zijn.

In het donker zet ik mijn voeten zachtjes naast bed. Ik laat het licht uit en sluip zonder te kraken de trap op. Ik loop de hal in. In de keuken brandt licht en ik hoor geritsel. Dan moet het haast wel Brandy zijn die zich te goed doet aan de tortillachips. Ik kan trouwens best een kletspraatje gebruiken, over gewone dingen. Over kapsels en beroemdheden en het weer. Over wat dan ook.

'Brandy? Wat fijn dat je –'

Maar dan blijft alles me in de keel steken, want ze is het niet. Het is helemaal geen zij. Het is een hij – een heel grote hij en ik deins achteruit en luister naar dat harde, schrille geluid waarvan ik besef dat ik het zelf ben die gilt en wie is die vent en hoe is hij binnengekomen en wat moet hij hier?

De man draait zich geschrokken om en de angst schiet door mijn lichaam, net als bij verkeer op een film die versneld wordt afgedraaid, zodat je alleen gekleurde lichtstrepen in het donker ziet, luidruchtige beelden, zelfs als het geluid uitstaat en –

'Zed?'

Ik blijf proberen om deze hallucinatie uit mijn ogen te knipperen, want het kan niet anders dan een hallucinatie zijn.

'Wat krijgen we –' Hij staart me aan. 'Eden? Jezus Christus, mens! Hou op met dat gegil.'

'Mooi niet!' schreeuw ik, nog steeds opgefokt van de adrenaline. De shock slaat zijn duistere klauwen in mijn gezichtsvermogen. 'Zed? O fuck.'

Hij doet zijn ogen even dicht en haalt een paar keer kort adem, met zijn volle wimpers tegen zijn wangen. 'Dus Juliet heeft me toch niet voor de gek gehouden. Waarom stalk je me?'

'Ik stalk je helemaal niet. Hoe kan ik jou nou stalken als ik hier het eerst was? Fuck, Zed. Fuck. Wat moet je hier?' vraag ik, maar het duurt even voordat ik het er allemaal uit heb, want ik begin te hyperventileren. Hier zit tante K. achter! Waar is ze mee bezig? 'Shit... Ik dacht dat je...' rustig ademhalen, 'een inbreker was! Ik dacht... Wat doe je hier? Je zei dat je naar huis ging!'

'Wat?'

'Naar Atlanta!'

'Ik heb het nooit over Atlanta gehad, Eden. Je weet best dat ik geen zin meer heb om bij mijn moeder te wonen. Na Londen zou het New York worden.'

Ik hap naar adem.

'Ga zitten! Mens, wat maak je ook altijd overal een drama van!' Zijn voorhoofd glinstert. Hij haalt er eerst zijn handpalm en dan de rug van zijn hand langs. 'Ga zitten!'

Ik laat me op een stoel zakken en hij gooit – niet al te zachtzinnig – junkfood uit een papieren zak op de keukentafel en trekt de zak dan over mijn hoofd. Hij draagt een zwart T-shirt over een wit en in het kuiltje van zijn hals zit zweet. Hij is altijd in mijn gedachten, ook als ik met mijn gedachten bij iemand anders was. En nu is hij hier. In de hoek van de keuken staat een enorme zwarte koffer met de bagagelabels er nog aan. Dat was het natuurlijk wat ik over de vloer hoorde rijden.

'Zed, het spijt me...'

'Waar is tante K.?'

Ik negeer de vraag, houd mijn hoofd naar beneden en adem in en adem uit, in en uit. 'Hoe ben je in vredesnaam binnengekomen?'

'Ze heeft me een sleutel gestuurd.'

Hij loopt in de richting van de huiskamer. Ik sta op en volg hem. 'Zed!'

Hij stopt om zich om te draaien en ik knal tegen hem op. 'Ik wist echt niet dat je zou komen. Hoe had ik dat nou moeten weten?' vraag ik aan hem, terwijl ik hem de voorkamer in duw. Hij gaat zitten, ik niet. 'Het lijkt er meer op dat jij mij stalkt! En waarom heb je eigenlijk contact opgenomen met Juliet? Wilde je met háár soms ook iets beginnen?'

'Alsjeblieft!' zegt hij, met een kwade blik mijn kant uit. 'Doe effe normaal. Wist ik veel waar je allemaal toe in staat zou zijn na wat er is gebeurd. Je mag juist blij zijn dat ik haar heb weten op te sporen, want je vader stond op het punt om je als vermist op te geven. Hoe kon je nou zomaar weggaan zonder het hem te vertellen? Ben je wel goed bij je hoofd?'

'Shit! Wilde hij echt naar de politie stappen?' De adrenaline begint weer te stromen. 'Dus nou maakt het hem ineens wel wat uit hoe het me gaat.'

'Doe niet zo kinderachtig, Eden. Hij is je vader,' verzucht hij. 'Ik snap echt niks van je.' Hij leunt naar achteren in zijn stoel. 'Wat doe je hier?'

Ik kijk hem aan. De vraag hangt als een dikke wolk tussen ons in. Eigenlijk heb ik geen flauw idee. 'Begin dit jaar begon tante K. me brieven te schrijven,' vertel ik na een tijdje. 'Ik had gewoon het gevoel dat het goed was om hiernaartoe te gaan. Iedereen zei dat ze gek was geworden.'

'En is dat zo?'

'Misschien wel. Toen ik hier een dag of twee was, vertrok ze zelf naar Saint Lucia.'

'Meen je niet! Ze zei dat ze me wilde zien en mijn nieuwe muziek wilde horen. Ze zou de trompetpartij doen.'

Ik schud mijn hoofd. 'Nou, ze is erheen gegaan om de as van mijn oma uit te strooien. Die bewaarde ze in een rumfles. Niet te geloven, toch?'

'Jezus. Misschien heeft dat oude mens echt haar verstand verloren!'

Zijn weinig eerbiedige woorden verbazen me en ik begin te giechelen. Hier doet iedereen altijd alsof ze heel speciaal is.

'Die Katherine...' Hij schudt lachend zijn hoofd. 'Die vrouw gaat altijd helemaal haar eigen gang, man. Na de dood van jouw oma heeft ze me hier wel twee jaar lang de toegang ontzegd. Ik kon toen nauwelijks met haar in contact komen. En dan krijg ik ineens een brief waarin staat: "Waar heb je al die tijd uitgehangen? Je kunt komen wanneer je maar wilt." En dan kom ik, en dan blijk jij hier te zijn.' Hij stroopt zijn klam uitziende T-shirts af. Er komt een wit hemd onder tevoorschijn en bosjes zwart okselhaar.

Ik slik. Voordat ik mezelf kan tegenhouden, zeg ik: 'Maar het is echt fijn om je te zien, Zed. Hoe lang blijf je?'

Zonder hetzelfde over mij te zeggen, antwoordt hij: 'Dat weet ik niet. Niet zo lang. Ik moet een appartement zoeken.' Hij haalt een pakje vloeitjes en een klein plastic zakje uit zijn broekzak en begint een joint te draaien boven de salontafel, waardoor de kamer zich vult met die typische aardse, scherpe geur. Hij is zo zelfverzekerd in al zijn bewegingen, zo compleet zichzelf. 'Je krijgt de groeten van Max.'

'Oké. Ja. Goed.' Ik bloos. 'Maar moet je hier nou echt gaan zitten roken, Zed? Het getuigt van weinig respect,' zeg ik tegen hem. In de duisternis krijgt zijn glanzende huid iets ruws. Het stof dat in de kamer hangt, raakt doordrenkt van de geur van zijn aftershave, zijn zweet en de marihuana. Ik stel me zo voor dat, als meubels gevoel hadden, de ouderwetse stoel waarop hij zit, zou beven van verontwaardiging. Dit is nog steeds het domein van een oude vrouw, uit de tijd dat mijn oma hier nog woonde. Donker hout, snuisterijen en kanten kleedjes. Sepiafoto's. Hij is te groot voor deze kamer. 'Waar heb je dat spul trouwens vandaan? Je gaat me toch niet vertellen dat je het hebt meegesmokkeld in het vliegtuig?'

'Eh... ja, Eden. Natuurlijk heb ik het meegesmokkeld. Want in New York kun je geen wiet krijgen.' Hij maakt een geluidje alsof hij er schoon genoeg van heeft. 'Zullen we even onze mond houden? Ik ben doodmoe.'

'Waarom moet jij altijd degene zijn die bepaalt wanneer we stoppen met praten?'

'Iemand moet het toch doen?'

En daar gaat hij; hij rookt alsof hij bang is dat er ook maar een enkel rookkringeltje wiet verloren zal gaan. Hij heeft alleen nog maar oog voor zijn twee voorzichtige vingers en de joint die hij ertussen heeft geklemd.

Ik trek mijn knieën op tot aan mijn borst. Ik voel me opgesloten in een kamer buiten een kamer. 'Als tante K. terugkomt, stinkt haar hele huis.'

Hij blaast de rook uit door zijn neus.

'Zed?'

Niets. Alleen zijn diepe inhaleren, het korte uitademen. Ik besta niet meer voor hem.

Ik ga terug naar het souterrain.

plots rood.

Toen ik Zed leerde kennen, probeerde ik net in het reine te komen met het enorme besef dat mijn moeder me weliswaar had uitgenodigd om naar New York te komen, maar dat dat nog niet wilde zeggen dat ze ook dingen met me wilde doen. Ze had me zo'n beetje overgedragen aan de zorg van de mollige, stille tante K. en was heel af en toe zo goed om op bezoek te komen. Zed kwam helemaal onverwacht. Toen ik terugkwam van een lusteloos wandelingetje naar de winkel op de hoek, trof ik in de gang oom Paul aan die met mijn tante stond te praten. Ik begroette hen allebei, maar ze bestonden toen eigenlijk niet voor me, want per slot van rekening waren ze oud.

En toen, nog geen seconde later, toen ik de huiskamer in liep, werd mijn hart ge-reset, ge-reboot.

Ik vloekte in die tijd, op mijn vijftiende, niet al te erg, maar...

Wie de f- was dit kunstwerk, deze glanzend sexy jongen die nonchalant op mijn plekje op de bank hing? Hij zag eruit als een met condens bepareld glas limonade op een stikhete zomerdag. En het was een stikhete dag. Daar zat hij dan, helemaal af... alsof er voor niemand anders meer ruimte was, zelfs niet op de stoel die leeg was. Ik bleef in de deuropening staan, warm en onrustig. Ik staarde. Ka-doeng, ka-doeng. Mijn hart maakte meer herrie dan de tv.

Hij was toen dunner, minder uitgesproken, maar toch meer man dan de andere jongens van zijn leeftijd die ik kende. Keurige, ingewikkelde vlechtjes lagen strak tegen zijn schedel, en zijn kleren waren zo oversized dat we er waarschijnlijk met gemak alle twee in hadden gepast. En dat zou ik helemaal niet erg hebben gevonden.

'Hoi,' zei ik na een hele tijd.

'*Wassup*?' reageerde hij, en zijn accent deed dingen met me. De middagzon scheen warm naar binnen vanaf de straat en ik kreeg een visioen van zomervakanties vol romantiek en drama.

Ik had eens moeten weten.

'Wat?'

'Ik vroeg,' articuleerde hij duidelijk, 'of alles goed met je gaat?'

Stilte. 'Eh, ja hoor. Met jou?'

'Prima,' zei hij, terwijl zijn blik weer naar de televisie gleed. Hij wilde niet per se rottig doen. Maar de blik zei: 'Ze is nog maar een kind.' Als ik die woorden op muziek had gezet, dan zou het de soundtrack van mijn leven in die tijd zijn geworden. Ik was geen erg sexy vijftienjarige.

'Aaron! Sta eens op in de aanwezigheid van een dame,' blafte oom Paul tegen zijn zoon toen hij ineens de kamer in kwam lopen. Het was duidelijk van wie Zed zijn mooie uiterlijk had. Paul – een jeugdvriend van mijn tante – was een goedgebouwde man, kaarsrecht en aantrekkelijk. Hij had iets ouderwets deftigs, niets van de sluwe twinkeling van zijn zoon. De jongen sprong meteen op van de bank, en ik plaste bijna in mijn broek van opwinding. Ik veegde mijn handen af aan mijn korte broek en probeerde mijn kalmte te hervinden. 'Eden, dit is mijn zoon Aaron. Aaron, dit is het nichtje van tante K, Eden. Omdat jullie ongeveer even oud zijn, leek het me wel een goed idee om jullie aan elkaar voor te stellen.' Hij keek zijn zoon streng aan. 'Het zou voor Aaron weleens goed zijn om níéuwe vrienden te maken. Hij kan je rondleiden door New York, net zoals ik je tante heb rondgeleid. Dan kun je je eens nuttig maken voor de verandering.'

Aaron zei: 'Hoi,' en trok zijn oversized spijkerbroek op, iets wat een schattige tic van hem zou blijken te zijn. Oom Paul keek naar zijn zoon met een blik alsof hij óf een harde klap verdiende óf eens flink moest worden uitgekafferd en hij zelf niet goed wist welke van de twee. Misschien allebei.

Toen Paul weer weg was, zei Aaron dat hij tegenwoordig naar de naam Zed luisterde.

'Zed.' Ik proefde hem op mijn tong. Wat een maffe bijnaam. 'Tante K. praatte steeds over je alsof... alsof je,' stamelde ik, 'een klein jongetje was.'

Het niet zo kleine jongetje grinnikte. 'Nee, niet klein,' zei hij. Hij had toen al iets werelds over zich, iets opgewekt, wolfachtig verdorvens. Hij ging zitten, met zijn benen zo wijd mogelijk. 'Ik ben zestien. Waarom blijf je in de deuropening staan? Ben je soms bang voor me of zo?'

'Natuurlijk ben ik niet bang,' zei ik, terwijl ik naast hem ging zitten, zwetend, geïnspireerd, onverklaarbaar anders. Ik bedacht dat hij waarschijnlijk alleen met van die tienerprinsesjes omging; minivrouwtjes in strakke kleren en met lippenstift op. Ik nam me voor om niet al te veel hoop te gaan koesteren. Alleen al door naar hem te kijken, kreeg ik het gevoel dat mijn haar slordiger zat, dat mijn schoenen afgetrapter leken en mijn borsten kleiner.

Ik vroeg hem hoe het was om tiener te zijn in New York, en of het waar was dat er iedere dag schietpartijen waren en dat iedereen in een bende zat. Hij zei ja, er zijn schietpartijen, er zijn bendes. Maar er waren ook andere dingen, en het was heus niet zoals in de film. 'Drinkt iedereen in Engeland soms thee met zijn pink omhoog?' vroeg hij.

'Nee.'

'Precies. Hoe is het om in Londen te wonen?'

'Kweenie,' zei ik. 'Raar. Engelsen hebben de pest aan jongeren en dan hebben sommigen van die jongeren ook nog het lef om zwart te zijn!'

Hij lachte verrast. Teleurstelling in het leven had me vroeg-cynisch gemaakt. Eigenlijk ironisch, want tegenwoordig denk ik weleens dat teleurstelling in het leven de reden is dat ik niet volwassen word.

Hij draaide zich iets om en sloeg met zijn vuist tegen de mijne. Onze knieën raakten elkaar. De eerste keer miste ik, en ik sloeg hem bijna tegen zijn hals. Ik kreeg een wee gevoel. Het was het begin van een les die ik leerde over de vele manieren waarop je lichaam je kan verraden wanneer je verliefd bent.

Ik zei dat ik naar de wc moest en vluchtte naar boven, mijn kamer in, waar ik probeerde te verklaren wat er net was gebeurd, geschrokken van mijn plotselinge en hevige aanval van emotionele indigestie. De hiphopjeans. Zijn nonchalante houding.

Ik wierp mezelf op bed en dacht aan hem, aan deze jongen die net zo onverwacht was gekomen als een snee in je vingers wanneer je fruit schilt. De pijn. Het plotse rood. Door hem wilde ik weten wat mijn moeder al wist, wilde ik dingen doen waar ik (nog) niets van afwist.

kloof.

Mijn vuist op Zeds slaapkamerdeur is het hardste geluid dat ik ooit heb gehoord. Bonk, bonk, bonk.

'Zed?' roep ik en daarna wat luider: 'Zed? Hé, ben je al wakker?'

Bonk, bonk, bonk. Hij heeft de kamer genomen die vroeger van mijn oma was, het kleine vierkante hok naast de keuken.

Ik doe de deur op een kier. Hij lijkt helemaal van de wereld, zoals hij daar roerloos horizontaal over de wanordelijke matras ligt uitgespreid. Het licht uit de gang achter me valt schuin over zijn gezicht. Er liggen vellen vol met zijn zware, hoekige handschrift op het bed en op de vloer. Ik sta in het vagevuur van de deuropening, met het gevoel alsof ik een indringer ben. Wat ik ook wel zal zijn.

'Zed?' zeg ik nog een keer, zo zacht dat hij me waarschijnlijk ook niet had kunnen horen als hij wel wakker was geweest. In plaats van weg te gaan, zoals ik eigenlijk had moeten doen, ga ik voorzichtig op zijn bed zitten en bestudeer zijn gelaatstrekken. Zweet glinstert in zijn hals en verzamelt zich in druppeltjes op zijn voorhoofd. De hitte is bijna ondraaglijk. Ik zit zo dichtbij dat ik zijn lichaamswarmte kan voelen, maar tegelijkertijd is het alsof onze lichamen lichtjaren van elkaar verwijderd zijn. De ruimte is oneindig. Iedere keer dat ik naar hem kijk, sta ik wankelend op de rand van de kloof van waar mijn obsessie eindigt en zijn onverschilligheid begint, een kloof die steeds breder wordt. Zijn gezicht is meedogenloos vredig.

'Wil je de lamp uitdoen?' vraagt hij ineens, met gesloten ogen, en ik heb het gevoel alsof ik een hartaanval krijg.

'Shit! Ben je wakker?'

'Ja. Maar ik heb liever dat je me Zed noemt.'

'Ha ha.'

'Toe dan.'

'Wat?'

'De lamp,' zegt hij. 'Ik krijg er koppijn van.'

Wanneer ik terugkom, is hij op zijn rug gaan liggen, dichter bij de muur. Ik probeer niet naar zijn borst te kijken.

'Nou, wat is er? Ben je hier om me een kussen in het gezicht te duwen? Het karwei af te maken?'

'Doe niet zo flauw! Natuurlijk niet, Zed.' Ik zwijg even. 'Luister, ik wil best voor dat raam betalen.'

'Dat heb ik al gedaan.'

'Wat kan ik dan nog doen?'

'Niets, Eden. Gewoon laten gaan.'

'Maar ik wil het goedmaken,' zeg ik. 'Ik was... ik was mezelf niet. Ik was het helemaal niet van plan. Maar ik had zoveel aan mijn hoofd ...'

'Ik krijg de zenuwen van je als je daar zo staat. Dus ga zitten of ga weg.'

Even luisteren we naar wat klinkt als een dronkenmansgevecht ergens op straat. Dan leg ik langzaam zijn schrijfwerk op een stapeltje zodat ik ergens kan gaan zitten, maar hij rukt de stapel papier uit mijn handen en smijt het slordig op het nachtkastje. Ik ga op een stoel zitten.

'Hé,' zegt hij na een tijdje. Het flauwe licht dat door het raam naar binnen valt, kleurt zijn gezicht blauw. 'Als je soms denkt dat het meteen weer goed zit tussen ons na wat jij hebt gedaan, dat zal niet gebeuren.'

'Dat snap ik best.'

'Ik ben gewoon eerlijk tegen je.'

'Dus dat is het dan? Je wilt zelfs geen vrienden meer zijn.'

'Wat had je nou verwacht? Dat ik je een bedankbriefje zou sturen?'

'Nee, ik snap het wel,' zeg ik uitgeput. 'Ik snap het wel. Maar het is gewoon zo jammer na al die tijd, na wat we samen allemaal hebben meegemaakt.'

Hij krabt aan zijn hoofd en gaat iets verliggen.

'En,' zeg ik met masochistische overgave, in de wanhopige behoefte om mezelf te verdoven, 'hoe zit het met Max? Wat is er met haar gebeurd?'

Schouderophalen. 'Nou, ik geloof dat we nog steeds wat hebben.'

'Wauw. Ik wist niet dat het zo dik aan was. Dus jullie hebben nu een langeafstandsrelatie?'

'Ik mag haar heel graag. Bovendien, het gaat goed met haar carrière, dus uiteindelijk zal ze ook wel hiernaartoe komen.'

'Oké. Nou. Dat is leuk. Heel leuk.' Stel je je een kapotte lift voor die door de liftschacht naar beneden dendert en op de grond te pletter slaat. Dat is mijn buik. Na een paar seconden vraag ik aan hem, al stervende: 'Vraag jij je ook weleens af wat het allemaal voor zin heeft?'

'Wat precies?'

'Alles. Ik bedoel, soms begrijp ik er niks meer van.'

'Daar gaan we weer.'

'Volgens mij is ontevredenheid gewoon de enige constante in de menselijke aard. Die maakt praktisch alles wat je doet zinloos.'

'Weet je wat ik denk?'

'Nou?'

'Ik denk dat je beter kunt gaan slapen.'

'Goed idee,' zeg ik. 'Zed... haat je me?'

'Haat is erg sterk uitgedrukt.'

'Ik heb de laatste tijd steeds nachtmerries over mijn moeder en dat sijpelt door in mijn dagelijkse leven. Je weet wel, de stemming en de kleuren. De hele dag ben ik daardoor aangetast. Heb jij dat weleens? Sijpelen jouw dromen door?'

'Vroeger wel. Nu droom ik niet meer.'

'Iedereen droomt.'

'Ik niet,' zegt hij. 'Ik... ik ben moe. Laten we morgen verder praten of zo. En doe de deur achter je dicht.'

'Wat wilde je zeggen?'

'Welterusten.'

Ik sta op en heb net twee stappen in de richting van de deur gedaan als hij me tegenhoudt.

'Eden,' zegt hij zacht, op die speciale toon van hem die me altijd het gevoel geeft fonkelnieuw te zijn. 'Waarom heb je dat gedaan?'

'Wat?' vraag ik, hoewel ik het heus wel weet.

'Die baksteen.'

Ik heb het gevoel alsof mijn antwoord alles zou kunnen veranderen, verleden zowel als heden als toekomst. Angst overspoelt me. 'Ik weet het niet.'

Hij gaat weer liggen. 'Welterusten,' zegt hij, koeler deze keer.

omdraaien.

Ik droom de laatste tijd steeds dat ik op een trap sta en me met beide handen vastgrijp aan mijn moeders zigeunerrok en de trap eindigt in duisternis en ik kan niet eens de overloop zien en ik kan niet eens de treden zien het enige wat ik kan zien is mijn moeders rok en ze wil niet langzamer gaan lopen hoe hard ik ook trek en haar blote voeten raken mijn kleine gezicht en schouders en mijn kleine vuisten proberen te voorkomen dat ze verder naar boven loopt en hoe hard ik ook schreeuw we zijn allebei gehuld in stilte zelfs haar voetstappen zijn niet hoorbaar en de dunne stof scheurt steeds in mijn vuisten en ik spring en pak haar weer beet en ze is al bijna boven en de stof scheurt nog steeds en het lukt me niet om haar vast te houden en het is net alsof ze niet eens weet dat ik er ben en ze wil zich niet omdraaien ze blijft me almaar schoppen bij iedere tree die ze neemt en de stof scheurt en ik val de trap af helemaal tot op de grond rolderdebolder en het doet pijn en ik huil zacht en gil naar mijn moeder maar er klinkt geen geluid en ze is al helemaal verdwenen in de dikke duisternis boven aan de trap...

op bewolkt.

Rond acht uur 's ochtends staak ik mijn poging om de vergetelheid te bereiken en ga een tijdje onder de douche staan. Het water is lauw. Het is een beproeving om met Zed onder één dak te moeten slapen. Ik ben kapot. Steeds als ik bijna in slaap val, herinner ik me weer dat hij er is en dan is mijn hoofd net een druppel water in hete olie. Met veel zorg scheer ik mijn benen en oksels. Wanneer ik schoon ben, smeer ik me in met een heel lekkere lotion die ik bij de Body Shop heb gestolen toen ik me een keer bijzonder onoverwinnelijk voelde. Ik vijl mijn voeten glad en lak mijn teennagels oranje. Romantische jurk. Riem. Slippers. Ik epileer mijn wenkbrauwen zorgvuldig in de vorm die Brandy me heeft geleerd en vlecht mijn haar met een handvol glansgel en hoop maar dat niemand binnen tien meter van mijn ontvlambare hoofd een lucifer zal afsteken.

Maar wanneer ik boven kom, is Zeds kamer leeg.

Het bed is keurig opgemaakt, bijna geen kreukje te zien. Al zijn gedichten zijn verdwenen. Geen schoenen naast het bed. Geen bagage. Het is pas halftien. Hij heeft niet eens afscheid genomen.

Ik ga even op zijn bed zitten om tot mezelf te komen. Het ruikt hier nog steeds naar hem. Ik voel me stom en verloren. Heb ik me helemaal opgetut en nou is er niemand om het aan te laten zien.

'Hé.' Hij verschijnt in de deuropening.

Ik spring op.

Een wit T-shirt dat fel afsteekt tegen zijn huid, een plunjezak over zijn schouder.

Hij vraagt: 'Wat moet je hier?'

'Zed!' Ik pluk aan mijn kleren en zeg dat ik dacht dat hij was weggegaan.

'Nee,' zegt hij, 'nog niet. Ik zat lekker voor de deur in het zonnetje.'

'O.'

'Ik dacht dat beleefde mensen altijd eerst klopten.'

'Heb ik ook gedaan.'

'Heb ik antwoord gegeven?' Hij trekt een wenkbrauw op.

Ik lach, verslagen, met mijn gezicht op bewolkt. 'Waar ga je trouwens naartoe, zo vroeg?' vraag ik.

'Ik heb een sessie.'

'Oké,' zeg ik en ik probeer niet al te radeloos te klinken. 'In een studio bedoel je?'

'Ja.'

'Cool.'

Hij aarzelt. 'En jij?'

'Ik. Eh... Ik weet het eigenlijk niet. Ik wilde een beetje rondwandelen. Dingen bekijken of zo.'

'Oké.' Zijn ogen dwalen even subtiel over mijn kleine makeover.

Ik begin te tintelen.

'Nou, tot kijk dan maar,' zegt hij, al op weg naar de deur. 'Ik ga.'

'Zed... wacht,' zeg ik tegen zijn rug. 'Ga je met de metro?'

Hij draait zich om, even weifelend. 'Ja,' zegt hij, terwijl ik mijn best doe om niet wanhopig over te komen. 'Ja,' herhaalt hij. 'Kom maar mee.'

en weg.

'Omega!' Een beer van een man, van top tot teen gekleed in oversized, met merknamen bedrukte kleren trekt de deur open. Hij grijnst. Het licht valt op een gouden tand. 'Wassup, lettervreter?'

'It's cool! Mij hoor je niet klagen, dat weet je,' zegt Zed.

De beer lacht, met de hoge stem van een meisje of een pooier in fluweel.

'Bleak, dit is Eden. Ze komt er even bij zitten, want ze heeft op het ogenblik niet veel beters te doen.'

'Alles cool?'

'Niet echt.'

De beer lacht weer. Zed en hij slaan hun handen tegen elkaar en we worden meegenomen een slecht verlicht, rommelig appartement in, met zwarte leren banken en zwarte helden ingelijst aan de muur, van Mohammed Ali tot Angela Davis met een enorme afro. Het ruikt er naar jarenlang marihuanamisbruik en naar de muskusachtige geur van mensen die in hun kleren slapen. Op een breedbeeld-tv is geluidloos *booty-shaking* te zien.

'Omega?' vraag ik.

'Ik ben bekend onder vele namen, schat,' antwoordt Zed een beetje ontwijkend.

Ik vraag me af waar ik in verzeild ben geraakt. Onderweg hebben we nauwelijks een woord gewisseld, we zaten te dicht bij elkaar voor ditjes en datjes en waren te veel op onze hoede voor iets anders. In de metro vertelde hij me waar ik de goede galeries in Manhattan en Harlem kon vinden plus het Vrijheidsbeeld, voor het geval ik zin had in doorsnee. Nadat hij klaar was met de toeristische info, vroeg ik hem waar de studio was.

'In Queens,' zei hij.

'Ik...' bracht ik met moeite uit, 'ik ben nog nooit in Queens geweest.'

Hij glimlachte en schudde bijna onmerkbaar zijn hoofd.

Ik was net een gokker die hoopte ooit het geluk aan zijn kant te vinden, als hij maar bleef meespelen. Ik had me harder tegen mezelf moeten verzetten, maar misschien was ik erin geslaagd om, tijdens onze zwijgende reis onder New York door, mezelf ervan te overtuigen dat als we niets zeiden, hij het niet zou merken dat onze wegen zich niet scheidden.

En nu heb ik blijkbaar 'niet veel beters te doen'. Ik weet niet of dat iets nadeligs over hem zegt of over mij.

Bleak biedt me aanmaaklimonade aan. Ik besluit dat het waarschijnlijk geen goed idee is om in dit appartement iets te drinken wat niet uit een afgesloten verpakking komt. 'Nee, dank je.'

'Je moet het zelf weten.' Hij grinnikt veelbetekenend. 'Laten we naar wat beats gaan luisteren.'

Hij neemt ons mee naar een nog schemeriger vertrek, waar in een vroeger leven naar alle waarschijnlijkheid een bed heeft gestaan, maar dat nu is uitgerust met een computer, een mengpaneel en eindeloos veel andere onbekende gadgets. Zed gaat in de leren draaistoel het verst van de computer zitten. Bleak laat mij plaatsnemen in de stoel er vlak voor.

'Heel even maar. Alleen de kapitein mag aan het roer, voel je me?'

Bleak zet een schakelaar om, en het appartement wordt overspoeld door een herhaling van steeds dezelfde muziek die bol staat van de beats, duister en dissonerend. Zed tovert een joint tevoorschijn en steekt hem aan, terwijl zijn hoofd meebeweegt op de maat.

'Voel je hem, gozer?'

'Het is te gek.'

'Heb je er iets voor?'

'Kan elk moment komen.'

'Oké, dan laat ik je nu iets horen van de andere shit waar ik aan heb gewerkt.' Bleak kijkt naar mij. 'Dus nu moet je verhuizen naar de stoel van de amateur, schatje!' zegt hij, met een reusachtige vinger wijzend naar een versleten tweezitsbankje in de hoek van de kamer. Ik loop ernaartoe en ga als een kanariepietje op de rand zitten. 'Heel goed,' zegt hij.

'Hoe laat komt Nami?' vraagt Zed, midden in een hijs.

'Je weet toch dat ze altijd te laat is, man! Ze had hier een uur geleden al moeten zijn, maar ja, wie zal het zeggen?'

Ze roken zoveel dat ik na zo'n drie kwartier het kleine beetje cognitieve vaardigheid dat ik nog had, ook begin kwijt te raken. Ze zeggen niks tegen me. Bleak laat nog wat andere beats horen en Zed zit mompelend fanatiek in een notitieboekje te krabbelen. Hij gedraagt zich hier anders. Het is net alsof ik hem niet ken.

'London girl! Waar ben je mee bezig?'

Ik laat mijn camera zakken. 'Ik... eh... was een paar foto's aan het nemen. Mag dat?'

'Ben je van de narcoticabrigade?'

'Nee.'

'CIA? FBI? SWV?'

Ik begin te lachen. 'Nee!'

'Dan is het goed. Dan ben je cool. Kun je er wat van?'

'Ach...'

'Laat me eens wat foto's zien als je klaar bent. We hebben van die shit nodig voor onze site.'

In vijf minuten tijd heb ik het allemaal vastgelegd. De hitte en rook wringen het laatste restje wilskracht uit mijn lijf en ik leg mijn hoofd op de bankleuning en kan alleen nog maar toegeven aan het onvermijdelijke. Ik word wakker van een deur die dichtslaat en plotseling is er een erg luide vrouwenstem in de kamer.

'Zed! Fuck, wat zie jij er goed uit, klootzak! Ik durf nou bijna niet meer in de spiegel te kijken.' Ze lachen allebei.

Ik doe mijn ogen open, en de in spijkerbroek gestoken kont

van het meisje bevindt zich op ooghoogte. Haar broek zit zo strak dat het weinige vlees dat ze heeft over de rand puilt. Ik ga zo dicht mogelijk tegen de muur liggen, bang dat ze elk moment op mijn hoofd kan gaan zitten.

'Shit, Bleak, wat kijk je nou? Je weet toch dat je altijd een lelijkerd bent geweest en zult blijven! Een mens kan niet alles hebben, hè, gap?'

'Hou je tater, vissenkop.'

Ik bedenk dat ik beter kan opstaan, wil ik aan een totale verbrijzeling ontkomen.

Het meisje draait zich geschrokken om en neemt me brutaal van top tot teen op. 'Hoi! Ik had je helemaal niet gezien!' zegt ze. Ze is behoorlijk mooi. Een meisje met de teint van rietsuiker en grote, slaperige ogen en een lange neppaardenstaart en nepnagels.

'Hallo.'

'Nami.'

'Eden.'

'Wat voor accent...'

'Ik kom uit Londen.'

'Londen, in Engeland?' Ze zwiept met haar paardenstaart.

'Ja.'

'O fuck!' zegt ze lachend. 'Ik wist niet dat ze daar ook sisters hadden.'

'Een paar.'

'Oké. Nou, welkom in Queens dan maar, zwarte prinses Diana.'

'Die is dood.'

Nami glimlacht, knipoogt naar me en grapt dan weer verder met de jongens.

Ik ga weer zitten.

Bleak laat haar de beat horen die hij afspeelde toen ik binnenkwam. 'Volgens ons moet jij je smerige klauwen hier maar eens in zetten, vissenkop.'

Ze knikt en begint een melodie te neuriën. Bleak haalt een kruk voor haar uit de andere kamer. Waarschijnlijk meende hij het toen hij zei dat mijn bankje alleen voor niet-ingewijden was.

Het is negen uur 's avonds en ik zit al de hele dag in deze funky stoel, dan weer slapend, dan weer wakker. Zed en de crew hebben een stuk of drie tracks opgenomen en continu jointjes opgestoken. Ik ben higher dan een vliegtuig halverwege de Atlantische Oceaan en ook een beetje misselijk van de paar stukken zweterige pizza die ik uren geleden heb gegeten. En ik heb nog steeds honger. Geen goede combinatie. Ik wou dat ik mezelf hier kon achterlaten en vertrekken.

'Hé, prinses!' zegt Bleak, terwijl hij voor mijn neus in zijn vingers knipt. 'Prinses?' Hij wendt zich tot Zed. 'Gap! Die chick is in trance gegaan!'

'Wat?' vraag ik.

'Wil je een korte skit doen voor het album?' vraagt hij, ' je hebt zo'n schattig accent.'

'Hoe bedoel je, ik, op Zeds album?'

'Nee,' zegt Zed. 'Ik doe niet aan gimmicks.'

'Het is voor een ander project, van Nami en mij,' zegt Bleak.

'O.'

'Pas op dat je niet omvalt van enthousiasme,' zegt de beer lachend.

'Wat wil je dan precies van me?'

'Dat je doet alsof je een strenge schooljuf bent.'

'Meen je niet.'

'En ik ben dan je stoute leerling.' Hij neemt een grote slok uit zijn gigantische fles bier. 'En dan moet jij zeggen dat ik me moet gedragen want dat ik anders billenkoek krijg.'

Ik kijk naar Zed. 'Dat kan ik niet!'

'Je hoeft alleen maar te doen alsof. Ik zal je heus niet dwingen om me echt met een liniaal te slaan, hoor.'

Nami valt bijna om van het lachen. 'Bleak, je bent gewoon een triest geval.'

'Tenzij je dat graag wilt...' gaat de beer verder, terwijl hij aan zijn ondraaibare snor draait. 'Wil je dat soms?'

'Fuck off!'

'Oooh! Rustig maar, prinses. Het was maar een grapje. Even serieus, wil je ons hiermee helpen?'

Ik kijk naar Zed, maar hij praat met Nami. Ze lachen ons uit. Een van haar slanke, zwaarberingde handen ligt op zijn arm.

'Ja, oké,' zeg ik. 'Ik doe het.'

Bleak plant me in een hokje ernaast dat geluiddicht is gemaakt en omgetoverd in een opnamecabine. Ik ben hier al de hele dag, dus kan ik me net zo goed nuttig maken. Ik zet de koptelefoon op en Bleak vertelt me wat ik moet zeggen.

'Begin maar met dat korte script dat ik je heb gegeven. En dan gewoon doorgaan. Doe maar waar je zin in hebt! Ik zal tegen je terug praten door de koptelefoon om het zo natuurlijk mogelijk te laten klinken, snap je?'

Wanneer hij weg is, doe ik de lamp uit.

'Ik moet even het geluid testen. Zeg eens iets.'

'Eén, twee. Eén, twee,' zeg ik in de microfoon. Ik kuch. Mijn stem klinkt zo hard. De stilte eromheen is als van fluweel. 'Eén, twee.'

'Oké, en nou gewoon freestylen. Een beetje lol maken. Ik zal mijn gedeeltes er later aan toevoegen... Klaar?'

'Eh... ja.'

In het donker komen een paar beats voorbij. 'Begin maar als je er klaar voor bent,' zegt hij.

'Niet zo brutaal, jongeman!' zeg ik, terwijl ik me Zed in schooluniform voorstel. 'Als je nog één keer praat terwijl ik aan het woord ben, zul je dat heel erg betreuren, jongeman! Heel erg. Ik heb genoeg van je brutale mond!' Ik doe alsof ik machtig en sexy ben. Met een ultrastrak kokerrokje aan en een zilveren brilletje op. Ik ben voor niemand bang. 'Ik ben hier de baas, niet jij, kleine snotneus die je er bent!' Ik stel me voor dat ik een zweep in mijn la heb liggen. Ik loop geen jongens achterna, smekend om flintertjes aandacht. Ze beginnen te zweten wanneer ze mij zien en leggen appels op mijn bureau. 'Zeg mij na! Ik ben zielig en stom en verdien billenkoek...'

Ik ben zielig en stom...

'Schrijf het onmiddellijk op het schoolbord! Ik wil tweehonderd regels!'

Alstublieft, juffrouw!

'Dat is niet genoeg! Je bent een stom joch. Lik het schoolbord schoon en begin overnieuw. Je zult iedere dag moeten nablijven tot je het kunt! Schoonlikken,' zeg ik. Ik vermaak me prima.

Er valt een korte stilte en dan zegt de beer: 'Godverdomme!' Hij kucht. 'Die staat erop volgens mij. Je kunt maar beter uit die cabine komen voordat ik een ongelukje krijg.'

'Gatver,' zeg ik lachend. 'Dat is goor.'

'Geef maar toe dat je gek op me bent.'

Wanneer ik het vertrek weer in kom, zit Zed in zijn notitieboekje te schrijven. Hij kijkt niet op.

'Dat was lachen!' zegt Nami. 'Fuck zeg!'

'Dank je.'

Bleak geeft me een klap tegen mijn handpalm. 'Je hoort nou bij de familie.' Hij grijnst. 'Je bent er een van de High Jinks!'

'High Jinks?'

'Ja, High Jinks is ons team. Ik, miss Tsunami daar en nog een gast die je niet kent. Hij had hier vandaag ook moeten zijn, maar hij is een druk baasje.'

'Een Jimi Hendrix-achtige motherfucker,' zegt Nami. Ze kauwt op haar woorden als een echte New Yorkse. 'Supergetalenteerd.'

'Waarom kom je zondagmiddag niet naar Fort Greene Park?'

'Waarom? Wat is daar te doen?'

'Gewoon een cool feest buiten. Ik draai wat old skool hiphop en soul voor mannen, vrouwen en kinderen. Ik doe gewoon mijn ding, weet je wel.'

'Cool...'

'Hé,' zegt Zed, terwijl hij opstaat. 'Ben je klaar om te gaan, Eden?'

'Eh...' Ik heb de hele dag op die woorden zitten wachten en nou komt hij ermee aanzetten terwijl ik het net een beetje naar mijn zin krijg. Typisch weer. 'Ja hoor. Als we hier klaar zijn tenminste.'

Bleak kijkt naar Zed. 'Ja, we zijn klaar met de skit. Maar misschien dat ik haar een dezer dagen nog nodig heb. De puntjes op de i zetten.'

'Meen je dat?'

'Er zijn drie dingen waar ik geen grapjes over maak, Brit girl. Mijn eten...'

'Dat is te zien, dikzak!' zegt Nami lachend.

'Mijn dope en mijn beats.'

'Cool...'

'Hier heb je mijn kaartje.' Hij pakt er een uit zijn kontzak. Wit op zwart gedrukt. Zijn naam, mobiele nummer en MySpace-adres.

Ik ga naar de wc. Zodra ik terug ben, neem ik afscheid en we vertrekken.

'Dus jij doet geen gimmicks?' vraag ik, terwijl we de gemeenschappelijke hal uit lopen. Het is buiten net zo warm als in het appartement. Ik kijk naar de sterrenloze hemel en de mensen op straat met hun nachtelijke bezigheden.

'Ik weet dat je geen hoge pet op hebt van mijn stijl, maar ik probeer terug te gaan naar de basis.'

'Heb ik dat ooit gezegd dan?'

'Maar dat stukje dat jij hebt gedaan, was grappig.'

'Dank je.'

We blijven staan voor een avondwinkel. 'Moet jij nog wat?' vraagt hij. 'Ik ga nog even vloeitjes kopen.'

'Een cola graag. En een reep amandelchocola.'

'Koop zelf maar.' Van het ongeluk is niets meer te merken bij hem. Hij loopt niet meer mank. Zijn zwierige loopje is helemaal terug.

'Lul.'

'Yep.'

Het is ongeveer tien minuten lopen naar het metrostation. Onderweg hebben we het over muziek, over de tracks die hij heeft gedaan en wat hij er nog aan toe wil voegen of de volgende keer anders wil doen. Ik kan hem amper volgen. Tegen de tijd dat we ondergronds gaan, doe ik er al niet eens mijn best meer voor. Mijn hoofd wordt in beslag genomen door de gedachte dat we weer alleen zijn, eindelijk. Maar soms heb ik het gevoel dat hij zich heeft afgesloten van zichzelf, van ons. Ik wil iets zeggen, maar ik weet niet wat. Iets om de afstand op te heffen.

'Denk je,' vraag ik, met kurkdroge mond, 'nog vaak aan je vader?'

'Hij is dood, Eden,' zegt hij, terwijl hij voor me uit loopt.

'Dat weet ik wel, maar denk je vaak aan hem? Dat is het enige wat ik vraag... Ik bedoel, hoe voel je...'

'Wat ik voel, is dat ik hem niet terugkrijg door aan hem denken of over hem te praten,' zegt hij, me even aankijkend.

We zijn op het gele perron aanbeland, waar een bleke tiener met piercings en een man met een enorme bos dreadlocks staan. Het moet hier ongeveer dertig graden zijn, maar toch draagt hij een gewatteerde jas.

'New York is echt knettergek,' zeg ik zacht.

'Klopt,' zegt Zed. 'Daar komt je metro al.'

'Mijn metro?'

'Ja.'

Ik draai me naar hem om en kijk hem aan. 'Ga je niet met me mee dan?'

'Dat was ik niet van plan, nee.'

Ik stap in en leun nog even tegen de deuren voordat ze dichtschuiven. Ik voel me vreselijk stom. Ik probeer niet verbaasd of gekwetst te kijken.

'Maar ik weet niet eens hoe ik thuis moet komen,' zeg ik. 'Zed, het is al bijna twaalf uur.'

'In de metro hangt een plattegrond.'

'Dit is New York, Zed! Hoe kun je nou –'

'Je redt je wel,' zegt hij.

De deuren gaan dicht.

wacht –

Saint Lucia, 7 augustus

Het is zo lang geleden, Cherry Pepper. Zo lang. Ik was helemaal vergeten dat ik hier thuishoorde, bij de intensiteit van het blauw en het groen, de palmen en de bananenbomen en de zee. O, godallemachtig. Ik moest huilen toen ik uit het vliegtuig stapte, maar niemand vroeg of er iets was, want iedereen, blank en zwart, jong en oud, werd geraakt door de schoonheid van het landschap. Een land als dit schenkt je vergiffenis zodra je er een voet op zet. Het omarmt je met de geur van alles wat groeit. Het leeft! Dit land is ook een moeder van me, en ik heb haar gemist.

Ik heb Angeline naar ons dorp gedragen, een beetje zoals zij mij ooit heeft gedragen, voordat ze wist dat ik haar zwaar zou teleurstellen. Ik heb haar het huis laten zien waar we al die jaren geleden hebben gewoond, en hoe het veranderd is.

Ik voel me jong, alsof ik opnieuw de kans krijg om twaalf te zijn, maar dan zonder het verdriet. Deze keer speel ik in de rivier en in de zon en eet ik op het stoepje het plaatselijke brood met cornedbeef en zuring. Ik wrijf kokosolie in mijn huid totdat hij glanst en deze keer ben ik mooi, net als mijn oudere moeder, de moeder die nog leeft, overdadig groen en vochtig. Ik zwem in zee en koop kruiden op de markt. Ik rooster broodvruchten en deel die met mijn kleine neefjes en nichtjes. ’s Avonds zit ik samen met mensen die ik niet ken in de rumbar en praat over familie en muziek en magie. En ik luister naar de verhalen van mijn oudtante, die al bijna een eeuw oud is. Toffeekleurig, net als Angeline, gerimpeld en met fijne botten. Zelfs zonder tanden lacht ze nog. Van haar kan ik leren hoe je gracieus oud kunt worden.

Tot gauw,
Tante K.

wapens of strategie.

Ik wist dat ik hier uiteindelijk zou terechtkomen.

De zon regeert in Forte Green Park, hoog en verzengend. De kleuren hebben de felheid van een lsd-trip. IJs smelt in plasjes. Zongebruinde kindertjes hollen over het kurkdroge gras. Stelletjes en zorgeloze groepjes vrienden liggen met samengeknepen ogen naar elkaar en naar de blauwe lucht te kijken. Zoveel vrolijke gezichten. Het ruikt naar barbecue, luchtvervuiling, bomen en bloemen.

In mijn rugzak heb ik een zak tortillachips en een fles fruitpunch, met een scheut Jack Daniel's erdoor. Bij de ingang van het park eet ik chips en neem ik een paar slokken om me moed in te drinken, want ik weet niet wat ik enger vind: als Zed er is – of als hij er niet is. Sinds we in de studio zijn geweest, heb ik hem sporadisch gezien. Hij doet dan steeds kortaf en is altijd net op weg ergens naartoe.

Misschien is Bleak al wel vergeten dat hij me heeft uitgenodigd. Ze zeggen altijd dat Amerikanen uitbundiger maar minder oprecht zijn dan wij Engelsen. En als hij achter de draaitafel staat, heeft hij misschien helemaal geen tijd om sociaal te doen. En misschien ben ik hier wel helemaal verkeerd, want ik hoor house en niet de vintage soul die Bleak had gezegd te zullen draaien en ik zie hem ook nergens en eerlijk is eerlijk: hij is echt niet iemand die je makkelijk over het hoofd ziet.

Ik ga een tijdje zitten op de eerste bank die ik zie om me te oriënteren. Ik voel me bekeken. De barbecuegeur komt van de andere kant van het park. Ik kan de kraam zien. Ik zou ernaartoe kunnen lopen, dan heb ik wat te doen. Ik hoef niet echt te eten, ik kan gewoon iets kopen en er dan een beetje in de buurt blijven rondhangen.

Er begint een nieuw nummer en in verschillende groepjes gaat gejuich op. Een meisje in een velours speelpakje valt dansend tegen me aan. Ze verontschuldigt zich giechelend, maar het klinkt niet alsof het haar echt spijt. Niet dat ze onbeleefd of zo is. Het spijt haar alleen niet. Door halverwege de 'running man' of een of andere maffe variatie daarop tegen onbekenden aan te knallen laat ze gewoon zien hoe grappig ze wel niet is. Haar vrienden rollen vriendelijk met hun ogen. Zonder op of om te kijken loop ik door naar de barbecue.

'Hé, sis,' zegt de gezond mollige vrouw die het eten serveert. 'Kip? Vis?'

'Alleen kip graag.'

'Wil je koolsla of aardappelsla?'

'Koolsla... Hoeveel is het?'

'Vijf dollar. Je kunt daar betalen.' Ze wijst naar een lange, magere jongen aan het eind van de lange tafel.

'Laat mij maar, Makita,' zegt een bekende stem achter me. 'Zet maar op mijn rekening.'

De weldoorvoede vrouw lacht. 'Ha, Bleak,' zegt ze.

Ik draai me om. Hij lijkt nog groter en zwarter dan eerst. 'Hé! Daar ben je!' zeg ik opgelucht.

'Ha,' zegt hij grijnzend, 'het is je gelukt. Alles oké?'

'Lijkt me wel: barbecue. Punkrock. Jack Daniel's.'

Hij lacht, waarbij een mond vol goud zichtbaar wordt. 'Je bent grappig. Ik ga zo achter de draaitafel, sis...'

'Oké, geen probleem, geen probleem. Dat had ik wel gedacht. Ik zal eh...'

'Waarom ga je niet bij mijn *peeps* zitten? Ze zitten daar onder die boom, dat maffe stelletje losers.'

Ik lach.

'Ga er maar naartoe zodra je je eten hebt. Zeg maar dat Bleak je heeft gestuurd.'

'Oké.'
'Goed. Later.'
'Dank je,' zeg ik tegen Makita.
'Eet smakelijk,' zegt ze glimlachend.
Ik kijk naar Bleak die naar de draaitafel kuiert zo'n honderd meter verderop. Onderweg komt hij allerlei mensen tegen die hij kent en hij blijft staan om ze te omhelzen of tegen hun vuist te slaan. Hij begroet de huidige dj, maakt alles gereed, zet zijn koptelefoon op en begint in een paar kratten te rommelen. Een paar seconden later zweven de zachte klanken van Marvin Gaye door het park.

Onder de boom zit een heel stel mensen op een geruit tafelkleed, een lap stof met een West-Afrikaanse print en een stuk zeildoek. Er worden verschillende gesprekken tegelijk gevoerd; de kleding varieert van conservatief tot alternatief en de huidskleur van melkwit tot blauwzwart.

Ik ga voorzichtig op het zeil zitten, naast het groepje dat het minst in hun gesprek lijkt op te gaan.

'God, wat is het warm vandaag!' zegt een meisje met lange, dunne vlechten in haar haar en een tongpiercing. 'De lucht voelt als pudding.'

'Zeg dat wel,' zegt een kaal meisje met volle wimpers. Dan ziet ze mij. 'Hey.'

'Hey,' zeg ik, 'ik ben een vriendin van Bleak.'

'Cool.' Ze lacht. Ze heeft een spleetje tussen haar voortanden. 'Hoe heet je?'

'Eden.'

'Ik ben Zahara.'

Het meisje met de vlechten stelt zich ook voor. 'Rosemary.'

'Hoi.'

Zahara leunt achterover op het zeil. 'Kom je uit Engeland?'

'Ja, uit Londen, om precies te zijn.'

'Cool. Logeer je bij Bleak?'

'Nee... ik heb hem pas deze week leren kennen via een vriend.' Ik probeer net zo ontspannen en lui over te komen als zij. 'Zed. Misschien kennen jullie die wel.'

'Ja, die ken ik wel...'

'Lange, zwarte jongen,' zeg ik onnodig, 'kale kop...'

'Ja.' Zahara gaapt.

'Heb je hem al gezien?'

'Wie?'

'Zed,' zeg ik. Ik wil nonchalant lijken, maar volgens mij is dat mislukt. 'Die vriend van me.'

'Ja, volgens mij heb ik hem al ergens gezien.' Rosemary buigt zich naar voren en raakt een jongen aan die naast haar naar de lucht ligt te staren. 'Hé...'

De jongen heft zijn hoofd.

'Eden is op zoek naar haar vriendje, Zed.'

'Nee, nee!' zeg ik, ongeveer op hetzelfde moment dat de jongen de boodschap weer aan iemand anders doorgeeft.

'Ik ga sowieso die kant uit,' zegt een vrouw met lange afrokrullen en een heel kort broekje aan terwijl ze opstaat. 'Als ik hem zie, zal ik zeggen dat zijn vrouwtje hem mist. Je kunt elkaar beter niet uit het oog verliezen, hè?' Ze knipoogt naar me.

'Nee, nee! Ik ben niet zijn... Hij... eh,' zeg ik zwakjes. Dit is zo'n moment waarop ik zal overkomen als een idioot, wat ik ook doe. De vrouw is echter al verdwenen voordat mijn hoofd een oplossing kan brouwen. 'Ik zei niet dat hij mijn vriendje was!'

Ik neem een slok van mijn met alcohol aangelengde fruitpunch. En nog een. Ik ga op het zeil liggen. Ik kan toch niks veranderen aan de situatie met Zed, dus het heeft geen nut om in paniek te raken. Helemaal geen nut. Concentreer je op de wolken. Doe alsof je er zelf een bent. Alleen maar damp.

'Dus we gaan met elkaar?'

Vlak bij mijn oor. Mijn maag keert zich om. Ik durf me niet om te draaien.

'Wat?' vraag ik. Bij twijfel altijd de onwetende uithangen. 'Is dat zo?'

'Melanie zei dat mijn vriendinnetje Eden me zocht.'

'O.' Ik weet er een lusteloos lachje uit te persen. 'Gek. Ze heeft het vast verkeerd begrepen.'

'Hm.'

Ik kan zijn huid ruiken. Zout, wasmiddel, aftershave, wiet.

Kijk naar de wolken. Wees damp.

'Wat is dit?' vraagt hij, terwijl hij de fles uit mijn hand probeert te trekken. 'Heeft de fruitpunch je gevloerd?'

'Ja... nee...' Ik knal bijna met mijn hoofd tegen zijn kont aan wanneer ik overeind probeer te komen. Hij ligt naast me. Zijn tanden zijn wit, zijn hoofd glimt, zijn sterke lijf is gehuld in een tanktop, halflange shorts en Nikes die ik niet eerder heb gezien. Hij heeft zijn armen onder zijn hoofd gevouwen. Ik had verwacht dat hij kwaad zou zijn. Zijn onvoorspelbare gedrag maakt dat ik steeds zonder wapens of strategie zit. 'Ik bedoel, het is alleen maar sap en ik ben niet gevloerd, ik lig gewoon van de frisse buitenlucht te genieten. Een beetje relaxen.'

Hij schudt zijn hoofd. Aan zijn gezicht valt niets af te lezen.

'Zijn dit jouw vrienden?' vraag ik.

'Sommigen van hen,' antwoordt hij.

Ik kijk naar de bonte verzameling mensen, allemaal zo kleurrijk en mooi en loom. Er zijn funky lui bij en hippies, rockers en geitenwollensokkentypes; stuk voor stuk te herkennen aan hun kleding en kapsels, en allemaal even tevreden met zichzelf. Volgens mij vinden verstandige mensen in Londen dat gênant. Engelsen die eigendunk niet gênant vinden zijn meestal óf strontvervelend óf dom, waardoor je dit tafereel daar niet vaak zult aantreffen. Ik vind het verfrissend en tegelijkertijd bedreigend.

'Hé Zed, jij ook hier?' vraagt een jongen met een hanenkam die samen met twee vrienden naast ons zit. Hij knikt naar mij. 'Is dat je meisje?'

Zonder dat ik het heb gemerkt, blijken Zahara en Rosemary te zijn verhuisd naar het geruite tafelkleed.

'Nee, ze is...' begint Zed.

'Ik ben van niemand,' zeg ik, harder dan ik van plan was, alsof ik lijd aan Tourette of zo. 'Die mafkees is mijn type niet.'

'O. Shit!' De onbekende jongen lacht en wendt zich weer tot Zed. 'Nou, kun je me dan misschien voorstellen aan deze jonge godin? Zo te zien komt ze hier niet vandaan.'

'Dit,' zegt Zed met een lichtelijk ironisch gebaar, 'is Eden.

Eden, deze flauwe klootzak is Joe. En die daar, die er zo raar uitziet, is Mikey...'

'Hé!' protesteren Mikey en Joe gelijktijdig.

'En dat is Devon. En dat daar zijn Zahara, Rosemary, Melanie en Miguel.'

'Hoi,' zeg ik.

Ze zwaaien naar me of vertellen Zed dat we al hebben kennisgemaakt.

'Kom je uit Engeland?' vraagt Joe.

'Ja, uit Londen.'

'Wat een lekker accent vind ik dat toch.' Hij tuit zijn lippen en knikt goedkeurend. 'Dus jij bent niet het meisje dat deze jongen eindelijk eens manieren zal bijbrengen?'

'Nee, we zijn gewoon goeie vrienden,' zegt Zed.

Verdomme! Alsof dat niet allang duidelijk was. Waarom moet hij dat nou zo snel zeggen, alsof het idee dat we iets met elkaar zouden hebben helemaal niet mogelijk is, in de verste verte niet? En weet je, Hanenkam kan er eigenlijk best mee door. Hij heeft iets zwierigs en hij is akelig trendy (die jongen draagt puntschoenen nota bene!). Maar dan kijk ik weer naar Zed, en bij hem vallen alle andere jongens in het niet. Zoals altijd.

Zed staat op en loopt weg.

'... voor de kost?'

'Sorry?'

'Ik vroeg,' zegt Joe, 'wat voor werk je doet?'

'Wat ik voor werk doe? Eh... Niks eigenlijk. Op het ogenblik heb ik geen werk. Ik ben hier dankzij de Barclays Bank. En dankzij mijn vriendin Juliet.'

Devon en hij lachen.

'Nou, maar wat doe je als je wél werkt, schoonheid?'

'Ach, je weet wel.' Schoonheid. Het is een tijd geleden dat een man me iets anders heeft genoemd dan gek. Brandy telt niet, tenzij ze een broek draagt. 'Allemaal dingen die slecht betalen. Voornamelijk fotografie,' zeg ik, zwaaiend met mijn camera.

'Hangt je werk hier ergens?'

'Nee.'

'O. Nou, je zit hier in elk geval tussen de juiste gasten. Iedereen hier doet wel iets met kunst. Veel acteurs, muzikanten... Je moet straks maar eens met wat mensen gaan praten. Je zou portretfoto's kunnen maken. Misschien dat je zo wat bij kunt verdienen.'

'Ja... cool! Dank je. Dat ga ik echt proberen.'

'Graag gedaan, liefje. Ik weet wat het is om te lijden voor de kunst. Ik ben filmmaker –'

'Daar gaan we weer. Spike Lee on crack.'

'Hou je kop, Devon...'

'En wat brengt je naar ons mooie land, jongedame?' vraagt Devon, zijn vriend negerend.

Ik haal mijn schouders op. 'Gewoon.'

'Hoe lang,' zegt Joe, met een vuile blik naar zijn vriend, 'blijf je in New York?'

'Een paar maanden.'

'Dat is nog een behoorlijke tijd dus. Is Barclays zo vrijgevig geweest?'

'Ik kan met weinig toe. Ik ben van plan om die dollars uit te rekken als elastiek.'

Joe lacht. 'Hé, ik zal je mijn nummer geven. Dan zal ik je een keer... eh... een rondleiding door de stad geven.'

'Oké. Goed.'

'Man, ze voelt je niet, Joe! Laat haar toch met rust!' zegt Devon lachend.

'Niet zo kwaad worden, maat. Het leven zal jou ook nog weleens wat aardiger gaan behandelen,' zegt Joe met een knipoog. Hij is duidelijk degene met meer succes bij de vrouwen. 'Hé, kijk eens wie we daar hebben. Ons grote opperhoofd.'

Er komt een nieuwe jongen aanlopen die vlakbij op de lap stof met Afrikaanse print gaat zitten. Mager, lichtbruin, ongeschoren, handenvol kleine zwarte krulletjes, een gescheurde spijkerbroek en een verschoten Hendrix-T-shirt. Hij speelt met een grassprietje. Een paar mensen lijken hem te kennen en lachen en knikken vriendelijk naar hem, alsof hij een onschuldig dier is dat ze niet willen verjagen. Rechts van hem staat een gitaarkist met erbovenop een boek dat er beduimeld uitziet. Hij is vast de muzikant over wie Bleak het had. Dat voel ik gewoon. Als hij geen 'Hendrix-achtige motherfucker' is, dan weet ik niet wie wel.

Zed loopt naar hem toe en slaat hem tegen zijn vuist. 'Ons wonderkind!' zegt hij bij wijze van begroeting.

'Ons zwarte talent! Wassup?' De stem van de nieuwe jongen is zwaar en hees, een onverwacht contrast met zijn kinderlijke lach. Zed kent zoveel mensen. Soms heb ik het gevoel dat ik bijna niemand ken. Ik heb geen crew, geen team in Londen. Alleen Juliet, en een ongeregeld zootje mensen die elkaar niet kennen en die me voornamelijk tolereren. En misschien dat ik tegenwoordig ook Brandy heb, maar zij is er niet zo vaak. Steeds minder eigenlijk.

'Vanwaar je belangstelling voor film?' vraag ik aan Hanenkam.

'Ach, film heeft me altijd gefascineerd, als kind al. Toen ik tien werd, kreeg ik een camcorder voor mijn verjaardag, en daarna was ik niet meer te houden...'

Maar dan begint de gitaar te zingen onder de vingers van de nieuwe jongen, een melancholische riff, steeds dezelfde. En hoewel hij zacht speelt, alsof hij niemand tot last wil zijn, verandert de sfeer erdoor.

'Mooi, hè?' zegt Hanenkam.

'Ja.'

Zed zit kleiner dan normaal op de rand van het tafelkleed, gebogen, met zijn armen op zijn knieën. Hij is ergens in de droevige akkoorden verdwenen.

'Spanish is echt zwaar getalenteerd,' zegt Hanenkam, terwijl hij aan de piercing onder zijn lip friemelt. 'Die gast is echt cool. Ik zal je een geheimpje verklappen: hij heeft me een keer aan het huilen gemaakt. Ik zat in de Knitting Factory te grienen als een klein meisje dat haar barbie in de wc had laten vallen.'

'Maak je geen zorgen,' zeg ik lachend, 'ik zal het niet verder vertellen.'

'Te laat. Ik heb het iedereen al verteld,' zegt Devon.

'Kom,' zegt Hanenkam, 'ik zal je even aan hem voorstellen.'

De jongen die Spanish heet, heeft zijn harige schenen over elkaar heen geslagen, en wanneer ik wat beter kijk, zie ik dat ik precies dezelfde Converse All Stars heb als hij, alleen zijn die van hem nog versletener dan de mijne. Hanenkam moet een paar keer zijn naam zeggen om zijn aandacht te trekken.

'Hey Joe!' zeg Spanish dan. Hij stopt met zijn riff en begint het Hendrix-nummer met die titel te spelen.

Ze lachen.

'Die blijft leuk!' zegt Joe met zijn aantrekkelijke lach. 'Ik wil je even voorstellen aan een *lovely lady* uit Londen. Fotograaf, kunstenaar, denker en fulltime godin. Spanish, dit is Eden. Eden, Spanish.'

'Hey,' zegt hij. Hij heeft een doordringende blik en ik krijg het vreemde gevoel dat dat is omdat hij weigert me van top tot teen op te nemen. Zijn bijna gouden ogen met de donkere pupillen blijven resoluut boven mijn hals hangen.

'Hey. Mooi, wat je daarnet speelde.'

'Het is voor die vriend van jou daar.' Hij knikt naar Zed, die in zijn rugzak zit te rommelen. 'Hij heeft er een idee voor.'

'Oké,' zeg ik, maar ik denk: die vriend van jou? En hoe weet hij eigenlijk dat wij elkaar kennen? Hij is er net. Ach, roddels hebben blijkbaar vleugels.

'Krijgen we nog een voorproefje van dat meesterwerk van je?' vraagt Joe aan Zed.

'Nee,' antwoordt Zed.

'Ik heb veel over je gehoord. Ik ben een vriendin van Bleak,' zeg ik tegen Spanish. Hij is broodmager. Door zijn scherpe jukbeenderen en woeste haren lijkt hij net een oude man, maar de rest van zijn gezicht is fotogeniek en pijnlijk jong.

'Cool.'

'Woensdag was ik bij hem in de studio.'

'Oké.'

'Waarom noemen ze je eigenlijk Spanish?' vraag ik aan hem.

'Lang verhaal,' zegt hij. 'Maar nee, ik spreek het niet.'

Ik lach. Ik had van hem geen grapje verwacht. Hij ziet er zo ernstig uit.

Hij houdt even op met spelen en legt zijn vingers over de snaren om het trillen te stoppen. Zijn nagels zijn kortgeknipt, zijn handen hoekig en sterk. 'Jij zingt, hè?'

'Nee hoor.'

'Jawel.'

'Eh... nee, echt niet. Joe heeft je net verteld wat ik doe.'

'Jawel, je zingt. Dat kan ik horen aan je spreekstem.'

Is hij wel goed bij zijn hoofd? Ik kijk om me heen, op zoek naar non-verbale steun van Joe of Zed, maar die kijken geen van beiden mijn kant uit. Joe heeft het met een meisje over een of ander evenement van vanavond. Zed staart in zijn notitieboekje.

Spanish begint weer te spelen.

'Al zou ik er mijn leven mee kunnen redden, ik kan niet zingen, oké? Bovendien heb je me nog nauwelijks horen praten!'

'Het is geen kwestie van niet kúnnen zingen, het is een kwestie van niet wíllen zingen,' zegt hij. Op de een of andere manier slaagt hij erin om er niet zelfvoldaan bij te kijken. 'En de enige reden daarvoor is dat je je waarschijnlijk kwetsbaar zou voelen en daar hou je niet van. Zingen in het openbaar, in de spotlights staan, is een van de engste dingen die er zijn.'

'Oké. Whatever. Een fotograaf die bang is voor spotlights? Klinkt me nogal negatief in de oren.' Ik lach. 'Sorry, flauw grapje.'

Hij haalt zijn schouders op. 'Bij het fotograferen kun je je achter je lens verstoppen.'

'Je kent me helemaal niet, Spanish.'

'Ik ken jou net zo goed als ieder ander.' Hij glimlacht. 'En als je niet zingt, wat moest je dan in de studio? Sorry dat ik het zeg, maar je ziet er niet echt uit als een rapper.' Hij draait zich om. Het gesprek zit erop. Ik besluit om hem niks te vertellen over die schooljuf-skit. 'Hé Zed,' zegt hij, 'zullen we dit nog één keer doornemen? Ik ga er zo weer vandoor. Ik moet nog ergens anders heen.'

'Hé, wil dat zeggen dat wij het ook mogen horen?' vraagt Hanenkam Joe.

'Ik zei toch van niet,' zegt Zed. 'Shit, Joe! Hoe wist je trouwens dat ik iets af heb?'

'Wat dacht je? Je bent de productiefste schrijver die ik ken! Ik heb je nog nooit zonder een pen in de ene hand en een joint in de andere gezien. Je hebt ongeveer iedere tien minuten een nieuwe track op MySpace staan!'

'Het enige wat je hier gratis kunt krijgen, zijn de lucht en het gras! Als je mijn rhymes wilt horen, dan koop je het album maar!'

'Maar de zon gaat onder en de avond is rijp voor de schoonheid van een ziel die zich blootlegt...'

'Rot op, man! Ik meen het.'

'Oké, oké...' Joe haalt zijn schouders op en kijkt me grinnikend aan, totaal niet uit het veld geslagen. Hij loopt weg om met de anderen te gaan praten.

Spanish en Zed pakken respectievelijk hun gitaar en notitieboekje en verwijderen zich iets van de rest van de groep.

'Mag ik mee?' vraag ik.

'Tuurlijk,' zegt Spanish.

Ik sta op.

'Eden, blijf waar je bent,' zegt Zed. Harde stem, gesloten gezicht.

'Ik zei dat ze mee mocht.' Spanish verheft zijn stem niet eens. Hij is kalm, niet iemand die je tegenspreekt. 'Je hoeft niet zo agressief te doen, jeugdvriendje. Volgens mij is ze wel leuk publiek. Het kan geen kwaad om het uit te testen.'

'Fuck it. Whatever,' zegt Zed, terwijl hij wegloopt.

Ik glimlach naar Spanish. Ik heb het nog niet eerder meegemaakt dat iemand tegen Zed in opstand komt, en hij kent me nog maar net.

'Kom,' zegt hij.

Wanneer we een rustiger plekje hebben gevonden, begint Spanish weer gitaar te spelen, harder dan eerst. Met meer resonantie. Hij geeft de akkoorden wat meer zwier en neuriet mee met de melodie. De klanken trekken aan mijn hartspier. Ondanks zijn rare praatjes had ik niet verwacht dat hij ook zou zingen. En zo goed. Ik voel al zijn hoop en wanhoop door me heen spoelen.

Dan begint Zed te praten en ik huiver bij de eerste regel.

'*Meisje – als ik in mezelf klim, mag ik je dan meenemen?*' vraagt hij aan het gras voor hem. Hij heeft nog nooit zo als zichzelf geklonken als nu.

kapot.

Ik klap niet. Haal alleen maar diep adem.

Zed ontwijkt mijn blik en slaat zijn notitieboekje dicht. 'Nou, wat vind je ervan, gap? Is het een goed huwelijk?'

Spanish knikt. 'Volgens mij komen we er wel.'

'Maar het heeft een overgang nodig, hè? Een breuk ergens...'

Ik wil hem aanraken, maar ik kan het niet. De kloof is er nog steeds, almaar breder en breder. Zijn lichaam is echt, stevig, bezweet, op nog geen meter afstand, maar ik zit gevangen. Er is net iets met me gebeurd.

'Ja... ja. Misschien wel. Hoewel ik wel van die eenvoud hou, weet je wel? Van oprechtheid.'

'Oké. Ik voel je.'

Spanish stopt zijn gitaar weer in de kist en ze staan allebei op, dus ik doe hetzelfde. Zed heeft het nog steeds over de track en de studio en allerlei andere dingen die niet tot me doordringen. Ik denk aan wat ik net heb gehoord.

'Het was me een genoegen,' zegt Spanish beleefd en hij knikt naar me. 'Pas goed op jezelf.'

'Ja, dank je,' zeg ik, 'dank je.'

'Heb je geen tijd om nog even te chillen?' vraagt Zed aan hem. 'Ik heb nog een paar ideetjes...'

'Repetitie met de band, man. Ik moet er echt vandoor.'

'Oké, oké.' Ze lopen allebei in de richting van de groep. Spanish steekt zijn hand op naar iedereen en loopt door, met zijn gitaar op zijn rug, de zon tegemoet. Zed laat zich op het zeil zakken. Ik ga naast hem zitten. Hij heeft het met Rosemary over het weer. Ik snap het niet. Ik tik hem op de schouder.

'Zed,' zeg ik, 'Zed...'

'Wat?' vraagt hij.

'Dat was heel mooi... Ik bedoel, ik vond het echt te gek. Het was meer een gedicht, hè? Meer dan een rap, bedoel ik.'

'Ja, dat is zo,' zegt hij. Neutraal gezicht, zachte stem. 'Fijn dat je het mooi vond.' Hij doet net alsof ik een zwerfster ben die om geld komt bedelen.

Zahara is terug. Ze komt achter me zitten. 'Eden! Een paar jaar geleden ben ik in Londen geweest –'

'Sorry,' zeg ik tegen haar. Ik loop weg zonder van iemand afscheid te nemen.

lucky.

Aan de andere kant van de metrorit liggen de City Hall en de rivier. De Brooklyn Bridge buigt zich majesteitelijk naar Manhattan toe in een sluier van uitlaatgassen. Ik ga aan de reling staan kijken naar de East River, glinsterend in de zon. In de schaduw lijkt het water onwaarschijnlijk diep. Op een bankje zit een stelletje te zoenen. Ik loop er zo ver mogelijk vandaan, geïrriteerd door hun arrogantie. Niemand wil die shit zien.

De hitte weet van geen wijken. Ik veeg het zweet van mijn gezicht en nek en droog mijn handen af aan mijn korte broek. Ik ben slap van vermoeidheid, misselijk van hoop. Iets in die dichtregel die Zed net opzei, heeft me teruggebracht naar het begin. Die regel had precies dezelfde textuur als die eerste vonken, onze voeten die elkaar onder tafel aanraakten, onze vingers die elkaar vonden in halflege bioscopen. Het kan niet anders of hij heeft het over mij. Maar is dat wel echt zo? Voelt hij het nog steeds? Ik weet het niet. Ik kan het niet weten. Op dit moment heb ik het gevoel dat ik meer moeite heb met een klein kansje dan met helemaal geen kans.

Of misschien betekent de tekst dat hij verder is gegaan met zijn leven. Verliefd is op iemand anders.

'Hé!' schreeuwt plotseling dichtbij een stem en mijn gedachten ontsnappen en verspreiden zich als een zwerm duiven. Een jonge man is bij me komen staan. 'Goedemiddag. Als het tenminste een goede middag voor je is. Die van mij is zozo. Beslist niet fantastisch. Maar misschien dat er verbetering in komt nu jij er bent.' Hij heeft een olijfkleurige huid, diepliggende blauwe ogen, een geschoren hoofd en alle nauwelijks tastbare tekens van een gebroken geest. Of hart. Of allebei. 'Hoe heet je? Ik word Lucky genoemd. Ik kom hier ook om na te denken... Je weet wel, als ik niet werk. Het is hier echt fijn. De rivier en de lichtjes. Het is echt vredig, hoewel we midden in de stad zijn. Je hebt het gevoel alsof je ver weg bent, weg van het lawaai en de auto's en zo, weet je wel? Echt heel ver weg, bijvoorbeeld in Europa of zo.'

'Ja,' zeg ik, terwijl ik denk dat gebroken mensen de gevaarlijkste zijn. De pijn maakt dat ze blind, doof en dronken achter het stuur zitten en aan de verkeerde kant van de weg rijden. En dat is de reden waarom bijna iedereen bang is voor mensen zoals deze jongen, inclusief ik.

'Echt fijn. Ik hou van het water. Ik hou van de lucht... Soms schrijf ik erover in mijn boekje.' Hij laat een klein in leer gebonden aantekenboekje zien. 'Ik schrijf over heel veel dingen. Dingen die me raken en me droevig of boos maken, of als ik echt bang ben en daar niks tegen kan doen, dan schrijf ik het allemaal op en dan voel ik me weer beter.'

'Oké...'

'Ja. Soms schrijf ik een brief aan mijn vader en moeder, maar die verstuur ik niet, want ik heb ze nooit echt goed gekend en ze zijn slecht, ze zijn niet zoals jij en ik. Ik ken je nog niet zo goed, maar ik zie zo dat je aardig bent en dat je mensen geen verdriet wilt doen. Mijn ouders zijn niet zoals jij. Ze zijn leeg. Dat zijn slechte mensen altijd. Je weet wel, zeg maar hol. Snap je wat ik bedoel? Hol. Daarom doen ze verkeerde dingen, omdat ze zichzelf proberen op te vullen of zo, denk ik. Mijn ouders zitten in de gevangenis voor wat ze hebben gedaan, maar soms mis ik ze nog steeds. Mensen zijn nou eenmaal zo. Als we van mensen houden, dan missen we ze toch, ook al doen ze ons verdriet...'

'Sorry, maar ik...' Ik voel me geketend en ziek. 'Ik ben al laat. Ik moet gaan.'

'Waar ga je naartoe? Mag ik mee?'

'Nee. Ik ken je niet eens.' Ik moet bij hem weg zien te komen.

'Mag ik dan je telefoonnummer? Misschien kunnen we een

keer iets afspreken? Meisjes houden van films, toch? Of anders naar een restaurant? Wat je maar wilt...'

Ik loop snel weg. Ik houd mijn gezicht uitdrukkingsloos en afwerend en weiger te laten merken dat ik de geamuseerde en meelevende blikken zie van de geliefden op het bankje en van een man die zijn hond uitlaat.

Misschien dat ze die jongen uitlachen, maar het voelt alsof ze ook mij uitlachen. En onwillekeurig vraag ik me af hoe vaak er al mensen bij hem zijn weggelopen.

wacht –

Saint Lucia, 15 augustus

Cherry Pepper,
Castries was vroeger niet zo klein, of zo pijnlijk arm of rijk of mooi. Ik heb vandaag langs de haven gewandeld die onder aan de steile helling ligt. Langs de weg bovenlangs stond nog steeds geen enkel hek of een reling. Ik bedacht dat iemand misschien zomaar zou kunnen springen, zonder het van plan te zijn, onbewust. De markt is een grote hoop verse producten. Uit wel tien bronnen tegelijk vloeit muziek naadloos samen, sijpelend door de zoete lucht. De kinderen zijn netjes en glimmen, net als ik op mijn elfde. Dit is waar de eerste helft van mijn jeugd eindigde en de tweede helft begon, in het poppenhuisje in Coral Street. Afbladderende roze en groene verf.

Ik werd er in mijn eentje naartoe gestuurd, met al mijn spullen in een lichte tas. Ik liep het stoepje op, bleef in de deuropening staan en groette verlegen. Ik had de terughoudendheid van een kind dat zich noodgedwongen te jong bewust is geworden van zichzelf. Pauls moeder omhelsde me met een hard soort warmte. Ze was sterk, eerlijk, een echte moeder. Ik bedankte haar voor haar gastvrijheid, maar ze wilde er niet van horen en zei dat onze families elkaar altijd al diensten hadden bewezen, langer dan we ons konden herinneren. Ze pakte mijn tas uit mijn handen en duwde er een kom soep voor in de plaats.

Ik zoog mijn nieuwe wereld in me op. Warmer, stoffiger, stinkender. Het huis van de familie Hippolyte was half zo klein als ik gewend was; kakkerlakken schreden er als koningen over de houten vloeren en de muren waren zo dun dat de buren alles van elkaar konden horen en er nooit iets verborgen gehouden kon worden. Het geluid van krakende bedden, luide woordenwisselingen, ruzies en gelach uit naburige huizen zorgde iedere avond weer voor vermaak. Maar het duurde niet lang voordat ik begreep dat ik hier gelukkiger was dan in het stille, smetteloze huis van mijn moeder. Voor het eerst voelde ik dat ik leefde, en het nieuwe daarvan wond me op, de vrijheid die ik plotseling kreeg om mezelf te zijn.

Tegen zonsondergang kwamen Paul en zijn twee broers binnen banjeren met zorgeloze excuses voor hun moeder en een brede, vrolijke grijns. Hij stond qua leeftijd het dichtst bij me, hoewel hij een paar jaar jonger was, dus we werden algauw vrienden. De spelletjes die we deden! Op de stoep bikkelen met stenen, en knikkeren en tikkertje. We hielden hardloopwedstrijdjes tot het einde van Coral Street en weer terug en lachten de hele weg.

Pauls nicht woont er nu, met haar man en kinderen. Het is minder veranderd dan ik voor mogelijk had gehouden. De geur is nog steeds dezelfde, van uitzettend hout, van de riolering, van eten dat opstaat, van de tijd die langzaam en aangenaam voortschrijdt. Hier is bijna overal tijd voor. Het lijkt wel alsof ze hier een uur de tijd hebben voor iedere minuut in Amerika. De muren tussen de mensen zijn hier vast dunner. Onwillekeurig vraag ik me af of Paul nog weleens langskomt, nu hij toch geen vliegticket meer nodig heeft. Vanuit mijn ooghoeken kan ik hem bijna voor het raam naar buiten zien staan kijken.

Dat ik terug ben, is weer een knoop die wordt ontward. Ik herinner me hoe sterk ik was, hoe vastbesloten om mijn elf jaar oude ongeluk van me af te werpen en opnieuw te beginnen. Om iets nieuws te zijn. En daar ben ik dan, een volwassen vrouw, een halve eeuw later, en mijn vriend is dood. Maar ik besef nu dat ik niet oud ben. Jeugd zit niet in de leeftijd van je lichaam, maar in je bereidheid om te beginnen! En weer opnieuw te beginnen. En opnieuw. En opnieuw...

Tot gauw,
Tante K.

iedere opname perfect.

Ik word wakker van gitaarklanken en het warme, droge geluid van een man die 'Redemption Song' zingt. Het sierkussen onder mijn klamme gezicht voelt ruw aan, ik heb mijn benen over de zijkant van de bank in de huiskamer gegooid. Ik voel me verre van uitgerust. Drie dagen lang heb ik rondgedwaald door dit lege huis en deze lege straten in de buurt. Leeg zonder Zed. Overdag half wakend, half slapend, 's nachts tv-spelletjes en porno. Vandaag deprimeerde het souterrain me. Ik had het gevoel alsof het gewicht van het hele huis op me drukte. Ik ging naar de huiskamer omdat ik behoefte had aan een andere omgeving, de plek waar mijn oma vanachter het raam naar de wereld keek voordat ze doodging. In het stukje wereld dat ik door het raam kon zien gebeurde weinig. Ik viel weer in slaap.

Voorzichtig doe ik één oog open. Spanish zit in kleermakerszit op de grond. Hoewel het ruim vijfentwintig graden is, draagt hij een fluwelen jasje. Toch ziet hij er eerder uit alsof hij het koud heeft. Hij stopt wanneer hij merkt dat ik naar hem kijk, met zijn gitaar als een hondje op zijn schoot. Ik probeer mijn verkreukelde kleren te fatsoeneren.

'Heb je het niet warm?' vraag ik. Mijn stem klinkt schor.

'Nee,' zegt hij, terwijl hij door de woeste krullen heen op zijn hoofd krabt.

'Maar het is hier bloedheet.'

Hij haalt zijn schouders op. 'Ik heb gevast. Alles verandert als je maar lang genoeg vast. Het is dan net of het lichaam steeds stiller wordt.'

'Nou, dat verklaart in elk geval waarom je zo mager bent.' Zijn gezicht met die uitgehongerde, gekwelde hoeken. Zijn lippen zijn roze, zijn ogen steken honingkleurig af tegen zijn beige huid. Zijn haar is vies, zijn spijkerbroek slordig afgeknipt op kuithoogte zodat zijn knokige knieën zijn te zien. Vergeleken bij zijn All Stars ziet mijn oudste, goorste paar er gloednieuw uit.

'Wat heb je trouwens tegen je lichaam,' vraag ik, terwijl ik rechtop ga zitten, 'dat je het het zwijgen wilt opleggen?'

'Niks,' zegt hij. 'Ik wil gewoon horen wat mijn ziel te zeggen heeft.'

'Oké.'

'Dat van jou is net rockmuziek,' zegt hij.

'Hè?'

'Je lichaam.'

Ik zeg niets, want ik weet niet goed of het een compliment is of een beschuldiging.

Er klinkt gegrinnik. 'Trashmetal.'

Ik ben ineens klaarwakker wanneer ik Zeds stem uit een verre hoek van de kamer hoor komen. Ik wist niet dat hij er was. Ik was er zelfs half van overtuigd dat ik Spanish alleen maar droomde! Ze zien er ongelooflijk geënsceneerd uit. Zed bijna onzichtbaar, op de grond in de krappe ruimte tussen een bank en de boekenkast. Spanish wat dichterbij, lichtbruin, beschenen door de gouden gloed van de zon die door de oude gordijnen valt. Ik trek een kussen tegen mijn borst.

'Ze is trashmetal, gap.'

'Nee, geen trash. Psychedelische rock, net als in de jaren zeventig, man! Bloemen en lsd,' zegt Spanish langzaam.

'Hoe laat is het?'

'Halfvier ongeveer.'

Het is nog licht, dus dat betekent dat het middag is. Als de ramen er niet waren, had ik het echt niet geweten.

Spanish begint weer te zingen, wat zachter deze keer.

'Hoe heet je eigenlijk echt?' vraag ik.

Hij zegt: 'Dat heeft geen moer te betekenen. Een echte naam

is een oxymoron. Een naam is niet echt. Alleen maar een symbool.'

'Vast je daarom soms? Is je lichaam ook alleen maar een symbool?'

'Ik vast omdat vrijheid niet vrij is.'

'Vrijheid,' herhaal ik. Het is een woord dat altijd lijkt te aarzelen en op te zwellen als je het uitspreekt. En vandaag ontgaat de betekenis ervan me totaal. Ik ren er achteraan in mijn hoofd alsof het een heliumballon is waaruit de lucht ontsnapt.

'Vrijheid?' Zeds lach is een beetje vals. 'Je moet die stomme maag van je bevrijden, man. Dat is echt niet goed. Een vrij man kiest er niet voor om te verhongeren. Malloot...'

'Je zegt dat soort shit alleen maar omdat je een slaaf bent. Dat is precies wat ik bedoel! Tegenwoordig zijn veel te veel mannen een slaaf van hun lul of van hun maag. Meestal van allebei. Je bent gewoon niet vrij genoeg in je hoofd om dat in te zien.'

Zed lacht weer en daarna doen we er allemaal het zwijgen toe. Spanish speelt luchtig zijn deuntje, steeds opnieuw. Zo natuurlijk dat hij misschien niet eens weet dat hij speelt. Zijn vingers gaan razendsnel over de fretten.

'Wanneer ben je eigenlijk teruggekomen?' vraag ik aan Zed.

'Ongeveer een halfuurtje geleden. Ik was op een feest waar maar geen einde aan kwam.'

'Oké,' zeg ik, met een loodzware woede in mijn maag. Ik kan hem nauwelijks aankijken. 'Was het leuk?'

'Te gek.'

Ik heb vandaag veel naar Zeds website zitten kijken in de tijd dat ik niet sliep. Ik weet zelf niet goed wat ik precies zocht. Aanwijzingen? De URL had moeten zijn: www.onnodigekwelling.com.

In zijn 'galerij' zaten beelden van zijn performances, glimmend zwart gezicht, wervelende gekleurde lichten. Een microfoon in zijn hand geklemd. Ik moest steeds denken aan alle mensen die hem op datzelfde moment bekeken. Wie dan ook. Misschien gebruikten ze hem als screensaver en werden ze iedere ochtend wakker bij zijn gezicht. Of drukten ze hem af op T-shirts. Trokken ze zich bij hem af. Er stonden zoveel meisjes op met hun softpornoportretjes en flauwe berichtjes dat ik de site gewoon moest wegklikken om niet het gevaar te lopen me over te geven aan mijn meer verdorven aandriften. Ik had zin om zelf ook een bericht achter te laten: Zed, stop alsjeblieft met rappen, je kunt het helemaal niet en je bent lelijk en hoe gaat het trouwens met je herpes?

Maar dat heb ik niet gedaan.

En om mezelf nog wat extra te kwellen, heb ik Max opgezocht op de site van haar modellenbureau. Ze had een online portfolio en was op elke foto onbetwistbaar even volmaakt. Op de ene een femme fatale. Op de andere een onschuldig meisje. Een langbenig buitenaards wezen. Iedere opname perfect. Ze kan zijn wie ze wil. Voor elk wat wils. Ik durfde mijn eigen naam niet te googelen uit angst dat hij alleen zou opduiken in Bijbelverhalen. Eden wie? Precies.

'Hoezo? Heb je me soms gemist?' vraagt Zed lachend. 'Je kijkt alsof je op een citroen hebt zitten zuigen.'

'En waarom,' zeg ik, koel, 'ga jij niet op een uitlaat zitten zuigen?'

Ik zwaai mijn benen van de bank en schop bijna Spanish tegen zijn hoofd. Hij schrikt er nauwelijks van. Ik denk weer aan dat rare woord – vrijheid. Ik kijk naar zijn kleren en vraag me even af of hij zich vandaag wel heeft gedoucht.

'Mijn band speelt vanavond in een bar in downtown Manhattan,' zegt hij rustig tegen me, met omfloerste en ernstige stem. Zeds mobieltje gaat en ik vraag me af wie het is, hoewel het me eigenlijk niet veel uitmaakt. Spanish zegt: 'We moeten een soundcheck doen, voor ons optreden vanavond.'

'Cool,' zeg ik. 'Laten we dan maar gaan.'

'Wat?'

'Ik zei: laten we dan maar gaan.'

Een blik op Zed, die grinnikt in zijn mobieltje, de lange schaduwen van zijn ogen. De klootzak.

Spanish glimlacht. 'Oké,' zegt hij. 'Ja. Goed. Weet je... volgens mij is het wel belangrijk wat jij van ons vindt. De jongens gaan met het bestelbusje, dus wij moeten de metro nemen.'

Ik loop naar de kleine douche een paar vertrekken verderop, naast de kamer waar Zed slaapt, en was de landerigheid van de dag van me af. Mijn hoofd zit vol scenario's.

Met de handdoek om me heen geslagen loop ik de huiskamer weer in en zeg overbodig: 'Ik ben zo klaar.'

'Ké,' zegt Spanish.

Zed rookt en rekt zich uit.

In het souterrain raap ik mijn korte broek van de vloer. Hij moet eigenlijk gewassen worden en normaal gesproken draag ik hem buiten niet, maar whatever... Ik vlecht mijn haar strak uit mijn gezicht. De kleur is er alweer bijna uitgewassen, bijna weer het zandbruin van voordat ik het heb geverfd. Wanneer ik terugkom in de huiskamer is Spanish alleen. Hij is van de grond verhuisd naar een leunstoel en neemt me aandachtig op. Ik wou dat ik meer stof aanhad.

'Klaar?' vraagt hij.

'Ja.'

We zitten dicht tegen elkaar aan in de metro, op weg naar de soundcheck van Spanish. Ik voel me bevrijd! Expres Zed-loos. Spanish streelt gedachteloos zijn versleten gitaarkoffer en lijkt volkomen tevreden over ons gebrek aan conversatie. Persoonlijk vind ik dat altijd een luxe die alleen mensen die elkaar echt goed kennen zich kunnen veroorloven.

'Weet je?' zeg ik tegen de zijkant van zijn gezicht. Mijn camera houdt van hem, krijst van opwinding over het spel van het licht op zijn jukbeenderen en kaken, over zijn omzichtige omgang met de wereld, zijn prachtige handen.

'Wat moet ik weten, mevrouw de obsessieve zielendief?' vraagt hij aan de rij lege stoelen tegenover ons. Ook daarvan maak ik een foto, en daarna van zijn wimpers, van zijn vochtige, doorschijnende blik.

'Volgens mij is de metro de plek waar zondaars heen gaan wanneer ze sterven.'

Hij kijkt me vragend aan.

'Serieus. De metro is een soort lijfstraf. Op de perrons is het bijna veertig graden en daar voel je je een varken aan het spit, maar daarna, in de metro zelf, vries je weer bijna dood.'

'Dan ben je nu vast wel jaloers op mijn fluwelen jasje, hè?'

'Grappig hoor,' zeg ik lachend.

'Hebben jullie in Londen 's zomers dan geen airconditioning in de metro?'

'Nee.'

'En dat vind je fijner?'

'Nee. Daar klaag ik ook over.'

Spanish schudt lachend zijn hoofd.

'Wat?'

'Volgens mij vind je het fijn om ongelukkig te zijn.'

rock-'n-roll.

Spanish sjouwt zijn instrumenten van het bestelbusje naar de voordeur van zijn huis, een dubbel woonhuis in Bed-Stuy. Ik volg hem met mijn blik. Hij loopt kaarsrecht, maar ontspannen. Zijn spijkerbroek sleept over het straatvuil. Om ons heen is New York op volle geluidssterkte aanwezig, voor iedere etalage, op iedere straathoek gebeurt wat, boos geschreeuw, gelach. Sirenes. Muziek. Net als in de film. De maan laat ons alleen de koele helft van haar gezicht zien, een eeuwigheid verwijderd van deze donkere, hete straten.

We lopen in ganzenpas door de muffe gemeenschappelijke gang. Zijn twee bandleden vormen giechelend de achterhoede met hun flauwe grapjes. Spanish en ik zeggen allebei niet veel. Ik voel me stijf en onhandig en struikel over een fiets die tegen de muur staat. Hij klettert op de grond.

'Shit!'

'Heb je je pijn gedaan?' vraagt Spanish, die zich snel omdraait om me op te vangen. Ik voel de warmte van zijn vingers door mijn T-shirt heen.

'Nee,' zeg ik. Ik probeer de fiets terug te zetten, maar maak het er alleen maar erger op. 'Kut. Ik ben ook zo'n stomkop...'

'Welnee. Het was gewoon een ongelukje. Er is niemand doodgegaan.' Snel herstelt hij de orde. 'Zie je wel?' zegt hij glimlachend. 'Niks aan de hand.'

Ik knik. En dan eindelijk, wanneer hij ziet dat ik weer lach, gaan we naar boven en lopen we over de overloop naar zijn appartement op de eerste verdieping. De muren zijn paars, de vloeren kaal en licht. Tegen de muren staan pijnlijk felgekleurde schilderijen, die niet goed lijken te weten of ze abstract zijn of niet. Verdraaide perspectieven. Ik voel me opgewonden en ook een beetje misselijk als ik ernaar kijk. Een omgekeerd krat dient als salontafel en op de oude banken liggen verschoten, ooit kleurige kleden en kussens. Verspreid door de kamer staan allerlei instrumenten, waaronder een paar gitaren, een bongo, een keyboard en wat rare wereldmuziekdingen waarvan ik niet weet hoe ze heten. In een hoek van de kamer een stapel boeken naast een kleine televisie op nog een omgekeerd kratje. Voor de ramen hangen lange stroken fluweel.

Ondanks de bohemienstijl ziet alles er schoon en netjes uit. Nergens een verdwaalde mok of cd, geen rondslingerende kleren. Ik volg het voorbeeld van de anderen en trek mijn schoenen uit.

'Je moet nooit gympen zonder sokken dragen,' zegt Spanish.

'Oké,' zeg ik.

We zeggen niet veel. De bassist en de drummer laten zich op zitzakken vallen en beginnen jointjes te draaien, terwijl Spanish blijft staan en ons allemaal bedachtzaam opneemt. Ik besef dat ik deze gasten eigenlijk nauwelijks ken. Vooral Spanish niet. In de kleine bar in Tribeca vloog hij, alert en kritisch, door de soundcheck heen. Maar toen hij twee uur later aan zijn set begon, besefte ik meteen dat er helemaal niets te merken was van wat ik tot dan toe van hem had gezien, helemaal niets van zijn vriendelijkheid. Tijdens zijn optreden was hij een totaal ander mens. Hij was heftig, pompeus, rauw en wreed. Zijn muziek was afwisselend hemels en hels. Ik was bijna weggelopen. En zijn bandleden ken ik nu precies vier uur.

'Waarom zo somber, Spanish?' vraagt Rasta Jesus. De drummer.

'Dat ben ik niet.'

'Whatever, man. Maar je hebt die blik.'

'Ik wou dat jullie die troep niet in mijn huis rookten.'

Sub en Rasta Jesus kijken elkaar alleen maar aan en roken gewoon door. Ik denk dat ze mijn verbaasde blik onderscheppen, want de drummer, die net zo'n zachtaardig, glad gezicht heeft als zijn bijnaam doet vermoeden, zegt: 'Maak je geen zorgen, dat zegt hij altijd. Hij vergeet voor het gemak dat hij zijn eerste inspiratie heeft opgedaan met wiet.'

Ik zit in mijn eentje op de bank en vraag me af waar Zed is en denk bij mezelf dat ik thuis misschien wel een punt heb gemaakt. Ik zal gewoon het juiste moment afwachten om me te laten ontvallen dat ik wegga. Na het optreden had ik terug moeten gaan. Ik snap zelf niet waarom ik dat niet heb gedaan.

'Die tijd heb ik gehad. Jullie zijn allemaal fokkers die vastzitten in het beginnersklasje,' zegt hij hoofdschuddend. 'Blow jij, Eden?'

'Nee,' lieg ik. Nou ja, een soort van liegen. Ik heb zelf nooit iets gekocht.

'Ik ook niet.' Hij kijkt even naar zijn bandleden. 'Wiet is vergif. Een leugen. Het wordt in de hiphop gepromoot alsof het onze cultuur is of zo. Maar in werkelijkheid is het een truc om kinderen zo jong aan het blowen te krijgen dat ze compleet verdoofd raken.'

'Wat heb je toch, man? Het optreden ging behoorlijk goed vandaag.'

'Jij,' Spanish priemt met zijn vinger in de lucht, 'speelde te snel.'

Rasta Jesus schudt zijn hoofd en haalt zijn schouders op.

'Volgens mij was het perfect,' merkt Sub op, terwijl hij met zijn bijna zwarte hand over zijn geblondeerde haar strijkt.

'Wil je wat drinken, Eden?' vraagt Spanish aan mij.

'Wat heb je?'

'Water.'

Ik lach. Hij niet. 'Oké.'

Hij loopt onverwacht energiek de kamer uit. Rasta Jesus en Sub kijken me zo'n beetje schouderophalend aan en gaan gewoon door met blowen. Alles hier heeft iets vreemd onvoorspelbaars. Ik wou dat iemand muziek opzette of de tv aandeed of zoiets.

Spanish komt terug met een fles water, twee glazen en een bepaalde blik in zijn ogen, alsof hij net iets vies heeft geproefd. Hij schenkt water in voor ons allebei en zet de fles op tafel.

'Ik ben kwaad omdat er niet meer zwarten naar onze optredens komen,' zegt hij tegen de anderen, gebarend met zijn glas, zodat het water eruit klotst. Er valt wat op mijn been, en ik volg een druppel die langs mijn dij naar beneden glijdt. 'Sorry,' zegt hij, terwijl hij hem zonder nadenken afveegt.

'Geeft niks.'

'Sorry!' zegt hij weer, snel zijn hand terugtrekkend.

'Ik ben allang blij dat er überhaupt iemand naar ons komt kijken,' zegt Rasta Jesus.

De bassist bestudeert zijn nagels alsof hij het allemaal al vaker heeft gehoord.

'Maar dit is onze shit, RJ,' zegt Spanish met een kalme heftigheid. 'Van ons. Ik haat het dat we doen alsof we niks anders kunnen zijn dan rappers en R&B-mutanten...'

'Je moet geduld hebben. Het hele leven bestaat uit seizoenen en cycli.'

'Het is een complot om ons in hokjes te stoppen waarin we niet als vrije mensen kunnen ademhalen.' Spanish veegt zijn mond af. 'Ze doen net alsof zwart zijn niks voorstelt! Een of ander fashionstatement. Het is gewoon misdadig...'

'Maar Spanish –'

'Het maakt me woest, want er komen mensen naar me toe die van mijn muziek houden, maar ze doen alsof het een of ander maf alternatief is voor die klote mainstream...' Zijn gezicht is zowaar een beetje rood aangelopen. 'Snap je wat ik bedoel?'

'Niet echt,' zeg ik, want ik heb zin om eigenwijs te zijn. De anderen gniffelen.

Spanish zwijgt even. 'Het is niet alternatief, Eden. Het is van óns,' herhaalt hij, terwijl hij naast me komt zitten. 'De eerste drumslagen in Afrika. De sjamanistische trance. Interdimensionale muziek. Experimenten, improvisaties, de fucking blues. Dat is allemaal van ons. Hoe kan het dat we zo klein zijn geworden?' Hij knikt en kijkt ons allemaal even aan. 'Een clown, een hoer of een wilde,' zegt hij, en ik vraag me af of hij dat in het algemeen bedoelt of ons in het bijzonder. 'Meer mogen we niet zijn. Snap je wat ik bedoel?'

'Wat bedoel je precies?' mompel ik. Zijn gezicht is dichtbij en mooi, zijn adem reukloos.

'Lik mijn reet, witteman.'

Ik stik van het lachen. Sub schudt glimlachend zijn hoofd. Rasta Jesus blaast rook uit en zeg: 'Maffe halfblanke motherfucker.'

'Halfblank bestaat niet, RJ.'

'God!' roept Sub sloom uit, 'hou eens even je mond, Malcolm Mohammed Martin Luther Farrakhan. Laat die vrouw even met rust.'

Ik lach, maar in Spanish gloeit nog steeds het evangelische vuur. 'Ik mag je wel,' zegt hij ineens tegen me. 'Kan ik iets voor je halen? Heb je honger? Ik heb niet veel te eten in huis, maar volgens mij is er nog pasta... of anders kan ik wel wat voor je...'

'Nee, dat hoeft echt niet.'

'Ik ben zo terug,' zegt Spanish, en hij is alweer verdwenen.

'Interessant,' merkt Rasta Jesus op, met een rookwolk en een opgetrokken wenkbrauw.

'Het was een goed optreden,' zeg ik, want ik heb het gevoel dat ik iets samenhangends moet zeggen.

Sub drentelt naar de stereo-installatie en zet muziek op, daarna hebben hij en RJ het over de technische bekwaamheid ervan en over de vraag of het soul heeft. Het wordt hun al snel duidelijk dat ik er geen mening over heb.

'Hier.' Spanish schuift een hoog glas vol roze spul naar me toe. 'Ik had nog wat, eh... biologische bessen in de vriezer, dus ik heb een smoothie voor je gemaakt. Ik heb er ook honing en tarwekiemen voor je in gedaan.'

'Dank je,' zeg ik.

'Graag gedaan. Het is,' hij krabt zijn krullenbol, 'echt heel gezond. Voor het geval dat je honger had.'

Hij kijkt naar me terwijl ik een slok neem. 'Het is heerlijk,' zeg ik ernstig.

'Zeker weten? Is het zoet genoeg?'

'Het is precies goed.'

Spanish knikt, alsof hij niet anders had verwacht. Maar ik heb gelogen. Het is te zuur.

'Je zou de film *Waking Life* eens moeten zien,' zegt Sub tegen me. 'Ik heb hem trouwens al een tijdje niet meer gezien. Hij is echt goed. Ken je die?'

'Nee.'

'Die hoor je wel te kennen. Het is een klassieker.'

'Ja, die zou ze moeten zien,' zegt Rasta Jesus lachend, met een steelse blik op mij. 'Waarom stop je hem er niet in, Spanish?'

Spanish glimlacht gelukzalig. De dubbele betekenis lijkt hem te ontgaan. Hij knielt neer bij een stapel dvd's naast de televisie. Wanneer hij het doosje vindt, streelt hij het zacht. 'Dit is zo'n prachtfilm. Je vindt hem vast mooi, Eden.'

'Nou... eerlijk gezegd...' mompel ik. 'Ik moet naar huis. 's Kijken of Zed er nog is.'

'Sorry, wat zei je?'

'Niks.'

Hij strekt zijn arm uit om de apparatuur aan te doen en terwijl hij de dvd-speler instelt, kijk ik naar zijn nek en alle kleine krulletjes.

De film begint, een kleurenvloed die over echte filmbeelden heen is geprojecteerd. Er staat nooit iets stil. Haar, ogen, pianotoetsen. Een bed dat deint als een boot. Spanish trekt zijn jasje uit. Eronder draagt hij een T-shirt van The New York Dolls en zijn lichaamswarmte verrast me. Hij zit vlak naast me en terwijl ik tv kijk, bestudeert hij opgewekt zijn handen, glimlacht naar me en geeft een klopje op mijn haar.

'Het is zo verbazingwekkend,' zegt hij.

'Wat?'

Hij legt een vinger op het kuiltje in mijn kin. 'Het is verbazingwekkend. Hoe je bent ontworpen, snap je? Dat je zo bent geschapen. Zo bent geboren. Verbazingwekkend. Het is het bewijs dat je door God bent gemaakt.' Hij legt zijn hand zacht op mijn wang, zonder bijbedoelingen. Zoals een kind zou doen.

Ik kijk om me heen. Rasta Jesus heeft een klein lachje om zijn mond en een blik in zijn ogen van: ik weet iets wat jij niet weet! Op mijn beurt trek ik een gezicht van: wat is er in vredesnaam met die jongen aan de hand?

'Godenvlees, man,' zegt hij tegen me bij wijze van uitleg.

'Waar heb je het over?'

'Onze Spanish is niet vies van funghi van de psychedelische soort.'

'Hè?'

'Paddo's.'

'Dat meen je niet.'

Spanish hoort het niet. Hij zit vriendelijk mijn haar te bestuderen.

'Ik dacht dat hij tegen drugs was. Spanish, ik dacht dat je tegen drugs was.'

'Wat?'

'Drugs! Ik dacht dat je tegen drugs was.'

'Ik doe niet aan drugs,' zegt hij, en dan, met een glimlach: 'Paddo's zijn geen drugs. Ze zijn een... een poort naar... naar de werkelijkheid. Snap je? Zoals jullie bijvoorbeeld. Rasta en Sub. Ik zie jullie allemaal zo duidelijk dat het onverdraaglijk is. Jullie zijn allemaal zo fucking echt, weet je? Zo echt.'

Zijn ogen glanzen, en ik ben bang dat hij gaat huilen.

'Maak je geen zorgen. Hij is ongevaarlijk,' zegt Rasta Jesus glimlachend, alsof mijn gedachten te lezen zijn in een tekstballonnetje boven mijn hoofd. 'Gewoon chillen en de film uit kijken. Tegen de tijd dat die is afgelopen, is hij waarschijnlijk wel weer terug op aarde.'

Dus dat doen we dan maar. En de film is bijna net zo tripachtig als het gedrag van Spanish. Dit is de meest surrealistische ervaring van mijn leven. Mijn gedachten vliegen alle kanten uit. Misschien kan ik beter weggaan, maar ik weet niet waar het dichtstbijzijnde metrostation is en bovendien is dit niet zo'n lekkere buurt. En wie zal er op hem passen als ik weg ben? Ik probeer me te ontspannen, maar voel me steeds nerveuzer worden. Ik weet niet of dat uit angst is, of dit echt het schoolvoorbeeld van een gevaarlijke situatie is, of dat het komt omdat zijn hoofd zo zwaar op mijn schouder ligt en ik niet weet hoe ik het daar weg kan krijgen, en bovendien is het voor het eerst sinds lange tijd dat er iemand zo dicht tegen me aan zit.

'Oké, meisje, we moeten ervandoor,' zegt RJ een paar seconden nadat de film is afgelopen. 'Het was leuk om je te leren kennen! Heb je een beetje genoten van de film?'

'Ja. Ja hoor.'

'Cool. Kom nog eens naar ons kijken! Spanish...' Hij tikt tegen de krullen van zijn benevelde vriend. 'Hé makker, we gaan.'

Spanish streelt mijn arm zonder te reageren. Hij neuriet de herkenningstune van een tv-serie.

'Later, vrienden,' zegt Sub grijnzend. 'Onze repetitie morgen gaat toch nog wel door, Spanish?'

'Kom nou maar, Sub,' zegt Rasta Jesus lachend. 'Hij verkeert in een heel andere dimensie op het ogenblik.'

Alsof hij dat wil bevestigen, staat Spanish kalm op en loopt de kamer uit.

'Waar gaat hij naartoe?'

Sub schudt alleen maar zijn hoofd. Ze bieden me geen lift aan en ik vraag er ook niet om. Ik kan de woorden er gewoon niet uit krijgen. Ik kijk hen na terwijl ze achter elkaar de deur uit lopen. Ik hoor hen de trap af gaan. Het is nog niet te laat! Ik kan hen nog inhalen en vragen of ze me op z'n minst naar een metrostation willen brengen.

Vanachter het raam kijk ik naar hen terwijl ze in de bestelbus stappen en wegrijden. Daarna doorzoek ik zorgvuldig het appartement, tot ik Spanish gehurkt aantref op de bodem van zijn ingebouwde klerenkast.

Ik zeg niks. Ik stap in de kast en ga bij hem zitten.

geen dromen.

Zed is weer verdwenen. Misschien is het niks bijzonders en natuurlijk is er niks met hem gebeurd, maar toch lukt het me niet om mijn irritatie, angst en teleurstelling van me af te zetten. Ik weet niet waarom, maar ik had verwacht dat hij hier zou zijn wanneer ik terugkwam, gewoon omdat ik weg ben geweest. In de metro terug naar huis fantaseerde ik daarover, over hoe hij zou kijken als ik binnenkwam. Ik stelde me voor dat hij nerveus een joint zat te roken in de huiskamer, met steeds een blik op zijn horloge. Maar nee. Het is weer gewoon een rustige, lege opeenvolging van dagen geweest waarin er niets gebeurde. Iedere dag heb ik in zijn slaapkamer gekeken. Het bed is strak opgemaakt. Er is niets van plaats veranderd.

Uiteindelijk kan ik me niet meer beheersen en ik klop hard op Brandy's slaapkamerdeur. 'Hallo? Ben je daar?' Klop, klop, klop. 'Brandy?'

Stilte.

Klop, klop, klop.

'Ja, ja, kom verder.'

'Brandy! Ik –' Ik duw de deur open en even weet ik niet wie ik voor me heb. Stilte. 'Brandon.'

'Eden,' reageert hij met een bedrukt lachje.

'Ik... eh. Leuk om je te leren kennen,' zeg ik, compleet van slag. Mijn vriendelijke grijnsje mislukt totaal. Zijn stem is anders, zijn houding, zijn aanwezigheid. 'Jeetje.'

'Zeg het maar.'

'Wat precies?'

'Als jongen ben ik lang niet zo leuk, hè?'

Zijn gezicht lijkt magerder en donkerder, langer, harder. Zijn ogen kijken behoedzaam. Zijn haar is een kapje van kort, zwart golvend haar dat verder naar achteren op zijn schedel begint dan de pruik. Hij draagt een T-shirt en lange shorts. Hij heeft niets theatraals. Hij heeft niets opvallends meer. 'Je...' breng ik moeizaam uit, 'bent alleen maar iemand anders. Ik moet even aan je wennen.'

Hij glimlacht, knikt. Hij lijkt meer op Brandy wanneer hij glimlacht.

Ik kijk om me heen. Zijn kamer is eenvoudig en netjes ingericht, in verschillende tinten lichtgroen en wit. Het bed is opgemaakt. Er is bijna niets dat erop wijst dat hij soms een meisje is, behalve dan zijn make-uptasje en de pruik op een standaard, zijn grote nepkapsel. Op de toilettafel staat een foto van een lachende Violet. Ik wist niet eens dat ze zo goed bevriend waren. Ik heb hen nauwelijks samen gezien.

'Wat is er?' vraagt hij. 'Je kijkt alsof je een spook hebt gezien.'

'Hm. Heb jij Zed nog gezien? Ik vraag het me alleen maar af, omdat ik hem al een paar dagen niet heb gezien.'

'Sorry, ik ook niet,' zegt hij.

En ik heb het gevoel alsof ik vastzit tussen de paniek over Zeds verdwijning en de schok over Brandons onopgemaakte gezicht. De gevoelens vermengen zich.

'Ik geloof sinds maandag niet meer,' zegt hij.

'O. Oké. Geeft niet. Maar... eh... alles goed hier?'

'Met mij is alles goed,' zegt hij kalm. 'Ik ga een paar dagen logeren bij familie van me in New Jersey.' Zelfs zijn benen heeft hij op een mannenmanier over elkaar geslagen, met één kuit over zijn knie. Het geeft me een eenzaam gevoel, alsof hij een vreemde is. 'En jij?'

'Wat? Of ik ook naar New Jersey ga?'

'Nee,' zegt hij lachend. 'Ik bedoelde, of het goed met je gaat.'

'Ja... Ik eh... ja. Ik moet ervandoor. Ik zie je nog wel.'

Weer een nieuwe dag en nog steeds geen teken van leven. En ook geen enkel oplichtend bliepje van mijn mobieltje. Van niemand. En ik dacht nog wel dat Spanish en ik gezworen kameraden zouden zijn. Toen we samen in die kast zaten en de herkenningsmelodie van *M.A.S.H.* zongen, was het bijna alsof we een bloedband hadden.

Maar zo simpel is het allemaal niet. Ik weet niet eens of Spanish me nog wel wil zien. Toen ik de volgende ochtend wakker werd, was alles anders. Hij staarde me aan met die griezelige gouden ogen van hem, star als van een kat. Voordat hij nog maar een woord had gezegd, wist ik al dat hij weer broodnuchter was.

'Hé,' zei hij schor. Toen schraapte hij zijn keel. Ondanks de hitte had hij een laken over me heen gelegd tot aan mijn hals en hij lag ver bij me vandaan, zo ver als maar mogelijk was zonder uit bed te vallen.

'Goedemorgen, Spanish,' zei ik, waarbij ik probeerde mijn ochtendadem uit zijn buurt te houden.

'Het spijt me als ik... als ik je bang heb gemaakt of zo. Je weet wel, gisteravond.'

'Maakt niet uit.'

'Het is acht uur. Ik moet maar eens aan de slag.'

Hiphop blèrde uit een paar auto's buiten.

'Oké.' Ik rekte me uit. Het bed was comfortabel en de dag die voor me lag, leek niet erg uitnodigend.

'Eden, je moet echt weg. Ik doe dit soort dingen niet.'

'Wat niet?' vroeg ik; mijn lichaam vonkte van allerlei impulsen. Hij probeerde iets kapot te maken tussen ons. Maar dat hij dat probeerde, betekende dat het er was.

'Dit.'

'Ik snap het niet.'

Spanish sloot zijn ogen even en deed ze toen weer open. 'Bedankt dat je gisteravond bij me bent gebleven.'

Ik haalde mijn schouders op en probeerde te doen alsof ik niet gespannen was. 'Ik zat hier vast,' zei ik tegen hem. Het voelde als een bekentenis. Hoe lang zat ik al vast? Veel langer dan een nacht, geloof ik.

‘Nou ja, toch bedankt. Het was fijn dat je er was. Meestal ben ik liever alleen.’

‘Het is niet belangrijk, Spanish.’

‘Denk je dat?’

Onze blikken vonden elkaar en kaatsten toen weer van elkaar af. Zijn eerlijkheid, zijn onmodieuze ernst, ontwapenden me. ‘Er is niet eens wat gebeurd,’ zei ik.

‘Wat niet? Seks? Dus dat is het enige wat er kan gebeuren?’

‘Spanish...’

‘Echt, Eden.’ Hij sprong overeind op die onverwachte manier van hem, gaf me een handdoek en zei waar de badkamer was. ‘Als je klaar bent, zal ik je naar de metro brengen, oké?’

In compleet stilzwijgen liepen we naar het metrostation. Om hem heen was een heel krachtveld ontstaan, maar toch drong ik hem mijn telefoonnummer op. Die moeite had ik me kunnen besparen. Nu is hij een van de velen die het nooit zullen draaien.

Ik pak De Vrouw, veilig in haar lijstje, uit mijn tas. ‘Jij weet precies hoe alles zit, hè?’ zeg ik tegen haar. Ik wou dat ze iets terug kon zeggen, hoewel ik vrijwel zeker weet dat ze dat niet zou doen, zelfs niet als ze het kon. Zucht.

Ons leven is zo onbeduidend, opgebouwd rond anderen die op hun beurt al dan niet hun leven weer rond ons hebben opgebouwd. Toevallige zakken bloed die elk moment kunnen overstromen en verloren gaan in de aarde.

Ik herinner me dat we, toen ik op de basisschool zat, ballonnen van papier-maché maakten. We bliezen dan echte ballonnen op en smeerden die in met dikke klodders lijm en beplakten ze met kranten. Wanneer ze waren opgedroogd en uitgehard, verfden we ze in felle kleuren en prikten de ballon die erin zat met een speld door. Dat doet me denken aan alle lagen die we op de mensen plakken van wie we houden, de herinneringen en de verwachtingen. Die dingen gaan langer mee dan de mensen zelf en duren eeuwig, in de vorm van een geest.

'Hé... Violet!' Ik op de eerste verdieping, me vastklampend aan de trapleuning.

'Eden.' Ze komt haar huiskamer uit zetten, met een giechelende Eko op haar heup. 'Alles goed met je?'

'Ja, alles goed. Maar weet je, ik vroeg me af of... eh... jij Zed nog hebt gezien de afgelopen dagen?'

'Zed? Je bedoelt die gast die beneden is komen wonen?'

'Ja.'

'Nee sorry, die heb ik niet gezien. Ik wilde je eigenlijk net vragen om binnenkort een keer met hem bij mij te komen eten! Ik heb nog nauwelijks een woord met hem gewisseld.'

'Ja, doen we. Ik zal het hem zeggen.'

het gaat niet gebeuren.

Buiten is de New Yorkse zon een gele schreeuw. Ik kan geen hand voor ogen zien tot ik mijn zonnebril opzet. Ik loop over Flatbush Avenue, loom op zoek naar Zeds loopje, zonder echt te verwachten het te zullen zien. De lucht is smerig, een sluier van slierterige wolken en smog vervuilen het blauw. En ik heb schoon genoeg van de zon. Ik heb schoon genoeg van de warmte. Ik zou heel wat overhebben voor een koele, vriendelijke grijze dag in Londen. Ik heb het gevoel dat ik oplos, smelt. Hoewel ik honger heb, ga ik niet naar binnen bij de Chinees en de Mexicaan en de Italiaan en het West-Indische buffet en zelfs niet bij Papa's Fried Chicken. Ik loop kledingzaken in en laat mijn vingers lusteloos over kleren glijden. Ik negeer het winkelpersoneel. Mijn gezicht in de spiegel bevalt me niet.

Ik stel me voor hoe het zou voelen om de hemel kapot te slaan met een reusachtige hamer of om de bomen omver te blazen, of met één vuist gebouwen neer te maaien. Ik wou dat ik die macht had. Ik wou dat ik wat voor macht dan ook had.

Ik ontwijk de blikken van de gretige mannen op de straathoeken; ze kijken naar mijn benen en naar mijn borsten en maken ranzige opmerkingen. Maar op dit moment heb ik het helemaal gehad met dat soort dingen. Ik wil een boom zijn. Ik wil een kom water zijn, of een lap stof of een stuk zeep of een fucking bedlampje. In elk geval niet iets waarnaar ze op die manier kunnen kijken.

Ze zijn allemaal hetzelfde. Als ze de kans zouden krijgen om iets voor me te betekenen, dan zouden ze me óf op zo'n hoog voetstuk plaatsen dat ik er een bloedneus van kreeg óf ze zouden me gebruiken als wc-papier. En dat is het enige wat ik zie in al die blikken, of het nou magere of sexy of lange jongens zijn of opgeschoten jochies, of mannen die ouder zijn dan God; ik onderscheid slechts twee soorten.

Wolven en lammeren.

Ik loop langs Prospect Park, Atlantic Avenue over, en vlak bij die grote Target Mall waar ik met Brandy ben geweest, ga ik rechtsaf Hanson Place op. Het is een heel lange wandeling. Hij moet toch ergens zijn, denk ik bij mezelf.

In Fort Greene Park kijk ik of ik Zeds vrienden ergens zie, maar die ene keer was het zondag. Ze zijn nu waarschijnlijk aan het werk. Ik weet niet wat ik precies had verwacht. Het is stil in het park, alleen een paar onbekenden die hun hond uitlaten en een paar kleinere onbekenden die aan het voetballen zijn. Uiteindelijk bezwijk ik en probeer ik zijn mobieltje weer.

En altijd weer voelt het als de eerste keer wanneer ik hem bel. De vijftienjarige ik bij de telefoon, op van de zenuwen, vol van een aangename angst, net als vlak voor een supersteile afdaling in een achtbaan, wanneer de tijd even lijkt stil te staan. In zijn vaders appartement ging de telefoon over en ik vroeg me af waar het geluid hem bij zou betrappen en of hij aan mij dacht. Die eerste keer dat ik belde, nam hij op met: 'Hallo?' en mijn maag draaide om. 'Met Eden,' wist ik er zonder enige aarzeling uit te brengen. In mijn zak zaten drie opgevouwen briefjes van twintig dollar van het pandjeshuis. Ik gedroeg me behoorlijk triomfantelijk zonder mijn sieraden. 'Zullen we iets leuks gaan doen?' vroeg ik met een bevrijd en stout gevoel. 'Ik heb geld.'

Hij lachte. 'Wauw... als dat zo is. Ik ben al onderweg!'

Maar dat was toen. Nu wordt mijn telefoontje rechtstreeks doorgeschakeld naar zijn voicemail. Het gaat niet gebeuren.

Ik nuttig mijn pizza en een flesje Snapple. Ik maak een rondje door het park. Ik probeer zijn mobieltje. Ik staar naar de wolken. Ik probeer zijn mobieltje.

Ik ga op het droge gras zitten en begin te huilen. Ik ben uitgeput.

Dan negeer ik een bezorgde blik op een voorbijkomend gezicht en ga naar huis.

leeg glas.

En ik weet meteen dat hij terug is. Ik klik de deur open en ruik wiet. Plus dat ik op de salontafel een open pak sap en zijn sleutels zie.

Dus na me echt heel kort te hebben afgevraagd of het niet beter is om te doen alsof het me niet kan schelen en gewoon naar het souterrain te gaan, wijs ik dat idee van de hand en zet de paar passen die ervoor nodig zijn om zijn slaapkamer te bereiken. De deur staat op een kier. Er klinken geluiden.

Ik duw zijn kamerdeur open. Zed ligt loom te pompen op een onbekende vrouw met schommeltieten. Donker haar, rode wangen, mollige vingers die in zijn huid krassen. Hij heeft zijn gezicht afgewend, dus dat kan ik niet zien, maar dat van haar is onopvallend. Niet verpletterend mooi als dat van Max. Ze is Max niet. Ze is zomaar iemand en je zou niet mogen neuken in een kamer als deze. Door de wiet en de lichaamssappen heen ruikt het nog steeds een beetje naar oude vrouw. Hij heeft bijna al zijn kleren nog aan, de huid van zijn kont nauwelijks zichtbaar tussen zijn tanktop en de broeksband van zijn jeans.

'Zed!' krijst ze, met een armzalige poging om zichzelf te bedekken. 'Zed!' Ik kijk naar zijn ongeïnspireerde bewegingen terwijl de onbekende vrouw zijn naam blijft roepen, tot het eindelijk tot hem doordringt dat het geen reactie is op zijn seksuele bekwaamheid. Ze duwt hem van zich af.

'Fuck,' zegt hij.

'Zed! Er is iemand. Hou op.'

Wanneer hij zich eindelijk omdraait, kom ik ineens in beweging. Ik wacht niet totdat ik iets aan zijn ogen kan zien, maar loop blindelings het donkere huis door, met een knalrood gezicht en een hoofd vol ruis. Het geluid van een speakerstoring. Zed en de vrouw klinken heel blikkerig door al het gezoem heen.

'O shit!'

'Was dat je vriendin of zo?' Piep, piep doet haar stemmetje.

'O shit.'

'Je hebt me helemaal niet verteld dat je een vriendin had! Je hebt me fucking –'

Beweging, stof, ritsen.

'Ik kan dit nu echt niet aan.'

'Wil je dat ik wegga?'

'Ja.'

'Niet te geloven...'

'Ik bel je wel.'

'Zed!'

'Ik bel je, oké?'

Alsof ik onder water loop, bereik ik de kelderdeur en doe hem achter me op slot. Ik zet mijn koptelefoon op, zo hard als maar kan, en blijf met een kussen over mijn hoofd liggen totdat Zed het opgeeft en stopt met kloppen.

Achter mijn oogleden laat Zed hele legers door me heen marcheren, onbelemmerd, brandstichtend en plunderend. Zed in duizend-en-een houdingen. Zed de eerste keer dat ik hem zag, glimmend schoon en kakelvers in zijn nieuwe kleren, een kalme Zed in het zwart, met ogen die druppelden, Zed die me kietelde toen ik vijftien was zodat ik de afstandsbediening wel moest loslaten, Zed die ontbijt voor me klaarmaakte die keer dat ik dronken was, Zed in jeans, Zed in een pak, Zed in Hackney, Zed in Notting Hill, Zed in New York, Zeds mond en opvallende wimpers en donzige kin en gladde lichaam en stevige kontje en stem en lach en glimlach en zucht en al die steelse blikken en al die woede en al dat toneelspel en al dat verdriet en al die arrogantie. Zed die zijn blanke meisje kust, en zijn slanke vingers en grote voeten, zijn lievelingsnummers, zijn aftershave, zijn slappe omhelzingen, zijn gespannen grijnsjes, zijn wiet, zijn stijl, zijn ongrijpbare ziel.

Dekolonisatie zal een daad van geweld tegen mezelf vereisen die te vergelijken valt met de revoluties in Frankrijk en op Haïti. Ik zal de tumor die hij is wegsnijden.

Maar uiteindelijk drijft de schreeuwende behoefte aan drank me naar boven, een huis in waar het zo stil is dat ik aanneem dat hij weer is weggegaan. Maar ik had het mis. Ik hoor dat de tv in de huiskamer aanstaat.

Ik loop rechtstreeks door naar de keuken, waar ik een fles heb staan van iets warms dat geen koffie is. Ik drink het puur – zonder ijs – aan de scheve tafel en werk somber een zak chips weg. Ik schenk nog wat Jack Daniel's in en doe alsof ik het niet hoor wanneer Zed aan komt lopen en in de deuropening blijft staan.

'Wassup?' vraagt hij.

'Zeg jij het maar, Casanova.'

'Eden, ik...'

'Ik neem aan dat je met haar ook wat hebt, hè Zed? Ik ben blij dat je zo doortastend blijkt te zijn bij vrouwen. En voor Max is het ook fijn dat je zo vaak oefent.'

Zonder te reageren maakt hij een kom cornflakes voor zichzelf klaar en gaat aan tafel zitten. Ik schenk bij.

'Ik...' Hij schudt zijn hoofd. 'Het stelde niks voor. Snap je wat ik bedoel?'

'Niet echt. Leg eens uit.'

'Wat heeft dat voor nut? Zou het op dit moment ook maar iets uitmaken wat ik zeg?'

Ik haal mijn schouders op.

Hij neemt een hap cornflakes. 'Hoe was dat optreden laatst eigenlijk?' Ik haat het wanneer mensen met hun mond vol praten. Walgelijk. 'Van Spanish en zijn vrienden?'

'Hij is geniaal.'

'Zonder enige twijfel.'

'We hebben niet geneukt.'

Hij stopt even met kauwen en ik kijk op van mijn glas. Hij staart me aan. 'Dat vroeg ik niet.'

Dus zet ik het lege glas in de gootsteen en neem de fles mee. 'Welterusten, Zed,' zeg ik.

de grootste sprong.

Harlem, tien jaar geleden.

Zed keek me niet aan toen hij de deur van zijn vaders appartement openmaakte. Ik hoorde de adem in zijn keel stokken. Ik zag de warme, zoute welving van zijn hals. Hij was nog maar een jongen toen, lief en onaf. Zijn oren waren nog iets te groot voor zijn hoofd, zijn nek te mager en zijn vlechtjes begonnen uit te groeien bij zijn slapen. Maar hij was al wel groot en breed, met snelle, smalle ogen en harde jukbeenderen. Hij dacht dat hij misschien wel knap was. Hij wist het nog niet zeker.

Hij morrelde nog een keer zacht met de sleutel in het slot en het was net of de deur – eindelijk – zuchtend meegaf. Ik had het gevoel alsof ik met grote snelheid op een afgrond af denderde. Ik kan me niet meer herinneren of we iets zeiden. Ik kan me niet herinneren dat ik ademde, maar ik weet dat ik dat wel moet hebben gedaan. Ieder deel van mijn lichaam beierde als een klok. We lachten om de spanning te maskeren, liepen de kleine, keurige huiskamer in en gingen op de mosgroene bank zitten, die zich met een leren piep aan ons overgaf. We waren erg jong en keken huizenhoog op tegen de gebeurtenis die voor ons lag. Ik wist dat ik daarna nooit meer dezelfde zou zijn. De verandering had al ingezet en nu kon ik alleen nog maar vooruit. De onvermijdelijkheid ervan leek bijna tastbaar. Het maakte alles om ons heen, van de bank tot de afstandsbediening, tot medeplichtigen van ons houterige bronstritueel. De tv maakte de stilte alleen nog maar zwaarder. Toen vroeg hij: 'Wil je mijn kamer zien?'

'Oké,' antwoordde ik, met halfverstikte stem, opgelaten om ons allebei. Het liep niet erg soepel.

Ik herinner me dat het een kleine kamer was en dat die tegenover de badkamer lag. Het tapijt en de gordijnen waren donkerblauw. Er was een boekenplank en geen tv en een poster van de Wu Tang Clan aan de muur.

'Dominic zei dat je gedichten schreef,' zei ik, denkend aan een gesprek dat mijn stiefvader en ik een paar weken eerder hadden gevoerd in een lunchzaak.

'Ja... soms,' zei hij bedeesd. Ik smolt. 'Wil je... eh... wil je wat horen?'

Hij pakte iets onder zijn bed vandaan en zijn arm streelde de mijne. Hij haalde een Nike-schoenendoos vol notitieboekjes tevoorschijn. Hij begon me voor te lezen. Het bloed klopte in mijn oren. Ik hoorde niets. Ik voelde van alle kanten een enorm gewicht op me drukken, zijn kant uit.

Hij hield op met lezen. Keek me aan. 'Wat vind je ervan?'

'Mooi,' zei ik, maar ik geloof dat hij wist dat ik niet had geluisterd. 'Zed, over wat ik laatst zei. Dat meende ik, hoor.'

Ik ben er klaar voor.

'Dat weet ik,' zei hij, terwijl hij zijn lange vingers op mijn wang legde. Het leek dagen te duren voordat hij mijn gezicht met dat van hem bereikte. Een kus is de grootste sprong die je kunt maken om een ander te bereiken; de ruimte is oneindig. En ik was al zo lang zo ver weg geweest van iedereen. Toen zijn lippen de mijne raakten, kreeg ik het gevoel dat ik deel uitmaakte van de wereld, dat ik een vrouw was, dat ik een nieuwe kans kreeg om iets te betekenen voor iemand anders.

Zijn tong zacht in mijn mond, zijn armen om me heen. We vielen achterover op zijn bed en hij stootte zijn hoofd tegen de muur. Dat was het moment waarop we naar elkaar lachten en de tederheid groeide. Ik schoof de notitieboekjes op de grond.

'Weet je het zeker?'

'Ja.'

We kleedden ons uit. Zijn lichaam was donker en stevig en bedekte me helemaal. Ik raakte hem aan door zijn boxershort heen en het was alsof ik een stroomstoot kreeg, duizend schokjes uit ieder plekje waar hij me kuste. Hij trok zijn boxershort uit en lag zwaar in mijn handen, en warm. Ik was bang. Hij zei dat ik nergens bang voor hoefde te zijn, alsof mijn gedachten zo luid waren dat hij ze had gehoord.

'Ik heb dit ook nog nooit gedaan,' fluisterde hij.

'Je bent nog...'

'Ja.'

'Maar je zei –'

'Dat was gelogen,' zei hij. 'Sorry.'

'Maakt niet uit,' zei ik, terwijl mijn vertedering toenam. 'Maakt niet uit.'

Hij trok het laken over ons heen en schoof moeizaam het condoom om dat hij waarschijnlijk al een paar jaar in zijn portemonnee had zitten. Het zou echt gaan gebeuren. Ik greep zijn nek en schouders vast, gleed met mijn handen over zijn haar.

'Au!' riep ik. 'Au!' En het deed echt pijn.

'Het komt wel goed, laat me even...'

'Au!' Mijn buik. Alles opende zich om hem te ontvangen... met tegenzin. Het voelde anders dan ik had verwacht. Een heel universum van zenuwuiteinden kwam tot leven.

'Oké... oké.'

'Nee, niet ophouden...'

'Ik dacht dat je zei –'

'Nee. Doorgaan,' zei ik. 'Doorgaan.'

Toen de pijn weg was, was mijn hoofd grotendeels leeg. Voor het eerst had ik geen geest – alleen een lichaam. Maar ineens moest ik, lacherig en verlegen, denken aan iedereen die thuis op ons wachtte, Marie en Paul en tante K., en wij hier in Harlem.

Ik glimlachte, Zed glimlachte en er druppelde een beetje van zijn zweet in mijn oog.

deze dromen.

Meisje – als ik in mezelf klim
mag ik je dan meenemen?
Meisje – ik kan niet ademen, ik kan niet praten
Meisje – ik kan niet slapen door deze dromen –

Ze is als een strak koord –
waar aan twee kanten aan getrokken wordt –
Val, loser!
Het is een knoop
Die ik de laatste tijd probeer te ontwarren
Liefde hoort een zachte afdaling te zijn
als sneeuw, als confetti als –
Maar wat als het meer lijkt op vallen van een rijdende truck?
Honderd meter verderop opstaan
Met een hersenschudding
En je huid links helemaal geschaafd?
En viel hij wel of
Werd hij geduwd?

Ze wil slagaderlijk bloed
Ze wil
Ik kan mezelf niet horen door haar handschrift
Is zo'n inktzwarte puinhoop
Ze is een tuin vol onkruid.

Een tuin vol overrijpe
Bloemen, doorns en insecten;
Wortels die ondergrondse tunnels graven.
Alles eetbaar, alles gif.
Ze is een tuin die zoemt van te veel.

Meisje – als ik in mezelf klim
Mag ik je dan meenemen?
Meisje – ik kan niet ademen, ik kan niet spreken
Meisje – ik kan niet slapen door deze dromen –

Ze heeft ogen als de kerkschoenen van een bedelaar
Die tranen verzamelt
Dikke mond die overstroomt van gedicht
Overrijp lichaam
Zwarte wimpers
Roodgekleurd en niet geel
Fel en scherp als zomerbeton
Scherp in de knieën en in de ellebogen.

Een kus zou zijn als pepersaus drinken
Door een rietje, meisje
Haar zoet-zoete tuin ruikt
Haar kauwgumadem,
Haar oeverloos gepraat.
Ze houdt nooit haar mond.
Zelfs niet als ze stil is.
Zelfs niet als ze weg is.
Maar ze is nooit weggegaan en
En kijk.

Daar komt ze
Een blinde toeriste aan de wandel
Mijn donkere stegen gewapend met
Een zaklamp en een mand vol fruit
Alsof ze vast van plan is de wereld te redden

En ik ben het –
Gek, mooi meisje

Meisje – als ik in mezelf klim
Mag ik je dan meenemen?
Meisje – ik kan niet ademen, ik kan niet spreken
Meisje – ik kan niet slapen door deze dromen –

Ik kan niet slapen, ik kan niet slapen
Door deze dromen
Ik kan niet slapen
Ik kan niet slapen
Ik kan niet slapen –

september

honger.

Nog vijf zonsondergangen en dan is het Labor Day, maar de septemberhitte houdt stand.

Het souterrain is een oven die me halfgaar de straten van Brooklyn in kiepert. Waar het geen graad koeler is, maar er zijn lichtjes en mensen, lucht, beweging; een terrein buiten het vervloekte landschap van mijn eigen geest.

In Fenimore Street geef ik mijn camera een opdracht, terwijl ik hem in mijn klamme handen alle kanten op houd. Ik wil foto's nemen van de laatste officiële zomerdagen, van de kinderen die alles op alles zetten om nog zoveel mogelijk kattenkwaad uit te halen voordat de scholen weer beginnen. Ik fotografeer hooggehakte, felgekleurde sandaaltjes met contrasterende teennagels. Mannen die zich manifesteren in open auto's. Boom tegen lucht, sportschoen op stoep, zomer in de stad. Ik maak stiekem foto's van vrouwen die buiten hun kamp hebben opgeslagen en samen lachen terwijl ze hun vrolijke kostuums voor de Labor Day Parade naaien.

Ik sluip dichterbij. De kostuums zijn fantastisch. Glanzend, vol glitters en veren. In alle denkbare vormen en kleuren. Ik begin het jammer te vinden dat ik geen kostuum heb. Er borrelt iets in me waar ik geen woorden voor heb...

'Hé!'

Ik ben betrapt.

'Sorry, sorry...' Ik laat mijn camera zakken.

'Wat doe je?' vraagt een grote vrouw met extensions in ontelbare vrolijke kleurtjes. Ze staat op. 'Maak je foto's van ons?'

'Eh...'

'Ben je een spion of een fotograaf?'

'Een... fotograaf,' zeg ik tegen haar. 'Ik kom uit Londen! Sorry, ik had het eerst moeten vragen.'

'Dat kun je wel zeggen!' zegt Pauwenhoofd. Daarna lacht ze voor het eerst naar me. 'Maar het is oké. Als je ons de foto's maar opstuurt, goed?'

'Ja, ja! Dank je,' zeg ik opgelucht. 'Geen probleem!'

De vier vrouwen kruipen dicht bij elkaar, breed lachend en met in hun handen hun fantastische creaties. Hun gezichten hebben allemaal die speciale uitstraling die ik de laatste dagen, onderweg naar een nieuw seizoen, overal zie. Elk moment lijkt zich bewust van zijn naderende dood, elk moment even opwindend.

'Gaan jullie voor de parade ook nog naar J'Ouvert?'

'Natuurlijk!' zeggen ze en: 'Zeker weten!' en 'En of ik ga!'

'Hoe is dat?'

'Ieder jaar,' zegt een vrouw met een gekleurde hoofddoek en grove sieraden, 'kan ik tijdens J'Ouvert mijn voorouders gewoon voelen. Ik stel me dan voor hoe het er moet hebben uitgezien, die eerste zonsopgang nadat er eindelijk een einde was gekomen aan de slavernij. Een nieuw begin. Zorg dat je erbij bent, zelfs al haal je de echte optocht misschien niet.'

'Dat zal ik doen,' zeg ik, en ik neem me voor dat ook echt te doen. Ik ga erheen, desnoods in mijn eentje – een scenario dat me op dit moment meer dan waarschijnlijk lijkt.

Tante K. is nog steeds niet terug. Brandy heeft niet zo'n zin in uitgaan. Ze is altijd op haar werk of boven bij Violet, om haar te helpen met Eko. En Zed werkt – voor zolang het duurt – in een bar vlak bij Prospect Park. 'En hoe moet dat dan met je muziek?' vroeg ik zo scherp mogelijk om hem te kwetsen. Hij lachte. 'Hoezo? Denk je soms dat ik Jay-Z ben of zo? In Londen heb ik al mijn spaargeld erdoorheen gejaagd en ik kan weinig met een microfoon beginnen als ik ben gestorven van de honger,' zei hij schouderophalend.

Nu mijden we elkaar meer dan ooit, als dat al kan. En Spanish is ook in geen velden of wegen te bekennen.

Eerlijk gezegd is de enige man die me nog belt mijn vader, die me heeft weten op te sporen via Juliet. Hij zegt de gebruikelijke dingen: 'Kom terug, alles vergeven en vergeten,' maar dat is waarschijnlijk alleen omdat hij denkt dat het onchristelijk is om ruzie te hebben met je dochter. Plus dat hij me het nieuwtje wilde vertellen van zijn verloving met de ouwe Chanders, die me in een God mag weten wat voor fuchsiaroze gruwel van een bruidsmeisjesjurk wil steken. Misschien moet ik de rest van mijn leven wel in New York blijven om die vernedering te ontlopen.

'Dank jullie wel, dames! En veel plezier bij de optocht,' zeg ik. Het liefst was ik bij hen gebleven. Ze wensen mij ook veel plezier, en een van de vrouwen schrijft haar e-mailadres op, dat ze me met een zwierig gebaar geeft. 'Ik zal jullie de foto's binnenkort mailen,' beloof ik.

'Als je tante terugkomt,' zegt de vrouw met de hoofddoek, terwijl ze met een blik van herkenning naar me knikt en glimlacht, 'doe haar dan de groeten van Beatrice en zeg maar dat ik snel langskom.'

'Wacht eens even,' piep ik. 'Hoe wist je dat?'

Ze lacht alleen maar en er verschijnen rimpeltjes om haar ooghoeken. 'En vergeet niet te gaan dansen. Jonge mensen,' zegt ze, 'moeten iedere avond dansen, zolang het vlees het nog toestaat.'

Ik hol terug naar mijn kant van de straat, met een opgejaagd, opgewonden en rusteloos gevoel. Wanneer ik de deur probeer open te maken, laat ik bijna mijn sleutels vallen en daarna struikel ik ook nog bijna op de trap naar het souterrain. Mijn hoofd tolt, terwijl ik de nieuwe foto's op mijn laptop laad. De felgekleurde figuren en harde vormen dringen nauwelijks tot me door. Door de woorden van de vrouw krijgt een plan waarvan ik niet eens wist dat ik daar al de hele dag mee rondliep, vorm in mijn hoofd. Ik verlang naar actie. Ik neurie de herkenningstune van *M.A.S.H.*

En het duurt niet lang voordat ik Spanish heb gevonden. De

Reckless Gods hebben een website en een snelle blik erop leert me dat ze vanavond optreden in een club die de Knitting Factory heet.

Ik moet ontdekken wat er mis is met me. Als ik erachter kan komen waarom Spanish me niet heeft gebeld na die nacht dat ik bij hem ben blijven slapen, nu twee weken geleden, werpt dat vast een licht op mijn algemene gebrek aan aantrekkingskracht.

Een uur later loop ik over Leonard Street te paraderen alsof het een catwalk is, in een poging iets van zelfvertrouwen tevoorschijn te toveren, iets van gewicht, macht.

Ik ben op tijd en ik ben er klaar voor. Ik heb geen tas die bij de ingang gecontroleerd moet worden. Het enige wat ik in mijn zakken heb, zijn bankbiljetten, een Metrocard, sleutels en mijn kohlpotlood. Ik betaal zonder de jongen achter de kassa te zien en loop door een chique gang naar een rood met zwarte ruimte. De muren zijn bordeauxrood en er ligt kastanjebruin tapijt op het podium, dat wordt geflankeerd door gitzwarte gordijnen. De EXIT-bordjes gloeien tomaatrood op. Ik zie noch de lichtbruine jongen noch zijn band. In plaats daarvan staat er een presentator met een woeste bos haar en in een T-shirt van Black Rock Coalition een documentaire aan te kondigen.

'Mag ik iets vragen...' Een kaal meisje met een ringetje door haar neus kijkt me verwachtingsvol aan. Ik vraag: 'Spelen de Reckless Gods hier vanavond niet?'

'Weet ik niet, ik ben hier alleen maar voor de film...'

'Ja, die treden op,' zegt een vriendin van haar met futuristisch opgemaakte ogen. 'Dat heb ik op de flyer zien staan. Ze zijn te gek.'

Ongeveer tweeduizend jaar later is de film afgelopen en kondigt de presentator aan dat de band zo meteen zal optreden. Ik luister hoe ze hun instrumenten stemmen. Geen Spanish te bekennen. Er staat een man die zijn saxofoon uitprobeert en nog een klein gastje dat met onverklaarbaar gemak een forse contrabas hanteert.

De vreemde geluiden door elkaar heen maken me zenuwachtig. De snaren en de sax, de doffe, treurige schreeuw van de bas. Ze maken de blikkerig opgenomen muziek daaronder overbodig. Er wordt gekletst, mensen drommen samen om de met kaarsen verlichte tafeltjes.

Waar is Spanish? Misschien heb ik het fout en zijn er twee bands met dezelfde naam. Dat zou een giller zijn. De saxofoon overstijgt de muziek die de dj draait en druipt dan weer langs de muren naar beneden, een onsamenhangende soundtrack bij mijn zenuwen. Mijn blik dwaalt steeds af naar de deur, maar een dikke tien minuten lang is hij het niet.

Dan, ineens, is hij het wel.

En ik herinner me weer hoe hard en mager en maf hij is. De scheuren in zijn jeans, zijn fotogenieke jukbeenderen, dat boze loopje. De kwetsbare houding van zijn schouders heeft iets wat mij begrijpt. En misschien komt begrepen worden voor ons wel het dichtst bij niet alleen zijn. Zonder op of om te kijken loopt hij door de zaal, stapt het podium op en hangt een gitaar om zijn magere lijf.

'Ik heb een paar vrienden bij me om mee te jammen,' zegt hij. 'Dank jullie wel voor deze kans om weer wat te kunnen experimenteren.' Zijn onbuigzame zelfvertrouwen is opzienbarend. Aantrekkelijk. En dan zingt hij al: *'Don't fight just let them do it to ya/ Break you open, get into ya/ Like a poison swimming through ya/ Black boy in your funhouse mirror/ Black girl in your funhouse mirror...'*

Hij doet het ene nummer na het andere, af en toe onverstaanbaar door de bas en de sax. Het publiek klapt en juicht en voelt zich begrepen en moe en is helemaal uitgewoond, en dan is het eindelijk afgelopen en begeef ik me trillerig naar het podium.

'Hé!' roep ik schor en bevend. 'Waarom heb je me niet gebeld?' Deze keer stel ik de moeilijke vragen wél. Hij kan hooguit zeggen: 'Omdat ik geen zin had!' en daar zal ik echt niet aan doodgaan. Toch?

'Eden!' zegt hij geschrokken. 'Hé!' Hij buigt zich naar me toen om me stevig te omhelzen. RJ en de Sub knikken lachend naar me, en ik voel me slap worden van opluchting. Nog altijd Eden.

Niet een of andere would-be groupie die ze zich niet eens herinneren. De enige die niet lacht is het meisje met de slechte huid en de nogal wezenloze blik dat naast Spanish staat. Volgens mij heb ik haar die zondag in het park ook gezien.

'Waarom heb je me niet gebeld?' vraag ik, nog een keer, vasthoudender.

'Dat wilde ik wel, maar...' Zijn stem sterft weg. Hij kijkt nerveus naar Slechte Huid. Hebben ze net nog geneukt of zo? Nou, mij maakt het niet uit. Voor mijn part is ze zijn vrouw! Ik ben nu al zover gekomen. Ze staart me strak aan, een goedkoop liefdesromannetje van een vrouw die aan hem hangt.

'Je wilde wel...' Ik trek bemoedigend mijn wenkbrauwen naar hem op. 'Maar?'

'Ik kon je nummer niet vinden.'

'O.' Ik lach. 'Oké.'

Wezenloze Blik besluit dan haar arm om zijn middel te slaan en mij te onderbreken. Ik versta niet wat ze zegt, maar Spanish blijft me aankijken. Ze rolt met haar ogen naar me alsof ik een ladder in haar kous ben.

'Hé, zie je niet dat dit een privégesprek is?'

O god. Dat heb ik echt gezegd. Zo meteen raak ik verdomme nog betrokken bij een vechtpartij en dan word ik het land uitgezet. De ogen van Spanish schieten van de een naar de ander, alsof ook hij zijn oren niet kan geloven. Maar het is te laat om nog terug te krabbelen.

'Wat?'

'Ik zei: Dit is een privégesprek!'

Ze laat Spanish los en doet een stap in mijn richting. 'Wie denk je verdomme wel dat je voor je hebt?' Ze recht haar knokige schouders.

'Ik probeer met Spanish te praten.'

Ze geeft me een duw.

TAK!

Dat zijn mijn vuist en haar gezicht en het doet pijn, maar ik weet dat het haar waarschijnlijk nog meer pijn doet, want ze valt achterover op die lelijke hakken van haar en mijn oren suizen en mijn vuist klopt en o mijn god wat voelde dat lekker, maar verdomme... Au.

Wanneer ze me probeert aan te vallen, grijpt Spanish haar van achteren beet en zegt dat ze rustig moet blijven. 'Die fucking bitch heeft me geslagen,' zegt ze met glanzende ogen. 'Ze heeft me geslagen! Wie ben je trouwens, verdomme? Spanish, laat me los! Laat me los! Hé!' schreeuwt ze tegen me, 'als ik je een keer op straat tegenkom, ben je er geweest, bitch! Hoor je me? Dan ben je er geweest!'

Ze blijft schreeuwen, terwijl hij haar half meetrekt, half meesleept naar een plek vlak bij het podium waar een paar stoelen staan. Hij laat haar achter bij een vrouw met een vilten hoed op.

'Kom,' zegt hij, 'dan gaan we, voordat het hier nog vervelender wordt,' en pas dan ontspan ik mijn pijnlijke vingers. Hij gooit de gitaar op zijn rug en maakt allerlei gebaren naar zijn band en een uitsmijter die komt aanlopen. Zonder iets te zeggen baan ik me door alle uitgestoken nekken heen een weg naar de uitgang. Zijn hand ligt stevig op mijn middel.

Eenmaal buiten durf ik hem niet aan te kijken. De adrenaline begint te zakken en ik kan bijna niet geloven wat ik net heb gedaan. Hij denkt vast dat ik manisch-depressief ben of aan de crack zit of zo. Hij heeft me waarschijnlijk mee naar buiten genomen om de politie te bellen. Ik kijk naar de naden tussen de stoeptegels en naar de gele cirkels die door de straatlantaarns worden gevormd. We lopen naar de hoek van de straat.

'Eden.'

'Ja, ik weet het. Ik weet het. Sorry, maar ze –'

'Eden.'

Wanneer ik opkijk, staart hij me recht aan. Hij glimlacht bijna en ik doe bijna hetzelfde.

'Het is... eh... Het is leuk om je weer te zien,' zegt hij. 'Maar fuck, Eden. Fuck.'

'Sorry,' zeg ik nog een keer.

'Wat kom je hier doen?'

'Moet ik je dat echt vertellen? Je bent toch altijd zo goed in raden wat ik denk?'

'Toe nou.' Hij ziet er ineens hulpeloos uit. 'Ik wil dat je eerlijk tegen me bent.'

'Nou ja, je leek... Je was laatst zo kwaad op me, en ik vroeg me af waarom, snap je? Wat ik precies had gedaan. Het ging zo goed tussen ons en ik dacht dat we vrienden zouden worden.'

'Is dat alles?'

'Spanish. Ik weet echt niet wat je nou wilt horen.'

Zijn ogen zijn van goud in het licht van de straatlantaarns en hij knippert niet. Dan haalt hij zijn hand over zijn gezicht en zegt: 'Shit. Weet je wat? Ik ook niet.' We blijven even zo staan en dan vraagt hij of ik trek heb.

'Ik ben uitgehongerd,' zeg ik tegen hem.

niemand kan winnen.

Ik ben hier eerder geweest.

Spanish en ik komen aan bij een tent die Joline's heet, met ruitjesgordijnen en een neonbord waarop staat: *Open 24 hrs.* Het zijn de gordijnen die ik me herinner. Maar misschien was het ook alleen maar een zaak die erop leek. Ik heb hier een keer met Toyboy zitten wachten op mijn moeder die, zoals meestal, te laat was. Ik voelde me vreselijk volwassen. Hij had me gevraagd om elkaar te treffen bij metrostation Canal Street, omdat hij die dag zonder auto was. Hij bestelde een *peanut malted* milkshake voor me en *chilli cheese fries*.

Dominic had een afwezige blik toen hij ging zitten. Zijn haar was nog langer dan normaal en eerder dof dan glanzend. Hij tikte zenuwachtig met zijn leren schoen op het linoleum, maar iedere keer dat ik zijn blik ving, lachte hij naar me. Hij deed echt zijn best. Ik dacht bij mezelf dat hij wel echt van mijn moeder moest houden, anders zou hij nooit zo zijn best doen.

'Lekker hè?' zei hij, nadat ik mijn eerste slokje had genomen.

'Ja,' zei ik, terwijl ik me afvroeg wat de mensen van ons zouden denken. Hij zag er niet oud genoeg uit om mijn vader te zijn. Maar met zijn huidskleur was het ook onwaarschijnlijk dat hij mijn broer was. Ik hield mijn ogen neergeslagen om de vragen in de ogen van de anderen te ontwijken. Ik voelde een steek van woede bij de gedachte dat mijn moeder het allemaal wel erg ingewikkeld had gemaakt.

'Wat heb je deze week allemaal gedaan?' vroeg hij. Zijn ogen schoten voor de zoveelste keer naar de ingang. Voor de duizendste keer keek hij op zijn mobieltje.

'Ik heb een jongen leren kennen...' stamelde ik. 'Ik bedoel, Zed, de zoon van oom Paul. Zed en ik. We zijn naar Madame Tussaud geweest.'

'Zed en jij dus?' De toon waarop hij het zei deed me opschrikken uit mijn puberale chagrijn. Hij lachte alsof hij wist hoe het was wanneer een naam zoveel macht over je had dat je er steeds over struikelde. Voorzichtig begon ik ook te lachen. Het was nog in het begin, lang voordat ik Zed überhaupt had aangeraakt. Ik was afwezig en onhandig en de hormonen gierden door me heen. Samen zinnen uitwisselen was al genoeg om me mysterieuze steken te bezorgen.

'Ja, het was cool,' zei ik. 'Zed moest zich verkleden als Darth Vader.'

'Echt?'

'Ik heb foto's gemaakt. Het was net een nepauditie voor *Star Wars* of zo.'

Volgens mij was dat het eerste echte gesprek dat ik met hem voerde. Ik vertelde hem hoeveel lol we hadden gehad en wat we nog meer wilden gaan doen. Door mijn altijd aanwezige behoefte om Zeds naam uit te spreken groeide dat korte moment van medeleven uit tot een onverwachte vriendschap. Maar eerlijk gezegd kon het me helemaal niks schelen of Toyboy oprecht geïnteresseerd was of niet, zolang hij me maar niet onderbrak.

'Waarom komen jullie niet naar de musical waar ik volgende maand in begin? Ik ben op het ogenblik aan het repeteren. Als je een keer niks beters te doen hebt, kunnen we wel afspreken bij het theater,' zei hij met dat korte, kwetsbare lachje van hem. Hij had altijd iets weg van een mishandeld hondje. Ik verbaasde me erover dat mijn mening hem wat kon schelen. 'Dan trakteer ik jullie op een lunch.'

'Dank je,' zei ik. 'Dat zou leuk zijn. Ken je Zed?'

'Niet echt, maar zijn vader heeft hem een paar keer meegenomen. Katherine en Marie hebben een hechte band met Paul, omdat ze allemaal samen zijn opgegroeid op Saint Lucia, maar,' er klonk iets van verbittering in zijn lach door, 'ik vind hem eerlijk gezegd nogal een saaie kerel. Het is raar dat Zed zo creatief blijkt te zijn.'

Ik kon me niet beheersen en stroomde meteen over van enthousiasme. 'Hij is echt heel creatief.'

'Ik heb hem al eens voorgesteld aan een paar jonge producers en muzikanten die ik ken. Hij kan het nog ver schoppen als zijn ouders hem de kans geven. Zijn moeder wil dat hij weer bij haar in Atlanta komt wonen wanneer hij van die kostschool af komt, maar zijn vader wil graag dat hij in New York gaat studeren, dus het is allemaal nogal verwarrend voor hem op dit moment, denk ik. Ik ken dat, mijn ouders waren net zo. Mijn vader wilde dat ik de leiding van zijn pizzeria op me zou nemen, niet te geloven toch? Meer ambitie had hij niet voor zijn zoon.' Hij schudt zijn hoofd. 'Ik heb tegen Zed gezegd dat ik hem met alle liefde wil helpen om zijn dromen te verwezenlijken. Hij schrijft prachtige gedichten, zeker voor iemand van zijn leeftijd.'

'Ik weet dat hij rapper is, maar... schrijft hij ook gedichten?'

'Dan moet je maar aan hem vragen,' zei Dominic glimlachend. En toen keek hij weer op zijn mobieltje. De glimlach stierf weg. Een paar seconden later zei hij: 'Hé Eden, is het je moeder eigenlijk nog gelukt om dinsdag bij je langs te gaan?'

'Nee,' zei ik. Ik had een bord voor mijn kop, ik zag niks en ik hoorde niks behalve mijn eigen gedachten. 'Was dat de bedoeling dan? Volgens mij was dat de dag dat ik met Zed weg ben geweest.'

'O. Oké,' zei hij met een raar onecht lachje. Ik zal dat lachje nooit vergeten. Nooit. 'Mijn fout.'

'Hoe laat komt ze?' vroeg ik.

'Zo meteen,' zei hij.

Toen, alsof hij haar tevoorschijn had getoverd, verscheen ze voor het raam. Ze zwaaide naar ons en vormde met haar mond een overdreven: 'Sorry!' Om haar roodgestifte lippen speelde echter maar een klein verontschuldigend lachje, een lachje dat ervan uitging dat we het haar al hadden vergeven.

'Daar is ze al,' zei Dominic.

'En, hoe vind je ons?' vraagt Spanish, met een glas water in zijn handen.

'De Reckless Gods?' Ik sleep mezelf terug het heden in.

'Nee, het Witte Huis.'

'Ha ha,' zeg ik, en hij glimlacht. 'Jullie zijn heel origineel. Ik weet niet. Tegelijkertijd vol woede en onschuld.'

'Allemaal tegelijk dus.'

'Ja.'

'Soms is woede de puurste en onschuldigste emotie die je kunt hebben.'

'Alleen als hij spontaan is. Niet achteraf.'

Hij begint een van mijn servetjes in stukjes te scheuren in een klein hoopje op tafel. We zitten in een hoek. Geplastificeerde menukaart, tl-buizen. Het enige wat we op onze wandeling hiernaartoe konden opbrengen, was een staccato ritme van ongemakkelijke blikken en een paar karige opmerkingen over het weer en de ratten in New York, die zo groot zijn als yorkshireterriërs.

Ik kijk naar zijn ingevallen wangen en neem een hap citroenmeringuetaart. 'Neem ook een stukje.'

'Ik vast,' zegt hij afwerend. 'Dat wat jij eet heeft trouwens geen enkele voedingswaarde. Het is dood.'

'Dat geloof ik niet. Een citroen is toch een vrucht? En jij hebt gezegd dat ik dit moest nemen!'

'En, vind je het lekker?'

'Zie je die kruimels op mijn gezicht? Natuurlijk vind ik het lekker.'

'Nou, daar ging het om. Ik vind niet dat iedereen hoeft te zijn zoals ik.'

'Omdat jij zo bijzonder bent zeker? Heel anders dan al die dikke sukkels zoals wij.'

Hij haalt zijn schouders op.

Ik lach en vraag wanneer het vasten erop zit voor hem.

'Morgen.'

'Goh. Je kunt zeker bijna niet wachten tot het zover is.'

'Ik kan wel wachten. Ik probeer niet sensueel betrokken te raken bij voedsel.'

'Oké...' Ik stop even met eten. 'Wie was dat meisje trouwens? In de Knitting Factory?'

'Ivy. Gitariste.'

'En, kan ze er wat van?'

'Redelijk. Niet spectaculair.'

'Waarom keek ze me zo kwaad aan? Is ze je vriendin of zo?'

'Nee. Ik heb je toch verteld dat ik daar niet aan doe. Ze...' hij kijkt ongemakkelijk, 'ze heeft zich gewoon dingen in het hoofd gehaald. Ze heeft een beeld van me dat niet klopt.'

'Je hebt nooit echt uitgelegd waar je precies niet aan doet. Ben je soms homo?'

'Nee.' Hij kijkt me even scherp aan. En dan vraagt hij me uit het niets waar ik Zed van ken.

Ik kijk naar het tafelblad en dan weer naar hem. 'Onze families kennen elkaar nog van Saint Lucia,' vertel ik, wat iets minder is dan de waarheid en niet meer dan ik kan zeggen. 'En jij?'

'We hebben op dezelfde middelbare school gezeten.'

'Maar hij zat op een privéschool, een kostschool.'

'Precies.' Hij kijkt me aan. 'Ja.'

'Had jij daar ook een beurs voor gekregen dan?'

'Nee.'

We zeggen geen van beiden wat. Die school is zo duur dat het niet anders kan of hij komt uit een rijke familie. Zwijgend daagt hij me uit om nog meer vragen te stellen, maar dan komt de serveerster met de fantastische timing die die mensen altijd hebben. Het is alsof ze spanningen ruiken. Ze vraagt of alles naar wens is. We zeggen: 'Ja hoor.' En ik besluit dat dit een goed moment is om van onderwerp te veranderen.

'Maar je hebt me nog steeds niet verteld wat het precies is waar je niet aan doet.'

Hij neemt een slok water. 'Ik ben celibatair.'

'Geen seks voor de rockster?'

'Dat is wel wat het woord celibatair doorgaans betekent.'

Ik kijk hem even aan. 'Ik heb dat ook een tijdje geprobeerd.'

'O ja?' Spanish bloost een beetje en kijkt me dan achterdochtig aan, maar ook met iets van hoop, en dat snijdt me dwars door mijn ziel. Hoop op begrip. 'Echt?'

'Alles is zo snel en leeg en gemakzuchtig,' zeg ik, terwijl mijn hart op hol slaat. Ik zucht. Ik heb dit zelfs nog nooit aan Juliet verteld. Ze had me er toch niet mee kunnen helpen. 'Niemand wil nog offers brengen. Het is eigenlijk heel moeilijk om nog grip op iemand te krijgen. Het is moeilijk om echt iets te voelen.'

Spanish knikt langzaam. In zijn gouden ogen sluimert een diepe, onkenbare gloed.

'Niet dat ik geen liefde wil. Het is juist omgekeerd. Ik geloof dat ik celibatair ben geweest omdat ik heel erg graag liefde wil. Het was niet echt een bewust besluit. Ik kreeg er gewoon genoeg van om niks te voelen. Ik verlang naar het soort relatie waarin –'

'Waarom zou je überhaupt een relatie willen?' vraagt hij, met zijn blik op de tafel gericht. Het servetje is inmiddels bijna zo fijn als zoutkorreltjes. 'Relaties zijn een oorlog die niemand kan winnen. Er bestaat een Chinees spreekwoord dat luidt: van niemand in het bijzonder houden, is van de mensheid in het algemeen houden. Heb je weleens echt van iemand gehouden?'

Ik overweeg even om te liegen. Dan zeg ik: 'Ja.'

'Wat heeft dat je gebracht? Maakte het je gelukkig?'

Ik kijk naar mijn taart. Eet hem op. Tik met mijn vork tegen de zijkant van het bordje. 'Mijn tante zegt,' vertel ik hem langzaam, 'dat er goddelijke kracht voor nodig is om zacht te zijn wanneer de wereld zo hard is.'

Hij veegt het hoopje gescheurd papier op met één hand, ervoor zorgend dat er niets blijft liggen. 'Ben je klaar?' vraagt hij.

Even begrijp ik hem niet, dan knik ik, en hij roept de serveerster en vraagt om de rekening. Als ik mijn tas wil pakken, zegt hij: 'Ik betaal.'

'Dank je,' zeg ik. 'Breng je me wel naar huis?'

Hij kijkt me even aan en drinkt dan zijn glas leeg. 'Mij best,' zegt hij.

water.

Toen ik zeven of acht was, had ik iets met kuilen graven.

Ik ging op mijn knieën zitten in onze kleine achtertuin, in het waterige zonnetje, pakte mijn roestige schep en begon op de aardkorst in te hakken tot de grond vochtig werd en zijn metaalachtige geur van groei, wormen en geheimen naar boven zond.

Wanneer ik het gat zo rond mogelijk had, ging ik weer naar binnen, door de bijkeuken, naar de keuken. Daar zat mijn moeder aan tafel een blad te lezen, *Cosmopolitan* of *Vogue*, en een glas wijn te drinken, met haar enkels sierlijk over elkaar geslagen. Ze keek nauwelijks op.

Ik ging dan naar de kast waar het hele allegaartje aan keukenspullen werd bewaard, pakte de zwarte rol vuilniszakken en draaide hem om in mijn handen, op zoek naar de perforatielijn.

Misschien dat mijn vader ook nog binnenkwam en me achterdochtig aankeek over de rand van zijn bril. Hij kende mij en mijn spannende projecten.

Wat moet je daarmee? Dat is geen speelgoed, hoor! Die dingen kosten geld! Maar hij zei het wel vriendelijk.

Niks, zei ik dan, terwijl ik voorzichtig een zak van de rol scheurde. Daarna haastte ik me weer naar buiten, waar het met het uur killer werd, en toog aan het werk. Ik bedekte mijn kuil met de plastic zak, die ik op zijn plaats hield met stenen. Ik was dan zo enthousiast. Om de vijf minuten stroopte ik mijn mouwen op en grinnikte bij mezelf.

Daarna ging ik weer naar binnen en mijn moeder was niet meer in de keuken, en ik hoorde haar stem in de gang, waar ze samenzweerderig in de telefoon lachte. De volmaakte gelegenheid om de grootste karaf die ik kon vinden te vullen met water en ermee heen en weer te lopen naar de tuin, hem leeg te gieten in mijn met plastic afgedekte kuil en te kijken naar het water waar het licht op viel en dat glansde tegen het glimmende zwarte plastic. Het gaf me hetzelfde gevoel als toen ik in de kerk voor het eerst glas-in-loodramen zag.

Ik dacht aan het visje dat ik erin zou doen en de planten die ik eromheen zou planten en hoe bijzonder het zou worden, en dat gaf me de kracht om steeds nieuwe lagen plastic toe te voegen, en nog meer stenen, terwijl mijn gezicht vies werd, en ik op mijn hoofd krabde en mijn mouwen opstroopte en overal jeuk kreeg onder mijn kleren. Ik zat gehurkt in het zand en hield nauwlettend het waterniveau in de gaten, stilletjes vervuld van hoop en zenuwen. Ik wilde zo wanhopig graag onder de oppervlakte van ons naargeestige stadstuintje komen, iets moois maken van iets gewoons.

Na talloze tochtjes naar de gootsteen moest ik de waarheid wel onder ogen zien, een waarheid die me in een inktzwarte stemming bracht. De aarde stal al mijn water.

Ik stond er weerloos tegenover. Wat ik ook deed, mijn water sijpelde weg. Niets hielp. Ik gooide mijn schep in het zand en ging naar binnen, een en al kinderlijk verdriet, en plotseling uitgehongerd.

Water was een ongrijpbaar, prachtig, lastig iets.

in het donker.

Ons gesprek is tot op de korst opgedroogd. We staan in het souterrain, in het flauwe licht van de lamp, stijf van een angst die groter lijkt dan het moment. Een man en een vrouw samen, op het punt om iets... ergens. Dat gebeurt toch voortdurend? Het is zo gewoon dat er bijna zes miljard mensen op aarde zijn, bijna allemaal op dezelfde manier gemaakt.

Ik veeg de hele verzameling rotzooi van de kleine bank zodat hij kan gaan zitten; kladblokjes, tijdschriften, cd's, een bh, een potlood en een boek. Hij gaat zitten alsof hij zich op de rand van een hoge duikplank bevindt, starend naar het blauw onder hem, en uitrekent hoeveel kans hij maakt om het er levend van af te brengen. Ik bied hem iets te drinken aan. Hij pakt het glas aan en draait het almaar om tussen zijn vingers.

Na een tijdje zegt Spanish: 'Het is me nooit eerder overkomen dat een meisje me opspoorde en voor mij een andere chick sloeg.'

'Ja, nou, in LDN is dat heel normaal, rockster.'

'In wat?'

'Londen. Het middelpunt van het universum.'

'O.'

Hij trommelt een ritme op het glas, alle muziek in zijn hoofd komt er in vlagen uit als een toevallig neuriën. En dan stilte. Ik zou wel kunnen huilen terwijl ik naar de babykrulletjes in zijn nek kijk, naar de manier waarop hij zijn smalle schouders beschermend heeft opgetrokken, naar de bleke huid van zijn arm vol donkere tatoeages. Het enige wat er moet gebeuren, is dat een van ons iets zegt – een stap zet – en dan zal de ruimte tussen ons vlam vatten en tot as verbranden.

'Maar even serieus, die Ivy – of hoe ze ook heette – was gewoon irritant, meer niet. Het had niks met jou te maken, sorry.'

'Maar je hebt me wel opgespoord. Ik schrok me dood toen ik je zag.'

'Schrok je alleen maar?'

'Ik was ook blij,' zegt hij langzaam. 'Ja, ik was geloof ik ook blij. En een beetje bezorgd. Waarom ben je vanavond precies gekomen?'

Ik kan dwars door hem heen kijken zoals hij daar zit. Ik zie alles. Zijn tics, zijn eigenaardigheden, al zijn stemmingen zijn een duidelijke kaart die ik geblinddoekt nog zou kunnen lezen. Ik geloof niet dat ik me zal kunnen inhouden. 'Waarom was je bezorgd?'

'Waarom ben je gekomen?'

'Dat heb ik al gezegd,' zeg ik ademloos, duizelig. 'Je belde niet en ik dacht dat je boos was of zo. Ik dacht dat we vrienden zouden worden.'

'Maar waarom was dat zo belangrijk?'

'Ik...'

'Weet je, de eerste keer dat ik je zag, toen we aan elkaar werden voorgesteld, voelde ik iets op zijn plaats vallen toen ik je naam hoorde. Eden.'

'Hoezo?'

'Het paradijs...' Hij haalt gespannen zijn schouders op. 'De slang. Zo moeilijk is dat niet, hè? Ik wist dat ik ooit iemand als jou zou tegenkomen.'

'Hoe bedoel je?'

'Kom hier,' zegt hij.

Ik staar hem aan. Het lamplicht verleent zijn gelaatstrekken een clair-obscur en de kamer achter hem is volledig donker. Ik voel me tegelijkertijd tot hem aangetrokken en door hem afgestoten.

'Kom. Het gaat nu toch gebeuren?' vraagt hij.

En wanneer hij dat zegt, is het net als wanneer ze aan het eind van een housefeest alle lampen aandoen en je bijna niet durft op te kijken, omdat je in het donker geil aan het dansen was met iemand en je bang bent dat die persoon in het echt lelijk is. Of juist heel erg knap.

'Kom,' zegt hij weer, nu meer als vraag dan als bevel. Angst neemt bezit van zijn gezicht. En van het mijne waarschijnlijk ook.

'Ik dacht dat je hier niet aan deed.'

'Eden,' zegt hij hulpeloos.

Ik ga naar hem toe omdat hij er zo stuurloos uitziet. Ik wil hem weer aan een anker vastleggen, al is het maar voor even...

Hij ontwijkt mijn omhelzing en we zoenen onhandig, een en al tongen en tanden, alsof hij het nog nooit heeft gedaan, en hij probeert mijn kleren al uit te trekken nog voordat er enige harmonie is ontstaan. We passen niet goed samen op de kleine bank, dus ik neem hem mee naar mijn lage, onopgemaakte bed.

Het gevoel van zijn scherpe, smalle botten onder mijn vingers doet iets met me. Zijn ongemak, zijn snelle, krampachtige ontlading. Zijn voorhoofd glanzend van het zweet. Hij heeft zijn ogen dicht, zijn gezicht in mijn hals. Zijn haar is klam. Ik ben klaarwakker, al die tijd helemaal mezelf, maar niet onberoerd.

Na afloop gaat hij op zijn rug liggen, met zijn ogen dicht en de strijd nog zichtbaar op zijn gezicht. Hij trekt me tegen zijn borst aan. Hij heeft op mij gewacht zoals sommige mensen wachten op de diagnose kanker.

snel voorbij.

Neem op, neem op, neem op.

'Hallo?'

'Hey!'

'Met wie spreek ik?'

'Juliet,' zeg ik, opgelucht haar accent te horen. Ik heb het gevoel dat ik nog nooit zo ver weg ben geweest. 'Ik ben het, oliebol.'

'O mijn god! Eden!' Op de achtergrond hoor ik verkeer en luid piepende remmen. Ze zal wel in de bus zitten. 'Wat fijn om wat van je te horen!'

'Alles goed daar? Gebeurt er nog wat?'

'Goh! Er gebeurt hier weinig, bella. Je mist niks. September heeft last van een identiteitscrisis en denkt dat het februari is. Maar verder alles prima. Het leven gaat zijn gangetje. Jongens versieren, beetje geld verdienen. Jij ook al wat opgevrolijkt?'

'Een beetje...'

'O!' schreeuwt ze. 'Bel alsjeblieft je vader! Dat moet ik even zeggen voordat ik het vergeet, want hij wordt echt gek! Hij wil maar steeds dat ik voor een soort bemiddelaar speel die jullie weer bij elkaar brengt. Ik weet dat hij je vader is, maar het duurt niet lang meer of ik zeg tegen hem dat hij kan oprotten!'

'Oké, ik zal hem bellen, ik zal hem bellen...'

'En, wisselen Zed en jij al lichaamssappen uit? Ik vind het nog steeds ongelooflijk dat jullie toevallig in hetzelfde huis zijn terechtgekomen.'

'Mijn tante K. kennende, weet ik niet zeker of dat wel zo toevallig was. En wat dat lichaamssappen uitwisselen betreft, zo plat was het niet tussen ons, Juliet, dat weet je best.'

'Er is niks plats aan lichaamssappen uitwisselen. Wij zijn er ook op die manier gekomen en als je nagaat is dat toch iets heel moois. En als je geen lichaamssappen uitwisselt, is het trouwens toch alleen maar nodeloos ingewikkeld gedoe.'

'Ik heb iemand anders leren kennen.'

Pas wanneer ik het hardop zeg, dringt tot me door dat het iets is wat ik nooit eerder heb gezegd.

'Jij,' zegt ze, 'Eden Maria Jean-Baptiste, hebt iemand leren kennen?'

'Dat hoef je niet zo raar te zeggen! Maar ja, inderdaad.'

'Mijn god! Dat is geweldig! Je laat er ook geen gras over groeien, hè, slettenbak!' Ze lacht en gilt van verrukking. Ik kan me zonder enige moeite voorstellen hoe haar medepassagiers haar aankijken. 'Wat is het voor iemand?'

'Hij is... Nou ja, hij is knap, Juliet. En vreemd. Hij zit in een band en is echt heel intelligent en ernstig en we begrijpen elkaar.'

Ze zucht. 'Dat vind ik fijn om te horen, schat. Echt fijn.'

'Dank je.'

'Ik heb ook iets te vertellen, minder hemels, eerder belachelijk. Die vriend van je, Dwayne, heeft me een paar dagen geleden een mailtje gestuurd. Hij probeert me over te halen om een keer met hem uit te gaan. Volgens mij probeert hij dat bij iedereen op het moment, maar dat geeft niks.'

'Bah! Dat doe je toch niet, hè?'

'Waarom niet? Het is een gratis avondje stappen. Bovendien lijken wij niet op elkaar,' zegt ze. 'Helemaal niet zelfs. Jij bent eeuwig op zoek naar zo'n fucking romantische held, zo'n verwaaid, gekweld type. Hoe minder toegankelijk, hoe beter. Ik hou van rustige types, mannen waar je wat aan hebt, en bij voorkeur een beetje sloom.' Ze verheft haar stem: 'Chauffeur! Ik heb op de stopknop gedrukt! Stop!'

'God, ik mis je echt, Juliet!' Ik lach. 'En de kebab.'

'Ik moet uitstappen met al mijn tassen, dus ik moet opschieten. Ga maar gauw terug naar je Heathcliff. Je moet me gauw weer bellen, hoor...'

'Juliet!'

'Ja?'

'Ik vroeg me af of... Ik bedoel, denk je dat het een probleem is dat hij een vriend van Zed is?'

Stilte. 'Nee, hoor. Ieder voor zich, bella. Dat is regel nummer één.'

uit je doppen.

'Hé, Brandy!' We lopen elkaar tegen het lijf wanneer ze haar kamer uit komt, en ze is weer helemaal ingesnoerd, opgemaakt en geurig. 'Dus de dame is terug?'

'Inderdaad,' zegt ze. 'Hoe gaat het?'

'Goed.'

'Dat merk ik,' zegt ze lachend. 'Die ene jongen, Spanish, heeft je trouwens een paar keer gebeld. Wat heb je met hem gedaan?'

Ik haal opgelaten mijn schouders op en glimlach. Ik heb bijna nog nooit een relatie gehad die zo lang duurde dat ik het wel aan anderen moest vertellen. Ik weet niet goed hoe ik moet kijken. Is hij nou van mij?

'Niet zo verlegen, schat!' zegt Brandy. 'Dat staat je niet!'

'Ik weet het niet,' antwoord ik naar waarheid. 'Hoe laat heeft hij gebeld?'

'Ongeveer een uurtje geleden.'

'Oké. Dank je. En waarom heb jij je zo mooi gemaakt, waar ga je naartoe?'

'Violet heeft kip gebraden voor het avondeten, dus...' Ze strijkt haar haren glad. 'En aangezien Eko nog maar vijf tandjes heeft, moet ik haar helpen met opeten.'

We staan lachend in de gang. Er komt inderdaad een geur van gebraden kip de trap af zetten. En ook die van taart, denk ik. Mijn maag rammelt hoorbaar.

'Die vrouw is een echte keukenprinses,' zeg ik met een schaapachtig lachje. 'Belachelijk gewoon.'

'Waarom eet je niet mee? Ze kookt toch altijd veel te veel.'
Spanish kan vanavond niet, dus ik ben helemaal alleen. Bovendien is de uitnodiging te leuk om te laten lopen. 'Vindt ze dat niet erg?'
'Nee...' zegt Brandy met een milde glimlach. 'Natuurlijk niet.'
'Nou, dat laat ik me geen twee keer zeggen. Na u, señorita.'

Boven, in de huiskamer, klinkt soulmuziek. De tv staat aan zonder geluid. 'Brandy!' zegt Violet, die op blote voeten de keuken uit komt zetten. Ze ziet er fris en vrolijk uit in een rood joggingpak, met op haar hoofd het gebruikelijke honkbalpetje. 'En Eden ook! Dus iedereen heeft blijkbaar zin in kip. Zed is er ook.'
Te laat om nog weg te gaan. Ik haal diep adem. Te laat om nog een smoesje te verzinnen.
'Ik zei tegen Eden dat jij had gekookt,' zegt Brandy, 'en schat, ze rende zo snel de trap op dat ze bijna struikelde!'
Violet lacht tevreden. 'Nou, je weet dat je hier altijd welkom bent!' zegt ze, terwijl ze ons voorgaat naar de eetkamer en eettafel. 'Er is genoeg voor iedereen.'
Zed hangt in de leunstoel, helemaal in het blauw en met zijn benen wijd. Hij kijkt op wanneer we de kamer binnenkomen, maar hij staat niet op en lijkt ook niet verbaasd om me te zien. Hij heeft mijn stem natuurlijk al gehoord in de gang.
'Hi,' zegt hij met een overdreven zuidelijk accent. 'Alles goed?'
'Prima,' zegt Brandy. Eigenlijk klinkt ze meer als Brandon. Ze schraapt haar keel.
'Eden?'
'Ik mag niet klagen,' zeg ik voorzichtig. Bij hem voelt het alsof ik me op grote hoogte bevind. Waar de lucht ijl is.
'Oké! Klaar voor het eten allemaal?' vraagt Violet, die snel twee extra borden op tafel zet. 'Stomme vraag zeker, hè?' vervolgt ze lachend. 'Moet je jullie gezichten eens zien. Jullie lijken wel uitgehongerd... vooral jij, Zed.'
Ze zet andere muziek op, Fela Kuti, en we gaan allemaal aan tafel zitten. Violet schept onze borden vol, terwijl Brandy het

over het weer heeft. 'Het wordt steeds warmer, hè?'

Ik werp stiekem een blik op Zed. Hij ziet er inderdaad uitgehongerd uit. Uitgehongerd, mager en stil daar aan de andere kant van de tafel. Wanneer het bord voor hem wordt neergezet, valt hij er vastbesloten op aan en kijkt niet meer op of om.

'Dus jij bent rapper?' vraagt Brandy na een tijdje aan Zed. 'Ik hoorde je laatst oefenen.'

'Ja, dat was ik.'

'Klonk goed.'

'Echt?' vraagt Zed glimlachend. Hij legt zijn vork op de rand van zijn bord. 'Heb je verstand van hiphop, B? Daar lijk je me het type niet voor.'

'Ik heb er hartstikke veel verstand van! Ik weet alles van M.O.P, Big L, Wu Tang, een beetje van Jadakiss, Cam'ron...'

'Serieus?'

'Alsof ik erin afgestudeerd ben!'

'Te gek!' zegt Zed lachend. Hij neemt een hap aardappelsalade.

Brandy glundert. 'Heeft iemand je weleens verteld dat je een beetje op hem lijkt?'

'Op wie?'

'Cam'ron!'

Zed draait zich half weg van tafel en klapt dubbel alsof hij zich verslikt. Wanneer hij weer tevoorschijn komt, zie ik dat hij stikt van het lachen.

'Ha ha! Cam'ron!' Zijn ogen zijn samengeknepen van het lachen, hij grijnst breeduit en ik heb mijn camera niet bij me. Dat gebeurt nou altijd wanneer ik hem niet bij me heb, dan mis ik dingen. 'Vind je echt dat ik op Cam'ron lijk? Vet lachen, man!'

'Het is ook beslist als compliment bedoeld,' zegt Violet lachend.

'Zolang je maar niet denkt dat ik net zo rijm als die gozer,' zegt Zed, nog steeds lachend. En even is de sfeer op de een of andere manier volmaakt ontspannen.

Fela zingt: 'Water No Get No Enemy', en wij genieten van het lekkere, pittige eten.

'Jouw haar zit altijd zo leuk, Eden! Ben je weer naar de kapper geweest?' vraagt Violet.

'Nee, ik...' Ik lach verlegen. 'Ik heb wat dingen opgezocht op internet over natuurlijke haarverzorging. Ik was het nu met conditioner, dan droogt het niet zo uit. En 's nachts krulspelden erin.'

Violet zucht.

'Ik probeer Violet er al de hele tijd van te overtuigen dat puur natuur het beste is!' zegt Brandy.

'Dat is niet voor iedereen weggelegd, Brandon!' zegt ze, terwijl haar gezicht betrekt. Ineens is de ontspannen sfeer weer verdwenen. Ze staat op van tafel. 'Iemand nog kip?'

'Ja, verander maar weer van onderwerp.' Brandy schudt haar hoofd en kijkt ons dan smekend aan met haar grote, opgemaakte ogen. 'Ze denkt dat ze niet knap genoeg is voor kort haar, maar ze is toch mooi? Ik snap niet waarom ze dat zelf niet ziet.'

We verroeren ons niet. Zed concentreert zich op zijn bijna lege bord.

'Je hebt echt een heel mooi gezicht, Violet,' zeg ik.

Ze zucht weer. 'Ik vroeg of jullie nog wat kip wilden. Geef nou maar gewoon antwoord, anders stuur ik jullie met lege magen terug naar jullie kamer.'

'Nee dank je, ik zit vol,' zegt Brandy. Ze schuift haar bord naar voren. Ze is de enige die nauwelijks een hap heeft gegeten.

Violet kijkt geïrriteerd en bezorgd. 'Zien jullie dat? Ze heeft al het eten betaald, en dan neemt ze er niks van. Je moet echt eten.'

'Ik heb genoeg gehad, echt.'

'Nee, dat heb je niet.' Ze wendt zich tot mij. 'Weet je waar ze zo meteen naartoe gaat? Naar de Glitter Bar, om haar show te doen. En daarna nog naar haar baantje op de klantenservice. En daarna heeft ze les op Brooklyn College!'

'Jee...' Ik kijk naar Brandy. Voor het eerst vallen de wallen onder haar ogen me op.

Dan zegt Zed: 'Nou, ik heb dan wel niks bijgedragen aan het eten of zo, maar... als het helpt, wil ik nog wel een stukje kip nemen.'

We lachen harder dan het grapje verdient. Violet gaat nog wat eten voor mij en Zed halen en wanneer ze terugkomt, heeft ze ook een plastic doos met eten voor Brandy bij zich.

'Voor straks.'

'Dank je.'

Zed en ik vallen aan op onze tweede portie en doen een wedstrijdje wie het eerst klaar is.

'Ik wil gewoon dat je goed voor jezelf zorgt,' zegt Violet tegen Brandy, 'meer niet. Je geeft altijd maar, maar je vergeet jezelf, en dat is niet eerlijk.'

'Oké. Maar het is toch niet zo raar dat ik jullie wil helpen? Eko wordt steeds groter en ik denk dat babyvoeding alleen niet meer genoeg voor hem is.'

Violet glimlacht vriendelijk. 'Zed, ik weet eigenlijk nog steeds niet hoe jij in het plaatje past... Waar ken jij Umi en Eden van?'

Hij neemt een slokje water. 'Tante K. en mijn vader zijn zo'n beetje samen opgegroeid op Saint Lucia. Dus we zijn bijna familie. En wat Eden betreft, ' zegt hij met een scheef lachje, 'ik ben een oude vriend van haar. We kennen elkaar al heel lang.'

'Echt waar?' vraagt Brandy met een blik op mij.

'Ja,' zegt Zed, 'hoewel ze tegenwoordig meer oog voor haar nieuwe vrienden lijkt te hebben.'

Eko kiest precies dat moment uit om te gaan huilen, dus Brandy en Violet krijgen de kans niet om ons met verbaasde nieuwsgierigheid aan te kijken. De liefhebbende moeder rent weg om haar zoontje te sussen en Zed brengt het gesprek weer op hiphop.

Wanneer Violet terug is, nemen we afscheid. Ik kan geen plausibele reden bedenken waarom Zed en ik apart van elkaar naar beneden zouden moeten gaan, maar ik zie ertegen op om met hem alleen te zijn. Ik weet niet of hij het amusant vindt of dat hij boos is, of het hem wat kan schelen of niet. Ik kan hem niet helemaal duiden. Met neergeslagen ogen bedank ik Violet en Brandy voor het eten. Zed doet hetzelfde, alleen maakt hij er grapjes bij, totaal ontspannen, vlot en charmant.

'Dat was maf, zeg,' merkt Zed op, terwijl we de trap af lopen.
'Wat?' vraag ik. Ik loop voorop, met een volle maag.
'We hebben net een romantisch dinertje verstoord.'
'Wat... Brandy en Violet?'
'Ja, Brandy en Violet! Mankeert er wat aan je ogen of zo?'
'Doe normaal!'
'Eden,' zegt hij wanneer we onder aan de trap zijn aanbeland, 'jurk of geen jurk, die jongen voelt onze Violet. Je moet eens beter uit je doppen leren kijken.'
'Goh.'
'En,' zegt hij langzaam, terwijl hij voor zijn slaapkamerdeur blijft staan. 'Komt Spanish nog vanavond?'
'Nee.' Ik slik. 'Hij moet repeteren met de band.'
Zed knikt. 'Hopelijk voel je je niet al te eenzaam,' zegt hij. Hij doet zijn deur dicht.

wacht –

Vandaag heb ik Angeline naar de rivier gedragen, Cherry Pepper, vlak bij de plek waar ze is geboren. Ze is vanuit de stad met me meegereden in een busje dat trilde van de Jamaicaanse dansmuziek. Ik moest zo lachen toen ik bedacht hoe vreselijk ze dat zou hebben gevonden. Hoe ze zou hebben geklaagd over elke hobbel en elke kuil in de weg.

Ik ben door haar trage, rustige dorp gewandeld en heb geprobeerd met haar ogen te kijken, wat er was veranderd. 'We hadden eerder terug moeten komen,' zei ik tegen haar en ik had zo'n vreselijke spijt. Hoe kan het dat we zo lang zijn weggebleven?

Ik ben op een steen gaan zitten, omringd door het volle en zingende groen, en ik heb gesproken tot ik leeg was. Ik heb haar alle details van alle verwondingen, steken en littekens verteld. Ik heb alle dingen gezegd die ik haar had willen zeggen toen ze nog vlees was. Angsten, dromen en minnaars. Ik heb nog een keer alle grapjes verteld die ons aan het lachen hebben gemaakt en door al die verhalen raakte ik los van de pijn en kon ik opnieuw beginnen. Ik heb haar naar me toe getrokken, Eden. Ik voelde haar adem in mijn hals en rook zelfs de olie waarmee ze haar haar gladmaakte toen ik klein was. Daarna, toen mijn stem was weggestorven en ik alleen nog de vogels hoorde en de trage stroom, heb ik die Bounty Rum-fles langzaam leeggeschud over mijn handen en in de rivier. Langzaam. Angeline die tussen mijn vingers door glipte, de lucht beroerde, in het water oploste. In de zon veranderde ze in goud. Zo licht. En weg.

We zouden allemaal as moeten zijn. We zouden allemaal asstrooisel op het water moeten zijn.

Tot gauw,
Tante K.

hulpverlening aan zwarte schapen.

Drie dagen na onze onhandige consummatie ziet Spanish er verre van kalm uit wanneer ik bij hem aanbel.

'Shit,' zegt hij, bij wijze van begroeting. Zijn gezicht, om de hoek van de deur gestoken, is lijkbleek.

'Ja, jij ook goedemiddag,' zeg ik. Er is iemand bij hem, dat voel ik. 'Mag ik nog binnenkomen?'

Natuurlijk zat het erin dat dit zou gebeuren. Ik dacht dat hij anders was, en eerlijk, maar dat zou in tegenspraak zijn met alles wat ik weet over het miezerige, veranderlijke karakter van de moderne liefde.

Hij schuifelt wat en trekt een gezicht.

'Spanish?' vraag ik. Op alles voorbereid.

'Ja, prima,' zegt hij, terwijl hij de voordeur verder opentrekt. Hij krabt door zijn bos krullen aan zijn hoofd en geeft me, aarzelend, een kus op de wang. 'Eh. Kom verder.'

'Wat is er?'

Hij geeft geen antwoord.

'Zeg het nou maar gewoon.'

Hij zucht. Schudt zijn hoofd. Kijkt over mijn schouder de straat in. 'Ik heb mijn... eh... mijn moeder op bezoek,' zegt hij rustig. 'Ze is er net.'

Ik leg hem het zwijgen op, met mijn hand op de koele huid van zijn onderarm. 'Je wat?'

'Mijn moeder. Maar maakt niet uit.' Ik verroer me niet. 'Maakt niet uit,' herhaalt hij.

Ik kijk naar mijn kleren, de korte broek en lange kousen, mijn afgetrapte gympen. Ik vind het ongelooflijk. Ik bedoel. Zijn moeder? 'Wil je liever dat ik een andere keer terugkom? Want –'

'Nee,' zegt hij, in een krachtige, wanhopige fluistering. 'Ik wil dat je blijft. Ik... Kom verder, Eden. Ze vraagt zich vast af wat er hier allemaal gebeurt.'

Wanneer we de huiskamer in komen, zit daar een vakkundig gebruinde en opgemaakte hoogblonde dame. Met haar benen over elkaar geslagen, in een zedige kakikleurige korte broek en sneeuwwitte blouse. Ze lijkt in niets op haar zoon. Je zou Spanish helemaal in houtskool kunnen uittekenen. Zij is een en al glans en glitter.

'Mam,' zegt Spanish voorzichtig, en als ze opkijkt, is alleen aan de kraaienpootjes om haar ogen te zien dat ze boven de veertig moet zijn. 'Dit is Eden.'

'Wat een prachtige naam! Hallo, Eden!' zegt ze, terwijl ze overeind springt. Haar kleinemeisjesstemmetje is niet helemaal in overeenstemming met haar gezicht dat stilaan ouder aan het worden is. 'Ik ben Margaret. Leuk je te leren kennen.'

'Ja, hallo,' zeg ik nerveus.

'Ik heb een heerlijke chardonnay meegebracht. Waarom haal je niet even een glas voor haar, James?'

'Nee, dat hoeft –' begin ik.

'Het is oké,' zegt hij. 'Ik haal het wel even.'

Ik ga op een van de eetkamerstoelen zitten – zonder tafel – die verspreid door de kamer van Spanish staan. James. Hij heet James.

'Hoor ik daar een accent, Eden?'

'Ja, ik kom uit Londen.'

'Wauw!' Ze trekt haar wenkbrauwen op naar Spanish die net de kamer weer in komt, alsof ze wil zeggen: goed gedaan. 'Dan ben je ver van huis! Ben je hier op vakantie?'

'Eh... Zoiets. Misschien dat ik nog wel een tijdje blijf.'

'Dat is fantastisch!' zegt ze.

'Waar in New York woont u precies?' vraag ik.

'O nee!' Ze trekt haar neus op. 'Ik woon nu in Florida, maar ik was toch in de stad, dus ik dacht, ik ga eens even langs. Hoe vind je het hier?'

'Net als thuis – alleen wat warmer.'

'Zeg dat wel!' Ze giechelt en doet alsof ze flauwvalt. 'New York in de zomer is net zo heet als een steak op de gril!'

Ik lach beleefd. Spanish roffelt een snel deuntje op de muur achter hem en straalt een ongemakkelijke mengeling van verveeldheid en bezorgdheid uit.

Ze vraagt aan hem: 'Hoe gaat het met de band?'

'Goed,' antwoordt hij.

'Nog optredens gehad de laatste tijd?'

'Ja, een paar.'

'Jullie hebben allemaal zoveel talent. Jullie verdienen het echt om door te breken. Ik hou een plakboek bij! Met alles wat er over jullie in de media verschijnt, en alle recensies...' Ze kijkt hem vol verwachting aan. 'Corey heeft het in zijn hoofd gehaald dat je kwaad op hem bent of dat je een hekel aan hem hebt.'

'Waarom,' vraagt Spanish kalm, terwijl hij steeds sneller begint te trommelen, 'belt hij me dan zelf niet?'

'Nou... je weet hoe dat gaat. De nieuwe baby... en ik weet zeker dat hij het wel heeft geprobeerd. Maar het komt gewoon omdat hij –'

'Mama. Niet vandaag. Ik ben het zat om altijd van jou te moeten horen wat hij van me denkt.'

'Ja, maar het is ook zo moeilijk om je te pakken te krijgen...'

'Ik heb al vijf jaar hetzelfde mobiele nummer!'

'Ja, maar jij zou ook weleens contact kunnen opnemen, James.'

'Vijf jaar, mam! Dat lijkt me lang genoeg om me te kunnen bellen als hij dan toch zo fucking bezorgd is.'

'Ik weet het, ik weet het. Maar ze weten niet of je wel met ze wilt praten. Ik zeg alleen dat het misschien aardig zou zijn als jij de communicatielijnen weer open zou gooien en af en toe eens contact opnam met je broer en zus, James. Ze missen je.'

Spanish reageert niet. Hij brengt zijn vingers tot rust, maar blijft staan, alsof hij niet kan wachten tot ze weggaat.

'We missen je allemaal. Je komt zelfs niet met de feestdagen.'

Nog meer niets.

'James?' Ze wriemelt wat aan haar kleren.

'Mam,' zegt hij op gespannen toon, 'dit doe je nou altijd. Ik ben altijd de slechterik. Ze hebben mijn nummer. Ze weten waar ik woon. Jij wilde me zien, en daar ben je dan. Wat wil je verdomme nog meer van me?'

Ik begin te wensen dat hij me hierbuiten had gelaten, of dat hij hier echt een ander meisje had gehad. Ik nip van mijn wijn en bestudeer het vuil onder mijn nagels.

'Ik zeg het alleen maar omdat we allemaal van je houden, James, maar jij sluit ons buiten.'

'Lieg niet! Jij hebt mij buitengesloten, mama. Jullie hebben me allemaal buitengesloten! Net als pa.'

Het gezicht van zijn moeder schrompelt ineen. 'Je weet best dat dat niet waar is!'

'Wat is dit? Hulpverlening aan zwarte schapen?'

'Dat is niet eerlijk, James.' Haar vingers knijpen het koude glas bijna fijn. 'Dat is niet eerlijk. Ik ben je moeder. Ik behandel jullie allemaal gelijk. Jij bent mijn oudste!' Haar ogen vullen zich met tranen en ik raak in paniek. Wil weg. 'Dat mag je nooit vergeten! Ik heb je altijd gesteund! Ik ben er altijd voor je geweest.' Haar gezicht wordt almaar roder en nu pas zie ik dat ze toch veel op Spanish lijkt. Ze rangschikt steeds opnieuw de voorwerpen op het krat annex salontafeltje. 'Jij bent geen zwart schaap. Je bent geen vreemde. Je bent mijn zoon, mijn kind!'

'Mam... Oké. Vergeet maar dat ik dat heb gezegd. Sorry.' Dan maakt hij zich los van de muur, wat hem zo te zien enorm veel wilskracht kost, loopt naar haar toe en slaat zijn armen om haar heen. 'Maar je moet ophouden met die emotionele chantage, oké? Ik blijf gewoon doen wat goed voelt en dat is het. Het heeft voor mij geen zin om langs te gaan en dan toneel te gaan spelen.'

'We willen je graag zien omdat we van je houden.'

'Oké, mam.'

'Ik meen het.'

'Oké.'

'Goed,' zegt ze, terwijl hij haar loslaat. 'Ik zal geen druk uitoefenen... maar we missen je gewoon. Begrijp je dat?'

'Ja.'

'Nou, als je dat maar niet vergeet.'

Hij knikt, maar hij kijkt naar zijn tenen en daarna naar de wandklok. 'Mam,' zegt hij rustig. 'Moet ik je soms ergens naartoe brengen? Want ik moet zo repeteren met de band...'

'Natuurlijk!' reageert ze. 'Geen probleem. Maakt niet uit. Mijn chauffeur staat voor. Dus dat is geregeld.'

Ze omhelst en kust ons allebei alsof we binnenkort in militaire dienst overzee gaan. 'James, ik weet dat ik het vaker zeg, maar je zou echt beter wat anders met je geld kunnen doen dan huur betalen voor dit huis. Het was een cadeau. We hebben het geld niet nodig. En we weten dat je probeert aan je muziekcarrière te werken...'

'Mam,' zegt Spanish op waarschuwende toon.

Ik kijk naar hem. Een appartement als cadeau? Hij kijkt niet naar mij.

'Goed, goed. Ik hou van je. Je ziet er goed uit, jongen.'

'Dank je.'

'Probeer jij hem maar over te halen om zijn moeder eens snel op te zoeken,' zegt ze tegen mij. 'En jij bent ook welkom. En als jullie een keer met ons in het hotel willen eten, laat het me dan weten. We blijven nog een paar weken in de stad...'

Ik kijk snel van de een naar de ander, met het gevoel alsof ik eerder een echtgenote ben dan een of ander officieus vriendingeval waarvan hij niet eens weet of hij dat wel wil. Mijn handpalmen zweten. Ik ken hem nog maar net.

'Ja. Ik eh...' zeg ik. 'Ik zal mijn best doen.'

breekbaar mechaniek.

Een klopje op de deur haalt me uit mijn slaap en ik roep: 'Binnen!' nog voordat ik helemaal wakker ben, alleen maar om het lawaai te stoppen. Er klinken voetstappen, en dan Zeds stem, die me grijpt voordat ik weer onder de golven kan verdwijnen.

'Eden. Vooruit. Wakker worden.'

'Mrrrgh.'

'Ik heb een waterijsje voor je gekocht. Heb je daar zin in?' De stem, veel te dichtbij, een hand die mijn haar naar achteren strijkt. De vertrouwde verlamming. 'Eden? Heb je er zin in?'

'Waarin,' zeg ik met dikke tong. Klam lichaam, harige mond, mijn hoofd een bombastisch gebons. 'Wat moet je hier, Zed?'

'Pak nou maar aan, anders smelt het nog,' zegt hij, terwijl hij me het ijsje in de hand duwt. De schok van de kou gaat dwars door me heen. Ik stop het in mijn mond zonder het papiertje eraf te halen. Zalig. Hij staat op. Het bed kraakt.

'Wacht.' Ik schraap mijn keel. 'Hoe laat is het?'

'Ongeveer halféén.'

'Heb je me midden in de nacht wakker gemaakt voor een ijsje?'

Hij blijft even staan; ik kan hem nauwelijks zien, maar ik voel hem. Zijn aanwezigheid is zwaarder dan de hitte of de duisternis. 'Ik verveelde me boven, ik wist niet of je al sliep. Het is daar net een oven. Ik dacht dat het hier vast nog erger moest zijn, en dat klopt. Die ouwe kapotte ventilator helpt niet echt.'

Ik ga zitten en doe de lamp aan. Daar staat hij. Ik bijt een gat in het papiertje en het ijsje smaakt naar cola, stroperig koel. Perfect.

'Wat was je aan het doen?' vraagt hij, terwijl hij naar me kijkt.

Ik klak met mijn tong. 'Ik sliep! Wat dacht je dan?'

Zed lacht. Ik lach. 'Wil je niet zitten?'

Hij aarzelt, gaat dan voorzichtig aan het voeteneinde van het bed zitten.

'Nog bedankt hiervoor,' zeg ik, terwijl ik zijn bevroren cadeautje omhooghoud.

'Graag gedaan.'

'Nou...' zeg ik zacht, maar er vormt zich geen samenhangende gedachte.

Hij kijkt me een tijdje aan en zegt dan: 'Volgens mij doet New York je goed.'

'Hoezo?'

'Je lijkt gelukkiger. Ik weet niet... meer jezelf.'

'Dus de Brandy-metamorfose bevalt je wel?' vraag ik lachend.

'Ja, echt. Dat haar past bij je. Ik vind het mooi, zo puur natuur. Staat je goed.'

'Dank je.'

'Graag gedaan.'

'Zie je dat meisje nog weleens?' vraag ik in een opwelling van vertrouwelijkheid.

'Nee.' Stilte. 'Ik heb het nogal druk met die baan.'

'Oké.'

'Maar volgens mij kan mijn moeder elk moment ontploffen.' Hij lacht verlegen. 'Ze zegt steeds: "Jongen, ik heb geen dure opleiding voor je betaald om jou met je ondankbare reet voor ober te laten spelen! Je kunt maar beter gebruik maken van je diploma, anders zal ik er eens ouderwets met de zweep overheen gaan!" ' Hij beweegt zijn hoofd als een slang, en ik moet lachen; het is zo grappig dat ik bijna in mijn broek pis, net als toen we vijftien waren en hij het meisje imiteerde dat ons bediende in een hamburgerzaak bij ons in de buurt. *Wat zal het weee-zen?* 'Mijn hele leven is ze er al van overtuigd dat ik een genie ben, en ze vindt nu dat ik mijn door God gegeven intelligentie vergooi.'

'Maar die gebruik je heus wel,' zeg ik, 'in je muziek.'

'Ja, nou,' zeg hij nadenkend. Hij kijkt me aan. 'Ze had grootsere ideeën toen ik een beurs kreeg voor die privéschool. Ze gaf zelfs een feest.' Hij buigt zich naar voren over het bed. 'Maar ik was mijn hele leven altijd de beste van de klas, en ineens moest ik hard werken om niet de slechtste te zijn.' Hij schudt zijn hoofd.

Ik denk terug aan toen we jong waren, hoe diep ik van hem onder de indruk was. Ik kende tot op dat moment alleen maar de plaatselijke katholieke meisjesschool in Stoke Newington. Dikke slobbermaillots, meisjes met een grote mond, afgepeigerde leerkrachten en om vier uur weer thuis. Ik was gemiddeld intelligent en gemiddeld populair. Ik had nog nooit in mijn leven ergens mijn best voor gedaan, behalve misschien in proberen niet mijn best te doen, en ik had het idee dat de meeste mensen die ik kende precies hetzelfde waren. Zed was anders.

'Het was gek,' vertelt hij. 'Voor het eerst werd ik omringd door rijke mensen. Ik dacht dat die geen problemen zouden hebben, maar op de een of andere manier waren hun problemen erger, snap je wat ik bedoel? Waar ik vandaan kwam, waren het de omstandigheden die de mensen gek maakten. Maar deze kinderen waren allemaal gek van zichzelf. Leeg, depressief en steeds op zoek naar nieuwe afleidingen. En ik was zo'n afleiding. Er waren bijna geen andere zwarte gezichten op of buiten school. In het gunstigste geval kwamen ze me vragen hoe het was om te worden neergeschoten, en of we in de bijstand zaten. In het ergste geval werd ik door grotere jongens voor nikker uitgescholden als ik over de campus rondliep.'

'Dat meen je niet!' zeg ik. Ik krijg een claustrofobisch gevoel, zoals altijd wanneer het over racisme gaat, de kleinzieligheid ervan. 'Maar je was nog een kind! Waarom deden ze dat?'

'Veel shit op de wereld valt moeilijk te begrijpen. Haat is nooit rationeel.'

'En Spanish? Hij vertelde me dat hij bij jou op school heeft gezeten.'

'Ja.' Zed kijkt me aan en wendt dan zijn blik af. 'Maar hij is iets jonger. Hij kwam pas twee jaar later. Hij was er niet tijdens de ergste jaren, toen ik probeerde uit te vinden hoe alles zat.'

Ik schud mijn hoofd. 'Niet te geloven dat die shit je nog is overkomen in de jaren negentig!'

'O ja, hoor,' zegt hij lachend. '*God bless America*. Ik begon na te denken over wat het allemaal inhield om zwart te zijn. Mensen die vanwege mijn huidskleur van me wilden houden of me wilden haten, me erom wilden accepteren of juist niet, weet je wel? Gasten die me uit principe in elkaar wilden slaan, of zoals ik wilden zijn. Meisjes – zelfs vrouwen – die met me wilden neuken...' weer een snelle blik, 'zonder dat ze me kenden. Het was echt bizar, man.'

Zijn huid is zo smetteloos, zo gelijkmatig en vol van kleur dat het soms moeilijk te geloven valt dat alle breekbare mechaniek van het leven daaronder zit, al die spuwende, kolkende, kloppende organen. Hij had net zo goed helemaal uit één stuk gehouwen kunnen zijn, als een houten beeld. Ik kan me niet voorstellen dat hij ooit oud wordt. Of sterft. Misschien is het wel niet zo vreemd dat mensen zo heftig reageren op een huid als de zijne. Wanneer ze naar hem kijken, zien ze een vervormde gelijkenis. Ze kunnen niet naar binnen kijken. Daar is hij te mooi voor.

'Kreeg Spanish ook met racisme te maken?'

'Spanish.' Zed glimlacht tegen mijn laken. 'Nou. Ik weet niet... Hij viel minder op. Ik bedoel, laten we wel wezen, hij ziet er nogal ambigu uit. Hij zou Latijns-Amerikaans kunnen zijn, of Arabisch of zelfs Zuid-Europees. Voor hem was het anders,' zegt hij schouderophalend. Hij werpt me weer zo'n lange blik toe die me zenuwachtig maakt – nog zenuwachtiger – en vervolgt: 'Maar goed. Er werd op kostschool een keer een steen door mijn raam gegooid...'

'Zed!'

'Met een papier eromheen gebonden waarop stond: ROT OP NAAR JE GETTO! De klootzakken. Ja, dat soort shit gebeurde in de jaren negentig.'

'Fuck,' zeg ik. Ik wou dat ik niet zo dicht bij hem zat. Ik wou dat ik nog dichterbij zat. Hij pakt een joint uit zijn zak en speelt ermee. Steekt hem niet aan. Stopt hem terug.

'Waarom deed je dat?' vraagt hij. 'Ik begrijp je niet.'

'Ik weet het niet,' zeg ik.

'Ik was echt geschokt toen dat gebeurde, dat zal ik eerlijk toegeven. Ik zat gewoon te chillen en ineens bam! Overal glas. Ik had geen idee wat er aan de hand was. En toen rende ik naar het raam en daar stond jij verdomme. Je stond daar maar te staan. Je rende niet eens weg. Je keek hartstikke verward en schuldbewust. Ik wil gewoon weten waarom je dat deed!'

'Dat weet ik niet,' zeg ik. 'Ik weet het niet.'

Hij schudt zijn hoofd, knijpt in mijn katoenen sprei en laat dan weer los. Knijpen, loslaten, knijpen, loslaten, met zijn lange vingers.

'Het spijt me,' zeg ik tegen hem. De hitte hangt zwaar om ons heen.

'Het is eigenlijk ironisch.'

'Wat?'

'Toen op school, toen gooiden ze die steen omdat ze me de pest aan me hadden, of tenminste, ze dachten dat ze de pest aan me hadden. Maar jij...' Zijn stem sterft weg.

We blijven een tijdje zo zitten. Ik haal mijn haarband uit mijn verfomfaaide haar en doe hem er dan weer in. Dan zeg ik tegen hem dat ik moe ben en wil gaan slapen en nogmaals bedankt voor het waterijsje en misschien kunnen we dit gesprek morgen voortzetten of wanneer dan ook.

En hij zegt: 'Ja... ja, tuurlijk. Ik moet morgen ook vroeg op voor de studio.' Springt omhoog als een sneetje geroosterd brood. Herneemt zich. 'Leuk T-shirt heb je trouwens aan,' zegt hij. 'Komt me bekend voor.'

Het T-shirt dat ik van hem heb gejat! Shit.

Hij lacht zijn scheve lachje en is al verdwenen voordat ik het kan uitleggen of me verontschuldigen.

sigaret in de kom.

Ik word halverwege de ochtend wakker van het geprik en gekriebel van de verdwaalde ijswikkel die zich verfrommeld tussen de lakens heeft verstopt. Ik vis hem ertussenuit. Er zit nog een heel klein beetje zoete siroop tussen de vouwen van het plastic. De smaak ervan hangt nog steeds in mijn mond. Klik. Weer iets wat me altijd aan Zed zal herinneren.

Terwijl ik mijn benen uit bed zwaai, dringt het tot me door dat het anders ruikt in huis. De scherpe geur van sigarettenrook hangt in de lucht. Walgelijk. Ik heb Zed geen kankerstok meer zien opsteken sinds hij in New York is. Plus dat hij te laat moet zijn voor de studio. Ik trek mijn teenslippers aan om hem te gaan uithoren. De souterraintrap op, de gang in.

Hij is niet in zijn kamer. Ik loop naar de voorkant van het huis en bedenk dat hij wel in een erg vreemde stemming moet verkeren om weer met roken te beginnen. Maar dan...

De schrik is enorm, het is als wakker worden met een kat op je borst. Ze draagt hotpants en canvaslaarzen en het enige geluid is het getik van een rubberen hak op de houten trede.

'Max! Fuck, wat is dit!'

Van schrik laat ze bijna haar sigaret vallen. 'Eden! Shit!' zegt ze, terwijl ze haar blik over mijn korte pyjama laat glijden. 'Wat de fuck doe jij hier?'

'Dit,' zeg ik tegen haar, 'is het huis van mijn tante.' Ik blijf staan waar ik sta.

'O. Oké,' zegt ze, zichtbaar opgelucht. 'Vandaar. Ik wist niet eens dat je weg was uit Londen. Ik heb geprobeerd om je te bellen, maar je neemt meestal toch niet op als ik het ben.'

'Fuck, Max,' zeg ik.

'Nou, waar is hij?' Ze neemt een flinke hijs van haar peuk.

Ik ontwijk de vraag. 'Hoe lang ben je al in New York?'

Ze gaat weer zitten, slaat haar benen over elkaar en haakt haar voet achter haar enkel. Zo zelfgenoegzaam. Ze heeft niet eens naar mijn tante geïnformeerd of gevraagd of die het niet erg vindt als mensen zomaar onaangekondigd voor de deur staan en roken, zodat haar huis gaat stinken als de stoep voor een kroeg. En hoe doet ze dat trouwens met haar benen? Ik moet dat toch eens uitproberen, gewoon om te zien of het soms iets is wat alleen magere types kunnen.

'Ik ben vanochtend aangekomen. Ik ben hier voor een paar audities en castings en een shoot die over een paar dagen begint. Blijkbaar heb ik de juiste look voor Amerika. Maar persoonlijk weet ik niet of het wel mijn pakkie-an is. Amerikanen zijn een beetje plastic, vind je ook niet?'

'Volgens mij is iedereen in de modewereld een beetje plastic.'

'Ja... nou.' Puf. 'Oké... Heb je enig idee waar Zed is?'

'Nee,' lieg ik.

'Nou, hij zal zo wel komen, toch? Ik heb hem verteld dat ik kwam.'

'Hoe ben je binnengekomen?'

'Ik heb onder de deurmat gekeken.'

'Dat meen je niet.'

'Jawel, hoor. Ik kan veel, maar door fucking muren lopen echt niet. Hij ligt daar op tafel. Zo te zien lag hij al jaren onder de mat. Misschien was je tante zelfs wel vergeten dat hij er lag.' Puf. 'En wat heb jij allemaal gedaan, Eden? Heb je ze allemaal weer een beetje op een rijtje?'

'Val dood.'

'Je moet trouwens de groeten hebben van Dwayne.'

'Alles goed met hem?'

'Ja. Maar wel een beetje kwaad omdat hij je niet meer heeft gezien voordat je ontslag nam. Er hebben nog wat collega's naar je gevraagd. Ik heb ze verteld dat je bij het circus bent gegaan. Hé, heb je wat te drinken? Ik stik van de hitte.'

Ik kijk haar aan en schud mijn hoofd. Hangen hier ergens verborgen camera's of zo? Is dit de hel? En waarom wist ze niet dat ik hier was? Ik dacht dat zij en Zed zo'n beetje twee handen op één buik waren. Dus niet, waarschijnlijk.

'Ja, loop maar mee.'

In de keuken pak ik voor ons allebei een glas cola. In die van mij schenk ik wat rum, want dat heb ik hard nodig.

'En...' zegt Max met een nonchalance die zo gespeeld is dat het gewoon zielig wordt, 'Zed... Hoe gaat het met hem?'

'Weet ik veel. Wel goed denk ik.'

Ze knikt. Er vormt zich een flauw grijnsje om haar mond. 'Dus de medicijnen werken wel goed.'

'Welke medicijnen?'

'Nou, ik weet zeker dat hij aan de kalmerende middelen of de antidepressiva moet zitten om het zo lang zonder *moi* te kunnen uithouden!'

Dat meisje dat hij vorige week heeft geneukt. Ik weet het niet. Misschien telt zij als antidepressivum. Max drukt haar sigaret uit in de kom waar ik mijn cornflakes in doe en wil er meteen weer een opsteken.

'Jezus, zeg!'

'Wat?'

'Het is gewoon goor hoeveel jij rookt.'

'Oké, oké. Ik zal jouw babyroze longetjes even een korte pauze gunnen.' Ze stopt hem terug in het pakje.

'Die van jou zien er vast uit als een paar ouwe smerige theezakjes. Ben je niet bang dat je doodgaat?'

'Iedereen gaat dood, Eden. Dat is het enige wat we zeker weten. We worden geboren en dan gaan we dood en dat is het. Wat maakt het nou uit of we doodgaan op ons vijftigste of op ons vijfentachtigste?'

'Dat maakt wel uit als je negenenveertig bent,' zeg ik tegen haar, maar ze haalt haar schouders op en steekt een nieuwe sigaret op. Ik denk dat de pauze voorbij is.

De deurbel gaat en haar blauwe ogen worden zo groot als schoteltjes.

'Zed heeft een sleutel,' zeg ik, terwijl ik de keuken uit loop om de mysterieuze gast binnen te laten.

'O.'

Ik doe open. Het is Spanish. Ik glimlach automatisch, en haal voor het eerst weer echt adem sinds ik Max in de huiskamer heb aangetroffen. 'Kijk nou eens,' zeg ik. Hij heeft zijn haar naar achteren gedaan in een grote, zachte afrowolk. Door het achterovergekamde, glanzende haar lijkt hij nog meer op een latino, maar dat zeg ik niet. Anders dan anders zijn zijn kleren niet gescheurd, gerafeld of verschoten.

'Ik heb met mijn moeder en stiefvader ontbeten.'

'Was vast heel gezellig, hè?'

'Nou,' zegt hij somber.

'Maar je bent nu hier. Dus... hallo,' zeg ik.

'Hallo.' Hij imiteert mijn Engelse accent zo slecht dat ik moet lachen en hij kust me op die geestdriftige manier van hem. 'Fuck! Heb je gedronken?'

'En wie hebben we daar?' vraagt Max. Ze staat er in de gang lustig op los te paffen.

'Niet dat het jou wat aangaat, maar... Spanish, dit is Max. Max, Spanish.'

'Hai,' zegt ze.

Spanish gromt en knikt wat. Na een paar seconden begrijpt ze de hint en verdwijnt weer de keuken in.

'Wie is die barbiepop?' vraagt hij zonder te fluisteren.

'Zeds vriendin.'

Hij trekt een wenkbrauw omhoog en lacht cynisch. 'Zijn vriendin?'

Ik haal mijn schouders op.

'Jezus. Als ze nog witter zou zijn, was ze dood! Nou, voor dat jeugdvriendje van jou is het dus het hele jaar kerst.'

Ik lach, en hij begint te zingen: '*Riding through the snow...*'

'Viespeuk,' zeg ik tegen hem.

We lopen de keuken in en Spanish vraagt of ik iets te eten heb.

'Maar je had toch net gegeten?'
'Niks wat echt vult,' zegt hij schouderophalend. 'En bovendien is dat alweer een tijdje geleden.'
Schokkend. Het lijkt erop dat zijn ascetische levensstijl ineens net zo achterhaald is als de bandrecorder.
'Wil je een boterham?'
'Graag. Maar ik weet niet of ik wel wat kan proeven. Het stinkt hier naar asbak,' zegt hij, met een openlijk geringschattende blik op Max, haar sigaret en de kom met as.
Grijnzend drukt ze hem uit.
Terwijl ik een boterham beleg met ham en kaas ruikt hij aan mijn glas. 'Ongelooflijk dat je zo vroeg al zit te drinken!'
'Er zit haast geen rum in,' zeg ik. 'Je hebt wel een erg goede neus.'
Max kijkt ons glimlachend aan. 'Dus dit is je nieuwe kerel?' vraagt ze aan mij.
'Ja,' zegt Spanish.
'Jullie zien er leuk uit samen! Spanish,' zegt ze ineens fanatiek. 'Heb je er weleens over gedacht om model te worden? Je hebt een fantastische beenderstructuur.'
Ik kreun.
'Dus jij bent model?' vraagt Spanish, met een snelle blik op mij.
'Ja,' antwoordt ze trots.
'Ik kan me eerlijk gezegd geen vernederender of zinlozer werk voorstellen.'
'Eh, Max...' kom ik tussenbeide, 'Spanish is muzikant. Hij heeft een rockband.'
'Goh,' reageert ze sarcastisch, en ze schudt haar haren naar achteren. 'Ik had hem helemaal niet ingeschat als het sombere, artistieke type.'
Spanish eet zijn boterham op. Ik staar naar mijn rum en vraag me af of ik over zal komen als een dronken lor als ik een slokje neem. En Max friemelt neurotisch met haar pakje sigaretten.
'Ik wilde ze eigenlijk later nemen, maar...' Hij heeft de boterham binnen de kortste keren weggewerkt en pakt nu een klein

zakje gedroogde paddenstoelen. 'Waarom zou ik nog wachten? Ik kan wel even een kleine pauze van de werkelijkheid gebruiken, na de ochtend die ik achter de rug heb.'

'Is dat nou wel zo'n goed idee?' vraag ik. De afgelopen dagen met hem zijn tripvrij geweest. Ik dacht dat ik voor hem voldoende ontsnappingsmogelijkheid was. 'Volgens mij ben je er niet voor in de juiste stemming.'

'Jee. Het feest is begonnen, hè?' zegt Max. 'En dat zegt tegen mij iets over roken. Ongelooflijk.'

'Ten eerste:' Spanish steekt een wijsvinger op, 'jij valt iedereen om je heen lastig met die gore rooklucht van jou, terwijl het een persoonlijke keus van mij is om dit vlees van God te nemen, en die keus heeft alleen persoonlijke consequenties. Ten tweede: jij rookt omdat je verslaafd bent. Ik neem paddo's omdat ik wil communiceren met de natuur en de werkelijkheid.'

'Mag ik er dan ook wat?'

Hij werpt haar een vuile blik toe. Ik moet denken aan de eerste keer dat ik hem zag, in het park, een romantische kleine hippie met zijn gitaar van wie ik me zo kon voorstellen dat hij insecten redde en met bloemen praatte.

'Ga je ze echt nu nemen?'

'Weet je wat, ik doe het niet als jij nu geen alcohol drinkt.'

'Wat?'

'Eden. Het is nog niet eens twaalf uur,' zegt hij. 'Je hebt het echt niet meer in de hand.'

Hij werpt een beschuldigende blik op Max en mij, alsof wij even erg zijn. Het is oneerlijk. Nog geen tien seconden geleden stonden hij en ik aan dezelfde kant, en nu is hij ineens beter dan Max en ik.

'Verdomme zeg! Het is maar één...' Ik zucht. 'Dus als ik de rum door de gootsteen spoel, laat jij dat "uit je lichaam treden" ook nog even wachten?'

'Ja.'

'Prima.' Ik gooi mijn glas leeg.

'En de fles?'

'Dat is niet eerlijk! Ik heb jou ook niet gevraagd om je paddenstoelen weg te gooien!'

‘Geen probleem.’ Hij gooit het zakje naar Max.

‘Serieus?’ vraagt ze, terwijl ze het zakje voorzichtig vasthoudt.

‘Geniet ervan.’

‘Maar hij is niet eens van mij!’ lieg ik, terwijl ik de fles in de kast zet. ‘Hij is van mijn tante!’

‘Sorry. Te laat. Deze zijn nu wel van mij.’ Max stopt het zakje paddenstoelen in haar tasje.

En dan komt Zed binnen zetten en ik krijg het gevoel dat wij vieren samen weleens een heel slechte combinatie zouden kunnen zijn.

Trick Daddy Mack.

'Wat doe je?' zeg ik zacht in het oor van Spanish. 'Hou op.'

'Ik weet dat je het lekker vindt,' fluistert hij.

'Maar niet hier!'

Spanish en ik zitten op de bank in de woonkamer, Max in de leunstoel, Zed op de grond. Uit de stereo klinkt een of andere nieuwe rapper. Spanish heeft zijn snelle vingers in mijn slipje gestoken en wrijft hard over mijn zachte plekjes, terwijl hij het met Zed over muziek heeft. Slechts een dun katoenen kleed houdt wat voor mij privé is privé.

'Spanish,' zeg ik, terwijl ik gelijkmatig probeer te blijven ademen. Ik sla tegen zijn arm, maar hij doet alsof hij me niet kan horen door de muziek.

'Vind je ook niet dat het tijd wordt,' de stem van Spanish trilt tegen mijn rug en alle gevoelens lopen door elkaar heen, 'om eens op te houden met deze niggershit? Daarom heb ik tegenwoordig ook zo'n fucking hekel aan hiphop. Het is clownsmuziek.' Zijn vingers verhogen hun tempo.

'Daar gaan we weer,' zegt Zed, aan een joint lurkend, 'altijd over iedereen een oordeel hebben. Mensen kunnen alleen maar over hun eigen ervaringen praten. Niet iedereen kan zo'n fucking gebreide muts opzetten en over onderdrukking rappen.'

'Nou lul je echt uit je nek, man,' zegt Spanish achter me, kalm en woedend tegelijk. 'Eigen ervaringen? De meeste van die motherfuckers hebben niks meegemaakt. Als je echt shit hebt meegemaakt, wil je het er helemaal niet over hebben. Het enige wat ze doen, is een stereotype uithangen om platen te kunnen verkopen. En daarbij verknallen ze eventjes een hele generatie.'

'Spanish!' zeg ik zacht.

Hij mompelt in mijn oor. 'We hadden alleen kunnen zijn, maar dat wilde je niet, dus...'

'En waarom zou een rapper trouwens het goede voorbeeld moeten geven?' vraagt Zed. 'Dat is bullshit. Ik word niet vertegenwoordigd door iedere zwarte, net zomin als iedere blanke wordt vertegenwoordigd door Hannibal Lecter of Pee Wee Herman.'

'Je weet best dat het voor ons anders is! Zwarte kunst is belangrijk...'

Zijn vingers doen me echt pijn en ik wil dat hij stopt, maar mijn lichaam verraadt me. En Zed zit daar. Daar. Op nog geen drie meter afstand. Het is gewoon freaky.

'Het is onze grootste ideologische verdediging in een cultuur die uit is op onze vernietiging!' vervolgt Spanish.

Gespannen. Op weg naar de vonken. Spanish ruikt nog steeds naar die aftershave. Zeds stem is mierzoet. Ik hou het niet meer. Ik zie niks meer. Ik hoor niks meer. Ontspannen en aanspannen. Als een veertje neerfladderen.

'Hou op!' zeg ik harder dan ik van plan was, met gesloten ogen. Ik hoor Spanish grinniken, terwijl hij eindelijk doet wat ik wil.

'Alles goed, Eden? Niks aan de hand. Gewoon een kleine discussie,' zegt Zed.

'Ja.' Ik open mijn ogen en mijn stem trilt een beetje. Zeds donkere voorhoofd is bezweet. 'Ja. Alleen... Nou ja, volgens mij hebben jullie allebei gelijk.'

'Wat je wilt, schat,' zegt Spanish. Hij haalt discreet zijn hand onder het kleed vandaan. Klopt op mijn schouder. Daarna buigt hij zich voorover om wat tortillachips te pakken uit de schaal die we samen delen. 'Jij ook wat?'

'Nee.' Ik sta op, onderwijl mijn kleren fatsoenerend. Ik pak de schaal, Spanish grijpt in, hij houdt de schaal tegen de tafel gedrukt en kijkt me dwingend aan.

'Ik wilde nieuwe halen,' zeg ik. 'Deze staan er al tijden. Ze worden zacht.'

'Ze zijn nog prima...'

'Ik neem ze mee!' zeg ik en ik trek aan de schaal. Hij vliegt door de lucht en de chips belanden overal op de grond.

'Sorry,' zegt Spanish, 'laat mij...'

'Ik doe het wel,' zeg ik.

'Eden...'

'Ik doe het!'

Omdat het uiteindelijk raar voor hen wordt om zwijgend toe te kijken terwijl ik de tortillachips van de grond raap, zegt Spanish tegen Zed dat zwarten hun kunst serieuzer zouden moeten nemen, omdat we als volk worden gemarginaliseerd. En Zed zegt dat als iedereen nou eens de verantwoordelijkheid voor zijn eigen gezin op zich nam, we misschien niet iemand als Trick Daddy Mack als voorbeeld hoefden te nemen.

'Ik ben verdomme bloedserieus!' roept Spanish uit. 'Ik ben het zo zat dat niemand de verantwoordelijkheid neemt voor wat er in onze cultuur gebeurt. Wij hebben de macht om de volgende generatie daadwerkelijk te beïnvloeden.'

Zed rolt met zijn ogen en schudt zijn hoofd. 'De verantwoordelijkheid van de ouders, man...'

'Oké,' zegt Spanish, met ineens een sluw lachje. 'Oké, *brother*. Als de hele situatie je toch koud laat, waarom ben je dan weggegaan bij je crew?'

'Spanish, daar gaan we het niet over hebben...'

'Maar het klopt toch? Je had een verdomd goede deal, het ging om duizenden dollars, en jij neemt de benen. Je laat je crew in de steek, je management, je label, en je verdwijnt naar Europa. Dat slaat nergens op, tenzij je in gewetensnood verkeerde.'

'Zed?' vraag ik verbaasd. 'Ik dacht dat je had gezegd dat het niet werkte met je crew en dat je daarom naar Londen was gekomen.'

'Het was omdat je niet met het idee had kunnen leven als je zo'n nepgangster was geworden! Geef nou maar gewoon toe...'

Zed ontwijkt angstvallig mijn blik, zijn bewegingen zijn die van een gekooid dier, gefrustreerd. 'Ik wilde gewoon terug naar mezelf, meer niet, naar het beste in mij. Ik raakte mezelf kwijt.' Zijn ogen vinden me. 'Ik begon te vergeten.'

'Maar waarom,' zegt Spanish, goed op dreef omdat hij weet dat hij gelijk heeft, 'is jouw materiaal nu dan anders? Vorig jaar gingen je rhymes over nigga's met pipa's, rippen, pimpen...'

'Echt niet, man!'

'Jij, je crew... één pot nat! Zelfde track, zelfde plaat! Maar tegenwoordig heb je het alleen nog maar over liefde en het universum en shit.' Spanish lacht wreed. 'Dat zit hier een beetje te beweren dat artiesten geen voorbeeldfunctie hoeven te hebben, maar jij hebt een lucratieve deal met een belangrijk label laten lopen omdat je 's nachts geen oog dichtdeed!'

'Je hebt gelijk. Ik kon het niet,' zegt Zed. Even kijkt hij mij aan en wendt dan zijn blik weer af.

'Zed...' begin ik, maar dan knalt Max eroverheen: 'Ja, nou, ik vind het allemaal lulkoek! Mensen zijn mensen. Als we allemaal wat minder moeilijk zouden doen, dan zou de wereld er een stuk leuker uitzien. Bovendien zijn we allemaal gemengd. En jij vooral, Spanish. Oké, die muziek is soms hartstikke stom, maar iedereen weet best dat zwarte mannen niet de hele dag met gouden kettingen om zitten te praten over geld en vrouwen...'

'Wat weet jij daar verdomme van, Sneeuwwitje?' spuugt Spanish eruit. 'Jij kunt je veroorloven om zo te denken, omdat alles op jou is gericht. Heb jij weleens stad en land moeten aflopen om spullen te vinden die bij jouw haar en jouw huid passen? Of tijdschriften die jou vertegenwoordigen? Zolang dat niet zo is, zul je het nooit snappen!'

Zed staart naar de grond. Ik kan zien dat hij niet meer luistert.

'Kom op! We leven niet meer in de vorige eeuw, Spanish! Je kunt alles krijgen wat je maar wilt. Eden, zeg eens tegen die onnozele vriend van je dat we in de eenentwintigste eeuw leven!'

'Dus ik ben onnozel?' Spanish staat op. 'Ik ben fucking onnozel? Jij bent een van die dove, blinde en stomme blanken die dat maar al te graag willen denken, alleen maar om geen schuldgevoel te hoeven hebben!'

Ik pak zijn arm beet. 'Hou je mond, Max,' zeg ik, want ik heb ineens genoeg van haar stomme rotkop. Ze heeft alles verpest door hiernaartoe te komen. 'Je weet gewoon niet waar je het over hebt! Dus bemoei je er niet mee.'

'Hoezo? Alleen maar omdat ik blank ben?'

'Nee, omdat je een achterlijke idioot bent, daarom!'

'Wat? Ben je soms jaloers of zo?'

'Val dood.'

'Weet je wat jouw probleem is?' zegt ze. 'Je bent fucking nep! Je zit hier een beetje met hem,' ze wijst met haar kin naar Spanish, 'terwijl je...'

'Oké, oké, oké,' zegt Zed, 'het wordt hier veel te hyper, man. Chillen allemaal!'

'Er bestaan van iedereen stereotypen!' zegt Max met rode wangen en glinsterende ogen. 'Iedereen wordt beoordeeld. De mensen denken dat ik dom ben omdat ik blond en mager ben en vrouwen haten me. Ze haten me al voordat ik ook maar een woord heb gezegd. Ze gaan ervan uit dat ik een *golddigger* ben of verwaand of wat dan ook en ze luisteren niet eens naar wat ik zeg...'

'Man, dit is echt niet goed voor mijn high,' zegt Zed. 'Max, relax alsjeblieft.'

'Niet te geloven gewoon,' zeg ik tegen haar, 'dat je de problemen van een heel ras probeert gelijk te stellen aan jouw armetierige probleempjes! Doe me een lol, zeg! Al die shit zal jou nooit belemmeren om –'

'Hé! Denk niet dat je kunt oordelen over mijn problemen, bitch! Je hebt verdomme geen idee! Al die fucking boekers roepen allemaal: je bent te doorsnee! Te mainstream, niet exotisch genoeg! Te fucking dik! Ik! Dik?'

'Hou je mond, Max!' zeg ik. 'Niemand wil het horen, oké? Hou die fucking mond van je. Het is verdomd arrogant van je om te vinden dat iedereen maar op je moet vallen of je aardig moet vinden! Dat is precies wat ik bedoelde, want –'

En dan springen we allebei in de lucht en happen geschrokken naar adem, want Zed heeft een halve karaf ijskoud water over ons heen gegooid.

'Lul!' schreeuwt Max, terwijl ze over haar gezicht veegt.

Ik begin te lachen en kan niet meer ophouden, al mijn emoties komen er giechelend en snuffend uit. Het water loopt over mijn gezicht. Mijn haar is naar de filistijnen.

Zed begint ook te lachen. 'Sorry,' zegt hij.

'Eden,' zegt Spanish. 'Laten we maken dat we hier wegkomen, man.'

'Maar je gaat toch nog wel met ons mee naar J'Ouvert?' vraagt Zed aan me. 'Je hebt het er de hele zomer al over.'

'Ja, tuurlijk,' zeg ik, ondanks de hoorbare afkeuring van Spanish.

'Man, fuck die joevee of hoe het ook heet! Kom.'

vrijheid.

'Wat bezielt je in vredesnaam?' vraag ik aan Spanish. Ik kan hem nauwelijks bijbenen. Ik heb hem nog nooit zo snel zien lopen.

'Niks. Ik heb net twee of drie uur in een warm huis zonder airco gezeten in het gezelschap van twee hufters. Maar verder niks aan de hand.'

'Ik dacht dat jij het nooit warm had?'

Hij blijft staan. 'Heb jij me de laatste tijd nog zien vasten?'

Ik zeg niks. Hij draait zich weer om en loopt naar het busje.

'Waar gaan we naartoe?'

'Shit! Weet ik veel! Gewoon ergens koffiedrinken of naar de bioscoop of wat het dan ook is dat mensen tussen het neuken door doen om de tijd door te komen.'

'Je bent gek,' zeg ik berustend. Ik kan nu toch niet meer terug. Dat wil ik niet. Ik zou geen lucht krijgen. Hij pakt mijn hand en laat hem dan weer los. Slaat zijn arm om mijn schouder, mijn nek.

'Ja, gek op jou,' zegt hij.

En hier, buiten, maakt Brooklyn zich op voor een feest, ze zingt naakt voor de spiegel, glinsterend, terwijl ze haar haren borstelt. Je voelt het gewoon. Alle radio's zingen het uit: soca, calypso, zouk, cadasse, reggae, bashment. Je voelt dat het carnaval eraan komt, je voelt het in je heupen. *J'Ouvert. Dimanche gras.* Vette zondag, de avond voor de Labor Day Parade. Op straat zijn meer mensen dan normaal, ze staan of zitten in groepjes bij elkaar en doen alle dingen die stadsbewoners doen. Kopen en verkopen, moppen vertellen, leugens vertellen, lijden, overleven. Morgen is de zomer voorbij. Vannacht zullen ze niet slapen.

Spanish en ik stappen in zijn bestelbusje en rijden naar Fort Greene, een bistro aan DeKalb Avenue. We fronsen en zuchten tegen elkaar en houden elkaars handen vast. We bestellen dure burgers met pommes frites in plaats van patat.

Hij staart me aan terwijl we op ons eten wachten. 'Je bent zo ontzettend mooi,' zegt hij.

Ik glimlach. Wie kan daar nou kwaad om worden? 'Dank je.'

'De hele schepping is vanavond mooi,' verzucht hij. 'Vooral nu ik weg ben van die twee ouwe zeikerds in Flatbush.'

Ik schud lachend mijn hoofd en probeer niet te denken aan Zed en wat ik net heb gehoord over dat drama met zijn platendeal. Ik snap niks van hem.

'Weet je, ik begin geloof ik te begrijpen waarom je paddo's gebruikt,' zeg ik tegen Spanish. 'Je probeert de wereld open te breken, hè?'

'Ja. Ja, zoiets.'

'De wereld lijkt zo klein tegenwoordig. En dan krijg je zoiets van: er moet toch meer zijn. Je voelt het wel, maar je kunt het niet zien, omdat we in een wereld leven waar we zogenaamd alles kunnen verklaren, maar in werkelijkheid kunnen we helemaal niks verklaren. Niet echt. Je moet de wereld een beetje open proberen te breken, anders is het leven niet meer dan een hele reeks tv-reclames en de ene stomme zinloze relatie na de andere en werk dat je alleen maar voor het geld doet.'

'Het grote "waarom", hè?' Hij grinnikt. 'Nou, het mag dan moeilijk zijn om mens te zijn, punt, maar op dit moment is het veel moeilijker om een zwart mens te zijn, omdat we zijn gaan geloven in veel van de hokjes waarin iedereen ons wil stoppen.'

'Hokjes in de vorm van tv's en doodskisten,' zeg ik, terwijl de ober naar buiten komt met een beefburger voor Spanish en een zalmburger voor mij.

Hij lacht en neemt een hapje. 'Precies! Mmm... dit is lekker. Jezus, mens, je hebt me niet alleen aan de kleurstoffen gekregen, maar ook nog aan het vlees! Niet te geloven.' Hij werpt me een blik toe die half liefdevol en half beschuldigend is. Ik besef dat het met hem altijd zo zal blijven. Hij is dankbaar en boos, alsof ik zijn benen heb gebroken en daarna een rolstoel voor hem heb gekocht.

'Ik heb je helemaal niks opgedrongen!' zeg ik, terwijl ik ketchup van mijn vingers veeg. 'Je bent een volwassen man.'

Hij kijkt dwars door me heen en lijkt mijn irritatie op te merken. 'Je hebt gelijk,' zegt hij. 'Je hebt helemaal gelijk.' Dan ineens: 'Eden... het spijt me echt van laatst met mijn moeder. Het moet heel ongemakkelijk voor je zijn geweest.'

'Nee, echt niet, maak je daar maar niet druk over.'

'Ik snap het gewoon niet.' Hij schudt zijn hoofd. 'Die mensen zijn zogenaamd mijn familie! Maar ik heb helemaal niks met ze! Snap je wat ik bedoel? We hebben niks met elkaar. En ik ben toch niet de enige halfbloed op de wereld?' Een flauw lachje. 'Verdomme, zo ongewoon is het toch niet? Misschien komt het doordat die lui gewoon echt niet sporen.'

'Maar je moeder is dol op je, dat is wel duidelijk, Spanish. Ze komt bij je op bezoek! Ze houdt een plakboek bij. Om maar te zwijgen van het feit dat ze het appartement voor je heeft gekocht... Wat mij betreft is dat eerder het tegendeel van niet sporen.'

'Het is het hele huis, om je de waarheid te zeggen. De jongen beneden is mijn huurder.'

Ik trek mijn wenkbrauwen op.

'Maar het stelt niks voor. Ze is tegenwoordig getrouwd met zo'n dure advocaat en geld is geen probleem voor ze. Dat ouwe huis in Bed-Stuy kopen is voor hem zoiets als vijf dollar uitgeven. Zo hoeven ze zich niet schuldig te voelen én hebben ze een goede investering gedaan.' Hij is even stil. 'Weet je hoe lang het geleden is dat ik mijn echte vader heb gesproken?'

Ik wacht.

'Zeven jaar.'

'Jezus.'

'En toen heb ik hem ook nog zelf moeten opsporen. Hij heeft nog nooit aan één verjaardag van me gedacht. Hij is niet bij mijn diploma-uitreiking van de middelbare school geweest en ook niet bij mijn afstuderen. Ik heb haar maar één keer zover gekregen dat ze me het hele verhaal vertelde, over hoe ze elkaar op de middelbare school hadden leren kennen en dat hij haar steeds mee uit vroeg tot ze uiteindelijk ja zei, en toen maakte hij haar zwanger, toen ze in het examenjaar zaten. Eigenlijk heel maf zoals ze dat zegt. Hij maakte haar zwanger. Alsof ze er zelf niet bij was,' zegt hij lachend. 'Het oudste verhaal ter wereld. Haar familie heeft haar verstoten omdat ze een zwart kindje in haar buik had, en blijkbaar wilde de familie van mijn vader haar ook niet echt accepteren. Dus het was moeilijk voor ze. Mijn vader begon te dealen, en werd opgepakt toen ik twee was. Hij heeft drie jaar gezeten.'

'Echt?'

'Toen hij vrijkwam, wilde hij niks meer met ons te maken hebben.'

Ik schraap mijn keel. 'Waarom niet?'

'Omdat hij in de gevangenis was gaan studeren en zich had aangesloten bij de Nation of Islam. Hij zei tegen mijn moeder dat hij nu wist dat ze een vergissing was, een product van zijn onwetendheid. O ja, af en toe stuurde hij wel geld toen ik klein was, maar hij liet zich niet zien.

Hij is inmiddels hertrouwd met een zwarte vrouw en heeft vier kinderen – mijn broertjes en zusjes die ik nog nooit heb gezien. Fucking ironisch, hè? Ik durf te wedden dat ik het meest pro-zwarten kind ben dat die klootzak ooit heeft gekregen. Ik kan me mijn ouders niet eens samen herinneren. Het is net alsof ze me alleen maar hebben gemaakt en toen weer bij hun positieven zijn gekomen.'

'Spanish,' zeg ik. 'Bij hun positieven gekomen? Waarom zeg je dat? Soms werkt het gewoon niet. Dat wil nog niet zeggen dat jij een foutje bent. Hoe kun je dat nou denken en zeggen? Zelfs al hebben zij je niet gepland, iemand heeft dat wél gedaan. Misschien heb je jezelf wel gepland.'

Wanneer ik me eindelijk naar hem toebuig, raken mijn vingertoppen zijn krullen maar net en hij slaakt een diepe zucht, en opnieuw heb ik het gevoel dat hij vaste grond nodig heeft, iemand die hem vasthoudt... en ik wil tegen hem zeggen dat ik het grootste deel van de tijd mezelf ternauwernood overeind kan houden. We zitten nog een tijdje tevreden zwijgend te eten en naar de voorbijgangers te kijken.

Maar dan slaat zijn houding ineens volledig om. Wanneer ik zijn blik volg, zie ik dat hij naar een groepje jonge mannen dat bij de deur staat zit te kijken. 'Ze is mooi, hè?' zegt hij met karikaturale directheid tegen hen. De stemming is meteen bedorven. Zijn wenkbrauwen liggen laag, zijn kaken zijn gespannen.

'Spanish!' Alle lucht verlaat mijn lichaam.

'Pardon?' vraagt een man met slap blond haar. Zijn vrienden kijken elkaar verward en aangeschoten grijnzend aan. 'Had je het tegen mij?'

'Bevalt het je wat je ziet, witteman? Ik vroeg je fucking wat.'

'Ik weet niet waar je het over hebt, man.'

'Of het je bevalt,' Spanish articuleert zorgvuldig, 'wat je ziet. Dacht je soms dat ik niet merkte dat je naar mijn vriendin stond te staren?'

'Spanish,' sis ik. 'Alsjeblieft...'

'Wind je niet zo op, vriend,' zegt een andere man in een poloshirt en met een petje op.

Spanish staat op en schudt mijn hand van zijn arm. 'Ik wind me niet op. Als ik me ga opwinden, ben jij de eerste die dat fucking zal merken. Ik wil je alleen maar even laten weten dat ik je doorheb.'

'Kom,' zegt iemand anders uit het groepje, 'laat hem toch. We gaan. Er zijn hier toch geen tafeltjes vrij.'

'Zo is dat,' zegt Spanish, terwijl hij ze allemaal kwaad aankijkt alsof hij ze stuk voor stuk kan hebben. 'Rot maar op.'

Ik kijk naar mijn handen wanneer ze achter elkaar aan langs ons tafeltje lopen, te gegeneerd om op te kijken. Dat durf ik pas weer als ze een paar meter verder zijn gelopen. Ik hoor ze vaag ruziën. Een heethoofd uit het groepje vindt dat ze Spanish te grazen hadden moeten nemen.

'Spanish! Waar sloeg dat verdomme op? Niet te geloven...'

'Ze hadden geen fucking respect, man! Ik haat het wat er tegenwoordig met Fort Greene gebeurt. Een stelletje lelieblanke yuppies komt in de buurt wonen en denkt meteen dat ze er de baas zijn! Een beetje maf naar zwarten gaan staan kijken...'

'Ik heb helemaal niet gezien dat ze naar me keken! En wat dan nog? Ik ben toch met jou? We zitten samen te eten en dan word je kwaad omdat er iemand naar me kijkt? Waarom doe je dat? Misschien kun je beter inderdaad geen kleurstoffen en zo meer eten.'

'En misschien kun jij dat jurkje beter niet meer aantrekken.'

'Eerst zei je dat je het mooi vond.'

'Ja, nou, dat was wat anders.'

Ik leg mijn mes en vork neer. 'Ik ga terug naar het huis van mijn tante om me klaar te maken voor J'Ouvert.'

Spanish schudt zijn hoofd, en aan zijn kaken zie ik dat hij nog wat wil zeggen.

'Ik ga terug,' zeg ik tegen hem. 'En je kunt me met de auto brengen, of je kunt hier bij de yuppies blijven. Aan jou de keus.'

boem.

Ik herinner me een gesprek dat ik met Dominic had, op een klamme avond toen hij naar het huis van mijn tante kwam, op zoek naar mijn moeder. We hadden een behoorlijk goede band gekregen in de weken sinds ik in New York was. Dominic had Zed en mij een paar keer op een lunch getrakteerd, hij had voor ons gelogen toen we een avondje naar een club waren en, dat was nog het allermooiste, hij had Zed aan een baantje in een opnamestudio geholpen. Hij was onze favoriete volwassene, en de enige die echt wist hoeveel ik van Zed hield. Ik was nog nooit iemand zoals hij tegengekomen.

Op die bewuste avond was Zed met een paar vrienden naar Harlem en ik zat me te vervelen. Ik slenterde weg van de tv en ging naar buiten, waar hij in de achtertuin een nogal verhit telefoongesprek met mijn moeder aan het beëindigen was. Hij hing op en staarde naar zijn mobieltje alsof hij het kapot wilde gooien, maar toen stopte hij het in zijn zak.

De zon kleurde langzaam oranje en ik keek naar hem, getroffen door zijn profiel. Dat mijn moeder zo'n man had, veranderde haar op de een of andere manier. Het maakte haar zelfs nog minder moederlijk. Hij was als de Don Juan uit films, een hoofdrolspeler, niet de vaderfiguur die mijn eigen vader was.

'Liefde is iets raars,' zei hij.

Ik wilde hem niet meteen onderbreken, want ik had het gevoel dat hij het niet eens tegen mij had. Maar na een tijdje draaide hij zich om en glimlachte naar me, alsof hij al mijn door hormonen gestuurde gedachten over Zed had gehoord en begrepen. Hij had een begripvol gezicht. Ik glimlachte terug zonder iets te zeggen. Ik wist niets over liefde, behalve dan dat ik iemand liefhad.

'Liefde kan je gek maken als je er niet op de juiste manier mee omgaat, wist je dat, Eden?' zei hij. 'Je zou,' hij kneep zijn ogen samen tegen de zon, 'het moment dat je gelukkig maakt het liefst willen bevriezen, maar dat gaat niet. Je kunt het niet bezitten, want dat gevoel is een mens. En je kunt een mens niet bezitten, hè?'

Het klonk als een echte vraag. 'Nee?' vroeg ik.

'Nee,' beaamde hij. 'Maar hoe voorkom je dat ze bij je weglopen of dat je ze opsluit in een kamer om ze voor altijd bij je te houden? Hoe kun je met al die onzekerheid leven? Het is net alsof je hart benen heeft gekregen, uit je lichaam klautert en er in zijn eentje vandoor gaat. Zo de drukke straat op!'

Hij maakte met twee vingers een loopgebaar op zijn knie en ik lachte, want hij zei het allemaal op heel luchtige toon. En omdat ik een erg door zichzelf geobsedeerde puber was, dacht ik alleen maar aan Zed en mij, en aan hoe, ja...

'Dat is precies hoe het voelt,' zei ik.

'Het is gewoon gevaarlijk,' zei hij. 'Op een dag móét het wel gebeuren...'

'Wat?'

'BOEM!' antwoordde hij.

melasse.

Het is een bandeloze nacht.

Op straat klonteren we samen als bloed in een korst, alle onenigheden opgeschort. De onderwereld heeft Flatbush Avenue overstroomd; een stads vagevuur bevolkt door calypso-zombies en duivels. Aan één kant houd ik Zeds hand vast, aan de andere die van Spanish. De ene is een zachte, strelende aanraking, de andere strak en stevig. Max en Spanish hebben allebei één hand vrij. Er zijn hier geen ruzies meer. En zelfs als we ruzie zouden maken dan zouden we onszelf toch niet kunnen horen boven het geluid van de trommels en de steeldrum en het geschreeuw van de feestvierders uit. De muziek overweldigt onze gedachten, de nacht steekt ons aan. We worden omringd door een optocht van zombies, allemaal bedekt met lagen gekleurde modder en meel, net als wij. Allemaal grijs. Allemaal een beetje als De Vrouw in het fotolijstje. De mannen dragen wijde kleren en verbergen hun gezichten achter oude lappen, hun ogen glanzend in het licht van de straatlantaarns. De vrouwen dragen erg weinig, ongeacht lichaamsbouw of leeftijd, ze hebben zich geperst in afgeknipte broeken en bh's en tanktopjes in legerprint of in de kleuren van hun eigen Caribische vlag. Ze wiebelen en schudden met hun vlees; met hun zwangerschapsstrepen, zwembandjes, cellulitis en de hele rataplan. Ze verontschuldigen zich nergens voor. Ze zwaaien hun lichamen naar beneden in bewegingen die het soort seks simuleren waarvan een volwassen man tranen in de ogen zou kunnen krijgen, met heupen waar baby's als champagnekurken uit zouden kunnen ploppen.

We houden elkaar stevig vast, want als we elkaar loslaten is niet gezegd dat we elkaar nog zullen herkennen. Er hangt een gevoel dat als je verdwaalt, je voor altijd verdwaald zult blijven.

We dansen, we lachen. We drinken, allemaal, uit dezelfde fles mineraalwater. Ik begin ook mee te lopen op het ritme, laat mijn heupen zwaaien op de muziek, overweldigd door alle geluiden en alle stemmen. Ik schreeuw de woorden mee van de liedjes die ik ken.

J'Ouvert. Dageraad. De jongste loot van de *canboulay* waarmee de voormalige slaven het einde van hun lijfeigenschap vierden met spotternij, bacchanalen en verkleedpartijen. Donkere, razende stromen die zich voor zonsopgang samenvoegen, zwelgend in hun vrijheid. Maar de zon laat zich nog niet zien. Een halfnaakte man duikt op in de woeste menigte, helemaal ingesmeerd met teer, met erg overtuigende hoorntjes op zijn hoofd en een hooivork in zijn hand. Hij danst onbeheerst terwijl vrouwen verkleed als rode duiveltjes hem met kettingen proberen te bedwingen. *Jab molassie*. Een melasseduivel, zo volmaakt uitgevoerd dat hij net zo goed de echte duivel zou kunnen zijn die doet alsof hij een mens is die doet alsof hij de duivel is. Ik raak helemaal in vervoering en giechel en gil en klamp me vast aan Spanish en Zed.

'Dit is echt fantastisch!' gil ik, maar ik kan mijn eigen stem nauwelijks horen. Harde, snelle soca komt uit de luidsprekers.

'Vooruit! Schudden met die kont!' zegt Zed in mijn oor. Hij lacht breeduit, terwijl hij als een echte eilandbewoner in het verhitte gedrang danst. Besmeurd met groene verf en meel, een grijnzende *jab jab*. 'Kun je echt niet beter dan dat? Je hebt slangenolie nodig, meisje!' En dan liggen zijn handen op mijn heupen en staat hij vlak achter me, ademt me in mijn nek, draait met zijn heupen, duwt tegen me aan, ruikend zoals hij ruikt. Mijn hand glijdt uit die van Spanish en ik wervel in het rond. Alles mag. Alles is hier toegestaan.

Ik kijk naar Max die haar striptease loslaat op Spanish, met haar magere kleine kontje tegen hem aan. Hij schept wat modder uit een passerende emmer en gooit het in haar haren.

'Lul!' schreeuwt ze.

Zeds handen glijden over mijn middel, mijn heupen, mijn ribben. Ik probeer mee te zingen met het lied, maar er komt geen geluid uit. Zo gaat het altijd wanneer hij me aanraakt. Ik voel zijn stijve door zijn broek heen.

'Mag ik je houden?' zegt hij in mijn oor, en mijn hart galmt en slaat over als een vermoeide motor. Mijn lichaam is een en al tinteling. Tussen mijn dijen zingt het. Ik wil me net naar hem omdraaien wanneer de eerste bui losbarst. Een paar grote regendruppels spatten uiteen op onze verhitte gezichten. Het zouden ook tranen kunnen zijn op zijn wangen. Een zachte sluier van motregen besprenkelt de menigte. Een paar straaltjes lopen over getatoeëerde bovenarmen, tussen push-upboezems, komen tot stilstand in ons haar. Natte lijven drukken tegen elkaar aan.

En dan, in één enkele siddering, leegt de hemel zich over ons.

Spanish pakt mijn hand stevig beet en we vloeken en proberen uit het gedrang te ontsnappen, maar omdat iedereen rent, gebeurt er niks. Binnen de kortste keren zijn we doorweekt tot op onze botten en zijn al het meel, de make-up en de verf en het zweet erafgespoeld. De deinende menigtes raken in elkaar verstrikt. Lichtflitsen schieten door de dageraadrijpe hemel en de paniek wordt almaar groter. Misschien dat het niet vaak voorkomt dat er iemand wordt getroffen door de bliksem, maar het is een mogelijkheid en dat is voor de meesten genoeg.

'Kom!' zegt Zed, terwijl hij een trottoir probeert te bereiken waar de mensen zich met succes lijken voort te bewegen. Zijn glibberige vingers verstrengelen zich met de mijne.

'Hierheen!' spreekt Spanish hem tegen, terwijl hij een andere kant uit loopt. De menigtes kolken tussen ons door en voeren mij weer een andere kant uit.

'Zed!' roep ik, maar mijn stem wordt opgeslokt door al het lawaai.

'Waar is hij?' gilt Max in mijn oor, en het dringt tot me door dat het ons wel is gelukt elkaar vast te houden. Al snel weten we niet eens meer waar we zijn, en Spanish en Zed zijn allebei verdwenen.

Uiteindelijk, na een paar luidruchtige minuten van neerkletterende regen en rennende mensen die naar elkaar schreeuwen, belanden we rillend op een stoep. Aan niks valt nog te zien dat het feest was. Eerder een rel. De straten hebben hun scherpte terug, de muziek is verflauwd en het regent nog steeds.

Max en ik gaan op zoek naar de jongens, tussen de dalende temperaturen en de ex-feestvierders die nu alleen nog maar vreemden lijken. Enge vreemden.

In een afgedwaalde menigte aan de overkant van de straat breekt een gevecht uit, de ene groep mannen tegen de andere. Ver weg, maar niet ver genoeg om ons gerust te stellen, horen we luid PANG, PANG, PANG.

'Kut,' zeg ik. Ik pak haar hand en begin te rennen.

'Waar gaan we naartoe?' roept Max hijgend, met haar haren en de regen in haar gezicht.

'Naar huis.'

'Ben je helemaal gek geworden?'

'Het is nog gekker...' zeg ik, naar adem happend, 'om hier te blijven!'

'Eden! Wacht...'

'Wie er het eerst is!'

We hollen door de slecht verlichte straten, zo snel als we kunnen, vermoeide, doorweekte mensen ontwijkend. Als je hardloopt, heb je het gevoel dat je weinig kan gebeuren. En we zijn de kou ook te snel af. Groepjes mannen die op weg zijn naar huis of naar hun auto juichen wanneer ze ons als idioten zien rennen, maar zij zijn deels de reden dat we rennen, dus we negeren hen. We stoppen pas wanneer ik pijn op mijn borst en zere voeten krijg. Ik kan geen stap meer verzetten. Max vliegt langs me heen, geniet ongeveer drie passen van haar overwinning en komt dan terug.

'O mijn god!' zegt ze hijgend. Haar wangen zijn bijna fluorescerend roze. 'Jij bent echt knettergek! Ik was... ik was bijna dood, man!'

'Ik ben geloof ik echt dood!' zeg ik schor. 'Is dit de hel?'

We kijken naar elkaars verwoeste gezichten en gillen het uit van het lachen, met onze handen op onze knieën, terwijl we op adem proberen te komen.

'Hé,' zegt Max, wanneer ze weer kan praten, 'zullen we daar even naar binnen gaan? Om een beetje op te warmen voordat we verder gaan? Ik ben bang dat ik een hartaanval krijg als ik niet even ga zitten!'

We staan in het licht van een etalage van wat eruitziet als een Caribisch afhaaltentje.

'Heb je ping ping?' vraag ik à la Juliet.

'Wat?'

'Poen, dinero...'

'O. Oké. Ja, kom.'

Binnen heeft de zaak een tropisch tintje, met een houten, turquoise geschilderde bar en muren vol zeegezichten en verschoten kalenders die reclame maken voor Bounty Rum. Het is er een stuk warmer dan buiten; het voelt er alsof het nog steeds zomer is. Een kleine bruine man met sproetjes en roestkleurig haar begroet ons wanneer we binnenkomen.

'Goedemorgen, dames,' zegt hij.

'Hallo...' Maar dan zeg ik niks meer tegen hem, want: 'O mijn god! Tante K!'

wat te doen.

'Wanneer ben jij teruggekomen?' vraag ik. Ik schreeuw van verbazing. Hoe is het in vredesnaam mogelijk dat ik haar hier aantref, om halfvijf 's ochtends, in zomaar een West-Indisch afhaaltentje, kauwend op een Jamaicaans pasteitje. Ik weet gewoon niet wat ik moet voelen. 'Wat doe jij hier?'

Tante K. glimlacht en stopt met eten. 'Ha,' zegt ze lachend, 'je dacht toch niet dat ik te oud was voor J'Ouvert?' Ze lijkt nergens te oud voor, behalve misschien voor dwaasheid. Haar lange kleurige jurk is om haar middel ingesnoerd met een koperkleurige riem. Koperkleurige sandalen piepen onder de zoom uit. Haar huid is glad en glanzend, nagloeiend van de zon; haar dreadlocks hangen los tot halverwege haar rug, met paarse extensions erin.

'Natuurlijk niet,' antwoord ik rillend. 'Ik ben alleen verbaasd je te zien. Je had helemaal niet verteld dat je terug zou komen... Goh. Eh. Hoe dan ook, tante K., dit is Max.'

Max kijkt stomverbaasd. 'Maxine,' zegt ze ten overvloede.

'Dag Maxine,' zegt tante K. glimlachend. 'Jullie zien eruit alsof jullie een paar burgeroorlogen achter de rug hebben.'

'Het was best leuk,' zeg ik.

'Het was fantastisch totdat het onweer het verpestte!' roept Max uit. 'We zijn Zed en Spanish kwijtgeraakt. Ik snap er niks van. Het zou vandaag toch droog zijn?'

Tante K. haalt haar neus op. 'Die weerlui weten helemaal niks! Ze willen alleen dat je denkt dat zij het weten, wat ze bijna net zoveel macht geeft.' Ze veegt de kruimels van haar handen en neemt een slokje van haar drankje. 'Maak je maar geen zorgen over de jongens. Die redden zich wel. Neem lekker een kop gemberthee, dan kunnen jullie daarna met me mee naar huis rijden. Afgesproken?'

We bedanken haar en gaan zitten.

'Russell!' zegt ze tegen de man achter de toonbank. 'Twee gemberthee met citroen graag en twee plakjes carrotcake.' Daarna wendt ze zich tot ons en vervolgt: 'Ik geef vanavond een feest, dus nodig jullie vrienden ook maar uit.'

'Echt?' vraag ik, hoewel ik zwaar uitgefeest ben.

'Ja, echt. Nodig iedereen maar uit.'

Ik draai me om om uit het raam te kijken. Aan de overkant van de straat staat Zed bezorgd de ene kant uit te kijken en Spanish de andere.

'We zijn hier, stomkoppen!' krijst Maxine, terwijl ze de zaak uit rent. Ik volg haar met mijn blik totdat haar optreden geluidloos wordt achter het glas; ze gooit een paar keer haar handen in de lucht en zet ze dan in haar zij. Ik wacht. Ik weet nog steeds niet hoe ik me moet gedragen. Wat voor gezicht ik moet trekken. Even later heeft ze hen al de zaak in gesleept.

'Hoe konden jullie ons zomaar in de steek laten!' zegt ze, terwijl ze binnenkomen. 'We waren hartstikke bang.'

Spanish doet een tot mislukken gedoemde poging om zijn modderige, verkreukelde kleren en uitgezakte kroeskop te fatsoeneren. 'Houdt die vrouw van jou nou nooit eens haar bek?' vraagt hij, terwijl hij recht op mij afkomt.

'Ja, hou eindelijk eens je mond, vrouw,' zegt Zed boos. 'Ik heb jullie overal gezocht.' Maar wanneer hij 'jullie' zegt, kijkt hij mij aan. *Mag ik je houden?*

'Zed,' zegt tante K.

Hij schrikt zich rot. 'O god! Tante K! Shit! Ik bedoel, dat heb ik niet gezegd! Fuck!' Hij geeft het op en begint te lachen.

Tante K. glimlacht. 'Dus het is jullie gelukt om terug te keren naar de beschaafde wereld.'

'Ja. Gelukkig wel. Je ziet er goed uit, tante K. Leuk, dat haar!'

'Dank je. Ja, die meisjes op Saint Lucia weten wat dreadlocks zijn!'

'Goede reis gehad?'

'Heel goed,' zegt ze. 'Het was de juiste plek op het juiste moment. Maar,' ze klakt met haar tong, 'waarom heb je niet beter op deze meisjes hier gepast, Zed? Ze kwamen hier binnen rennen alsof de duivel hen op de hielen zat!'

'Het was een gekkenhuis...'

'Omstandigheden maken de mens niet! Ze openbaren hem alleen maar aan zichzelf. *As A Man Thinketh*, van James Allen,' zegt ze boos. 'Lees dat boek! Maar goed, laten we naar huis gaan. We moeten nog een feest voorbereiden.'

geen geluid.

Met Zed in de metro van Harlem naar Brooklyn tintelde ik nog steeds, ik tintelde en had pijn, en was trots omdat mijn eerste keer prachtig was geweest en ik verliefd was.

Tien jaar geleden, bijna op de dag af. We liepen hand in hand naar het huis van tante K. Mijn moeder en Dominic zouden mij, Zed, oom Paul en tante K. die avond trakteren op een etentje in een restaurant in de buurt. We waren bijna een uur te laat en zo vrolijk dat we geen enkel berouw voelden.

'Eden, meisje van me. Alles goed?'

Zed sloeg zijn arm om me heen. Ik keek hem aan en glimlachte, maar ineens kreeg ik een raar gevoel. Ik dacht dat ik gewoon zenuwachtig was na wat er was gebeurd, of omdat we te laat waren, of omdat we vast op onze kop zouden krijgen. Maar misschien voelde ik dat er iets naars in de lucht hing, net zoals dieren vlak voor een storm.

'Kom op,' zei hij, met dat schattige, scheve lachje van hem, terwijl hij me speels een duwtje gaf. 'Niks aan de hand. We zeggen gewoon dat we, eh, de tijd waren vergeten. Dat we videospelletjes zaten te doen of zo.'

Ik gaf hem een duwtje terug en glimlachte ook, maar mijn gezicht voelde onverklaarbaar strak. Zed ging als eerste naar binnen, met mijn sleutel. Ik vond het mooi zo sterk als hij was, helemaal niet schaapachtig.

'Hallo?' riep hij naar boven. Er kwam geen reactie, dus gingen we op de bank zitten. Na even zwijgend te hebben gegrijnsd, zei hij: ‘O o, hopelijk betekent dit niet dat ze ons aan het zoeken zijn.’

Ineens zag ik mijn moeders lievelingsschoenen, tere goudkleurige sandaaltjes, gekapseisd op het vloerkleed liggen. Was ze er dan toch?

‘Zed...’ Ik wees. Keek hem verbaasd aan. Het antwoordapparaat knipperde en ik luisterde het bericht stiekem af, in de hoop dat het niet over ons ging. Het was tante K, die belde om te zeggen dat ze moest overwerken en niet mee uit eten kon.

Toen ik de telefoon weer neerlegde, zag ik iets onder de bank uit steken, tussen Zeds witte Air Jordans in. Hij volgde mijn blik en keek ook naar de grond. Zijn gezicht hield het midden tussen vrolijkheid en afkeer. Hij nam het stukje stof in zijn vingers, een zwarte kanten string, en liet het toen vallen alsof het een gigantisch insect was. Pas toen zag ik de halflege glazen op de salontafel en mijn moeders tas in een hoek, uitpuilend van die eeuwige troep van haar. O, dacht ik, blozend, maar ook een beetje triomfantelijk, omdat ik nu ook lid was van de club. Dus Dominic is er ook.

Ik stond op. Zed had een vreemde blik in zijn ogen. Ik wist niet goed wat ik moest doen. ‘Mam?’ riep ik. Niets. Er was iets heel erg mis. Oké, het was allemaal erg *o la la*, maar de kamer voelde koud aan. Niet alsof er net nog mensen hadden gezeten, elkaar opvrijend, verlangend naar elkaar. Die tas had er wel eeuwen kunnen liggen.

‘Mama?’

Ze hadden de voordeur moeten horen, want Zed sloeg hem altijd met een klap dicht. En dan zouden ze wel iets gedaan hebben om de schade te beperken. Mijn moeder zou zich naar beneden hebben gehaast, met een glimlach, alsof we allemaal een geheimpje deelden. Ze zou hebben gedaan alsof er niets aan de hand was, maar het zou een spel zijn. Ik kende die blik van haar, die ironische glans in haar ogen, die zei: wat kan ik eraan doen? Ik kan er toch niks aan doen dat ik zo verdomde sexy ben?

Maar er was geen geluid, geen geamuseerd huppeltje op de trap. Niets. Er flitsten een paar scenario’s door mijn hoofd. Ik wist dat mijn moeder behoorlijk impulsief kon zijn, misschien was ze met Dominic ergens heen gegaan in zijn auto. Of misschien was er iets gebeurd en hadden ze plotseling moeten vertrekken.

Ik liep de trap op en riep haar. 'Mam?' Alle kamers op de eerste verdieping waren leeg. Ik begon te glimlachen bij de herinnering aan hoe het voelde om helemaal in iemand anders op te gaan, met hem verstrengeld te zijn. Je vergat de rest van de wereld. Waarschijnlijk hadden ze ons niet horen binnenkomen, dat was alles. Ik deed gewoon paranoïde. Ik giechelde en werd misselijk. Ik wilde mijn moeder echt niet betrappen terwijl ze... Bah.

Dus bleef ik roepen om haar te waarschuwen dat ik thuis was. En uiteindelijk belandde ik voor de enige deur die dicht was. Ik klopte aan. 'Mam?' Ik wachtte. Geen geluid.

paars met goud.

Om kwart voor tien begonnen de mensen binnen te druppelen, wat toch wel grenst aan een wonder. Het is Labor Day en er zijn vast overal feesten, maar het lijkt erop dat ons huis voor iedereen de eerste halte is. 'O hey, Eden!' zegt Zahara bij de deur, pronkend met haar parels. 'En Spanish...' Wanneer ze hem ziet, schieten haar wenkbrauwen bijna tegen haar haarlijn aan, en die ligt heel erg hoog. 'Alles goed?'

Ze stelt ons voor aan een paar meisjes bij de deur, terwijl ze Spanish en mij de hele tijd in de gaten houdt. Ik bedenk ineens dat er waarschijnlijk heel wat weddenschappen zijn afgesloten over wie Spanish zou genezen van zijn 'vasten'. Ze geven ons drank, kussen ons op beide wangen en leveren commentaar op onze indrukwekkende afro's.

'Jullie zouden de hele bevolking van Brooklyn van extensions kunnen voorzien!'

We lachen, Spanish en ik. Maar onze lach voelt hol. Sinds onze ontmoeting met tante K. heb ik geprobeerd om bij Spanish in de buurt te blijven, maar al die tijd weet mijn lichaam waar Zed is, kan het iedere beweging van hem volgen. Ik voel me wankel, alsof ik dronken achter het stuur zit.

Zed komt ook gedag zeggen en stelt Max voor, en te midden van al die bruine meisjes lijkt Max blonder dan ooit.

'Hai!' zeggen ze allemaal zoetsappig. Valt Zed op blanke meisjes? Het aloude liedje.

'Wees maar niet bang,' zegt Max, terwijl ze een kauwgumpje

in haar mond stopt. 'Ik heb alleen maar een lichte huid.'

Een rimpeling van aarzelende lachjes fladdert door de gang.

'Op die zin heb je zeker de hele dag geoefend, hè?' fluister ik.

'Nee!' antwoordt ze. Dan: 'Ja. Oké. Ik heb hem uit een film.'

Net als iedereen naar woorden staat te zoeken, gaat de bel. Zed gaat snel opendoen.

'Bleak! Leuk dat je er bent, man, wassup?'

'Wassup, wassup! Hallo en de beste wensen, mensen,' zegt hij. Hij loopt door de volle gang, even losjes, even relaxed als altijd. Hij geeft me een plastic doos met eten. 'Dat,' zegt hij, 'is de beste geitencurry die je ooit zult proeven, dame.'

'Echt wel,' zegt Zahara.

Dan verzamelt Zed ons en gaat ons voor de trap op. Ik krijg bijna geen adem terwijl ik in de babbelende menigte naar boven word gevoerd, steeds hoger, tot op de bovenste verdieping, waar ik al tien jaar niet meer ben geweest. Zet je schrap. Geen onverwachte bewegingen maken. Wat geweest is, is geweest.

Maar als ik de kamer binnenloop, is die onherkenbaar veranderd. Tante K. heeft hem helemaal in paars met goud ingericht. Kleurige zijden gordijnen en waxinelichtjes verzachten de ramen. Hoewel het een groot vertrek is, kun je er je kont niet keren. Zo te zien is iedereen hier. Violet, Eko en Baba zitten op vloerkussens. Kunstzinnige types met sjaaltjes om hun hoofd en veelkleurige kralenkettingen om leunen tegen de muren. Er zijn een paar tieners met honkbalpetjes op en een vrouw in een strak pakje en met een parelkettinkje om. De enige die ontbreekt is Brandy.

Tante K. is de mooiste van allemaal in haar lange, nauwsluitende bordeauxrode jurk, haar dreadlocks gedraaid en gebeeldhouwd tot een kroon. Ze heeft haar trompet in de hand, en om klokslag tien uur speelt ze een pakkende solo: 'God Bless The Child'.

Ik zoek Zeds gezicht, vind het en trek me terug. Spanish laat zijn hand in de mijne glijden en knijpt erin. 'Waarom doen mooie dingen zoveel pijn?' vraagt hij zacht, terwijl tante K. met haar spel iedereen tot in het diepst van zijn ziel raakt en het zwijgen oplegt. Zelfs Eko geeft geen kik. Wanneer het is afgelopen, vult een steeds luider applaus de kamer, en Spanish slaat zijn arm om me heen. 'Had je niet gezegd dat er een dakterras was?' vraagt hij.

'Ja, maar daar ben ik al heel lang niet geweest...'

'Kom mee,' zegt hij, terwijl hij me bij de hand neemt.

Het is een nacht waarin van alles kan gebeuren, bijna herfst, duizelend van de sterren, en de stad die van beneden naar me knipoogt. Het dak bestaat uit twee gedeeltes van verschillende hoogtes en is afgezet met geruststellend stevige hekken. Aan de randen staan potten met planten en bloemen. Lantaarns verlichten de duisternis. Ik loop naar het verste hoekje, waar het feest niet meer dan een geestverschijning is en de trompet van tante K. en de trommels en het gejuich nauwelijks meer te horen zijn en ik me kan concentreren op zuurstof inademen. Maar voordat ik er ook nog maar iets van binnen heb gekregen, slingert Spanish al een arm om mijn gespannen schouders en trekt me tegen zich aan. 'Hé, is er iets?'

'Nee,' antwoord ik, hoewel ik niet zeker weet of dat wel zo is.

Spanish vraagt of ik het koud heb en ik zeg nee en hij zegt: 'Eden... Ik... ik wil alleen maar zeggen dat ik blij ben dat ik je ken. Jij,' hij aarzelt even, 'jij gooit mijn wereld open. Voor het eerst sinds een hele tijd voelt alles nieuw, en ik dacht nog wel dat ik wist hoe alles zat,' vervolgt hij, met zijn blik op het uitzicht in plaats van op mij. 'Dus sorry voor mijn gedrag, maar mocht je het nog niet weten, ik heb zo mijn problemen. Ik bedoel, mijn problemen hebben problemen.' Hij lacht ongemakkelijk. 'Snap je wat ik bedoel? Maar ik werk eraan. Voor jou...'

Ik weet niets anders te zeggen dan: 'Het is al goed.'

'Ik wil gewoon dat je in mijn leven blijft. Al die tijd dat ik dacht dat ik overal genoeg van had, zat ik eigenlijk alleen maar op jou te wachten...'

'Kijk eens wie we daar hebben!' roept Joe Hanenkam. 'Spanish is uit het klooster getreden!'

Spanish kijkt geschrokken om. 'Jezus! Lul.'

'Wat nou?'

'Ik heb zin om je een klap voor je kop te geven, dombo! Je moet de mensen niet zo fucking aan het schrikken maken, man!'

'Chillen, man! Ik wilde alleen maar even wassup komen zeggen.'

Spanish schudt lachend zijn hoofd.

Joe Hanenkam zegt: 'Dus, wassup?'

'Je haar, dat is wat er *up* is, man!'

'Grapjas,' zegt Joe Hanenkam tegen Spanish, dan wendt hij zich tot mij en zegt: 'Hallo, lastpak.'

Ik steek mijn tong naar hem uit, blij met de onderbreking. 'Alles goed met je?'

'Niet zo goed als met Spanish blijkbaar.'

Binnen de kortste keren worden we omringd door andere gasten die het terras op komen. Iemand brengt een kratje bier en weer iemand anders zet wat draaitafels en luidsprekers neer. Bleak, Zahara en Nami zijn er ook, net als Zed en Max. Iedereen drinkt en kletst en lacht, behalve Max, die niet goed raad lijkt te weten met alle aandacht die Zed krijgt en alle aandacht die hij niet aan haar schenkt. Spanish pakt een stoel en trekt me bij hem op schoot en ondanks mijn drukke hoofd voel ik me daar veilig. Mensen praten met hem over zijn muziek en zijn politieke overtuigingen en glimlachen vriendelijk naar me, alsof ik deel uitmaak van iets heel moois. Zed pakt er ook een stoel bij, maar als Max bij hem op schoot probeert te gaan zitten, springt hij op. 'Ga jij maar zitten,' zegt hij. 'Het is oké.'

Daarna wil Zahara weten hoe Spanish aan zijn naam komt, aangezien hij geen woord Spaans spreekt.

'Dat doet er niet toe,' zegt hij.

'Niet zo flauw, het is toch geen geheim? Vertel het nou maar gewoon.'

'Misschien kun je beter aan Zed vragen waarom ze me Spanish noemen.'

'Zed?'

Zed grinnikt. 'Zo moeilijk is dat niet. Ik bedoel, moet je hem zien. Hij ziet er toch echt uit als zo'n taco-etende malloot? Het is op school begonnen. Ik was een paar jaar ouder dan hij en hij keek een beetje tegen me op. Begon me achterna te lopen en zo...'

'Ik liep je helemaal niet achterna!'

'O nee? Ik zag mijn eigen schaduw nog minder vaak dan ik jou zag. Hoe dan ook, hij was een beetje een mollig jongetje –'

'Fuck, man! Wil je me voor lul zetten of zo?'

'Mollig?' vraag ik.

'Als ik mollig zeg, dan is dat nog aardig van me, oké? Mond houden, Spanish. Wil je dat ik het verhaal vertel of niet?'

'Zullen we gaan dansen?' vraagt Max aan Zed. De draaitafels zijn klaar en een dj draait een vreemde mix van funk uit de jaren zeventig, foute muziek uit de jaren tachtig en allerlei hiphop en reggae.

'Niet nu.' Hij kijkt haar nauwelijks aan. 'Hoe dan ook...'

'Toe nou, ik heb zin om te dansen.'

'Nee!'

Max kijkt grimmig. 'Hé, Spanish! Hoeveel van die paddo's die je me hebt gegeven moet ik nemen om een beetje lol te hebben?'

'Ik zou ze allemaal nemen, dan ga je vanzelf vliegen,' zegt hij schouderophalend.

Max loopt weg en Zed vervolgt zijn verhaal.

'Hij begon toen net met die *black and proud*-shit. En ik was volgens mij de eerste zwarte die hij kende, dus hij raakte helemaal enthousiast. Begon te zeiken dat we samen een vuist moesten maken. Dat bleke joch met zijn krullenkop. Ik had zoiets van: maar jij bent helemaal niet zwart! Jij bent Spaans, *chico*. *Spanish*. En toen begonnen de andere jongens hem ook zo te noemen.'

'Ironisch, hè?' Spanish pakt mijn arm nog wat steviger beet. 'De enige andere zwarte jongen op school, en door hem moet ik verder door het leven als Spanish.'

'Wat dan nog, man? Wou je soms liever "James" heten? Trouwens, jij bent begonnen om mij Zoeloe te noemen, en daarna deed iedereen dat.'

'Pas nadat je mij Spanish noemde. En trouwens, die naam heeft je geen kwaad gedaan.'

'Ik heb hem gewoon aangenomen,' zegt Zed schouderophalend. 'Ik ga mijn tijd niet verdoen met me overal tegen te verzetten. Maar Zoeloe? Over vooroordelen gesproken! Eerst werd het afgekort tot Zoo, toen Zee, en toen noemde zo'n rijk Engels jochie me een keertje Zed en dat was dat. Een bijnaam waar ik de rest van mijn leven aan vastzit.'

'We zitten er allebei aan vast,' voegt Spanish eraan toe. Het oplepelen van dat verhaal heeft zijn stemming geen goed gedaan en ik begin me ook weer een beetje depri te voelen. Dat gezamenlijke verleden van hen. Het is gewoon eng.

'Goh... dat wist ik helemaal niet!' zegt Nami, die uit het niets opduikt en zich in het gesprek mengt. Ze staat naast Zed, gooit haar paardenstaart naar achteren en trekt wat aan de superstrakke hotpants die ze draagt. 'Ik dacht dat Zed je echte naam was.'

'Nee, hij heet eigenlijk Aaron,' zeg ik wat harder dan de bedoeling is, maar ze kijkt me niet eens aan. Ze is weer begonnen aan haar 'Man, wat zie je er goed uit!'-praatje. De slettenbak.

'Eden?'

'Ja?'

'Eden,' zegt Bleak geduldig, 'ik vroeg je net of Zed of Spanish je al wat van die opnames hebben laten horen die ze samen hebben gemaakt.'

'Nee,' zeg ik tegen hem.

'Zullen we gaan dansen?' vraagt Nami aan Zed, en hij zegt: 'Oké.'

Ze neemt hem mee en een paar meter verderop beginnen ze te dansen en draaien op een oud disconummer uit de jaren negentig. Nami is de verpersoonlijking van 'ordinair', met haar goedkope glamourlook en haar snel schuddende kontje. Ik wou dat tante K. naar boven kwam. Die zou haar waarschijnlijk van het dak gooien.

'Het is echt helemaal te gek! Ik zal je een kopietje van Zeds nieuwe ep geven. De overgangen tussen de nummers zijn echt waanzinnig. Heel anders dan anders. Ik heb hem nog nooit zoiets diepzinnigs zien schrijven. Hij heeft altijd goede dingen geschreven, maar de laatste tijd heeft zijn materiaal diepgang gekregen, snap je wat ik bedoel? En heel veel hart.'

'Echt? Goed zo.' Ik wil terug naar het souterrain. Het is hier te lawaaiig, veel te lawaaiig. Zeds handen liggen op Nami's heupen.

'Nou, je zult zo meteen sowieso wel wat te horen krijgen...'

'Hoe bedoel je?'

Ineens komt Brandy het dak op zetten en schreeuwt: 'De bazin wil alle muzikanten beneden hebben, dus opschieten een beetje!' Ze kijkt me aan. 'Je hebt je baljurk aan!' Ze klapt in haar handen. 'Helemaal goed, meisje! Wauw.'

'Dank je. Hé, Brandy!'

'Ja?'

'Waarom ben je er nu pas? Je hebt tante K. op de trompet gemist.'

Op weg naar beneden geeft Spanish me een kus op mijn voorhoofd.

Brandy zegt: 'Ik zat moed te verzamelen, meisje. Moed te verzamelen.'

'Waarvoor?'

'Vanavond gaat mijn leven helemaal veranderen, Eden.' Ze glimlacht, zucht en haalt haar hand door haar haar. 'Ik ga Violet ten huwelijk vragen.'

Ik hap naar adem. 'Echt?'

'Echt. Ik had het al veel eerder moeten doen. Ze heeft me op alle manieren laten merken dat ze het wilde, zei steeds dat ze iedereen wilde vertellen dat we iets hadden, dat het tijd werd om over de toekomst na te denken. Maar ik durfde niet. Ik bedoel, ik wist niet wat ik een vrouw als Violet eigenlijk te bieden had. Ik wil alleen maar bij haar zijn, maar het is nooit gemakkelijk voor me geweest en meestal weet ik niet eens of ik een broek aan wil of een rok. Dat kun je toch geen zekerheid noemen? Maar toen kreeg ik een brief van je tante K. uit Saint Lucia. Ze zei niks. Ze schreef alleen maar over haar reis en zo, maar ineens wist ik het: het is voldoende dat Violet en ik samen willen zijn. De rest zoeken we later wel uit.'

'Mijn god!' Ik knuffel haar stevig, als een zusje. 'Dat is fantastisch, Brandy. Gefeliciteerd. Bovendien, het gaat toch niet om de buitenkant? Zo vaak gebeurt het niet dat je iemand tegenkomt die bij je past en met wie het lukt. Ik wens jullie het allerbeste!'

'Dank je wel,' zegt ze. Stralend, gelukkig, als splinternieuw. 'Heb je haar nieuwe kapsel al gezien?'

'Ja,' zeg ik glimlachend. 'Het staat haar prachtig!'

'Die jukbeenderen van haar zijn gewoon gemaakt voor een kort jongenskopje!' zegt Brandy, terwijl ze dramatisch met haar ogen rolt. Daarna knipoogt ze.

Zed onderschept me in de gang. 'Ha,' zegt hij, terwijl hij zich losmaakt van de muur, alsof hij heeft staan wachten. 'Ik heb nog niet de kans gehad om je te zeggen hoe mooi ik je die jurk vind staan. Hij past echt goed bij je.'

'Oké,' zeg ik en ik loop door. Ik hoor dat tante K. in de kamer ernaast Violet vraagt om naar de microfoon te komen.

'Nou,' zegt hij, met zijn handen in de lucht. 'Ik maak nog eens een complimentje, zeg.'

'Whatever.'

'Eden.' Hij raakt mijn schouder aan. 'Toe, gewoon "dank je wel" zeggen zou wel zo aardig zijn.' Hij lacht ongemakkelijk.

Ik kijk hem aan, zonder de behoefte of de zin om terug te lachen.

'Echt, wat heb je toch?'

'Dat doet er niet toe, Zed.'

'Jawel, het doet er wel toe! Het ene moment is alles cool en het volgende doe je alsof je me niet kunt uitstaan. Ik weet nooit met welke Eden ik te maken zal krijgen. Ik weet zelfs niet meer hoe ik me tegenover jou moet gedragen.'

'Dat zul je dan ook wel nooit leren.'

'Wat bedoel je daar verdomme nou weer mee?'

'Luister,' zeg ik tegen hem. Ineens knapt er iets in me. Ik voel me duizelig, kapot. Ik duw hem de lege trap naar het dak op. Halverwege zeg ik: 'Ik kan dit spelletje niet meer meespelen.' Daarna trek ik hem verder naar boven, bijna tot bovenaan. 'Ik hou van je. Ik hou al van je sinds mijn vijftiende en daar ben ik nooit overheen gekomen. Door jou,' ik stik bijna in mijn woorden,' kan ik niet meer verder! Ik kan er niet meer tegen te moeten doen alsof ik dat allemaal niet voel. Of dat jij tegen mij loopt op te scheppen met andere vrouwen alsof ik van steen ben! Dat is verdomme niet eerlijk!' zeg ik. 'Dat doet pijn!' Ik veeg langs mijn ogen. 'Max was mijn vriendin, Zed. Snapte je niet dat dat fout was? Het maakt me niet uit hoe lang geleden het was. Hoe kon je me dat nou aandoen? Ik heb er genoeg van. Je zult respect voor me hebben, verdomme, of je mag oprotten uit mijn leven!'

'Eden...' Zed staat alleen maar naar me te kijken, afgetekend tegen de lucht. Violets stem hapert even, maar ze gaat door, slechts begeleid door een piano.

'Ik vraag alleen maar of je je als méns kunt gedragen tegenover mij,' zeg ik, nog slechts drijvend gehouden door de muziek uit de kamer, deinend op het water. Hol. 'Als vriend.'

'Ik ben er...' hij wrijft over zijn gezicht, 'ik ben er nooit op uit geweest om je verdriet te doen. Dat is nooit mijn bedoeling geweest...'

'Maar toch doe je het. Je doet het de hele tijd! En ik weet best dat je niet hetzelfde voor mij voelt als ik voor jou, maar dat betekent niet dat je zo wreed hoeft te doen, Zed. Soms heb ik het gevoel dat mijn hart het gewoon niet meer aankan. Dan...'

'Zed? Ben je boven? Ik heb je overal gezocht, man. Kom. We hebben zo een jamsessie, na Violet. En jij ook, Eden!'

'Wat de fuck heb ik ermee te maken?' breng ik met moeite uit.

'Jij hebt een van onze skits, meisje. Wat dacht je dan? Dat we die shit voor niks weggeven?'

'Bleak, ik ben geen performer,' zeg ik, maar hij is alweer weggelopen.

Zed werpt me een hulpeloze, beladen blik toe en volgt hem. Onder het lopen schudt hij zijn hoofd.

In de huiskamer staat loom een jazzbandje te spelen, in afwachting van ons optreden. Alleen maar akkoorden in mineur, sombere drumpartijen, en de contrabas vermengt zich met het lage geroezemoes. De kamer is dronken en we hebben alle kip opgegeten. Prominent op de tafel in de hoek staat een grote donkere cake vol gedroogde vruchten en rum te wachten. Schouderbandjes zijn afgezakt. Overhemden half losgeknoopt, petten afgezet, schoenen uitgetrokken. Eko slaapt met zijn mond open tegen de borst van zijn moeder. Al sinds hij in haar buik zat, hoort hij muziek. Violet ziet er fantastisch uit met haar korte haar, haar satijnen jurkje en brede glimlach.

'Ik ben geen performer,' herhaal ik. Ik sta vlak bij de muzikanten, vlak bij Spanish die zijn gitaar stemt. De muziek klinkt het hardst in mijn hoofd, piepjes en rifs en kabbelende melodieën. Ik voel me vreselijk verward en vreselijk sterk. Ik kan van hem houden en toch gewoon weglopen. Ik kan voor mezelf kiezen.

'Iedereen is een performer,' zegt Spanish, met een trage stem van de drank.

'Hè?'

'Iedereen,' hij stopt met het gefriemel aan de snaren, 'is een performer. Het is een besluit dat je neemt, snap je wat ik bedoel? Het is net zozeer een kwestie van een beslissing nemen als van talent hebben. Je moet het gewoon besluiten. Wacht op mijn teken en doe dan maar gewoon wat er in je hoofd opkomt.'

Zed komt aanlopen. 'Klaar?' vraagt hij op gespannen toon aan Spanish. Ik heb hem nog nooit zo nerveus meegemaakt. Ze beginnen met een nummer dat ik in Londen heb gehoord. Maar deze keer klinkt het anders, de rhymes zijn een beetje onconventioneel en hebben iets ironisch. Geen dansje. Geen show. Alleen zijn nek en handen bewegen, alsof hij zijn woorden nadat ze zijn mond hebben verlaten een vorm probeert mee te geven. Iedereen kan zien op welke plekken hij beschadigd is, plekken die hij zelfs mij niet laat zien. En voor mij is zijn talent net zoiets als buikkramp. Het is alsof je hongerig en zonder geld langs een restaurant loopt waaruit verrukkelijke geuren komen zweven. Je kunt de mensen door het raam zien zitten eten. De verwachtingsvolle vorken en vieze wijnglazen. Je ziet de kruimels op hun lippen. Je ziet de damp van de borden opstijgen. Hij is alles wat ik me niet kan veroorloven...

'Gedicht!' roept Zed halverwege een couplet in de microfoon. Iedereen kijkt hem aan. De band speelt door. 'Stil!' zegt hij, en ze gehoorzamen.

'Hé, wat ga je doen, man?' vraagt Spanish zacht.

'Dat merk je vanzelf,' zegt Zed. Hij wendt zich tot de kamer. 'Dit is een nieuw nummer,' vertelt hij met een nerveus lachje. 'Het is voor iedereen in het bijzonder en voor één bijzonder iemand in het algemeen.'

Ik huiver.

Hij loopt heen en weer, onhandig en schokkerig, waardoor de energie in de kamer verandert. Het wordt stil. En daar wordt Eko wakker van. Violet verlaat de kamer met haar zoontje voordat zijn gehuil uitmondt in een complete opera. Ik zie dat Brandy haar volgt.

Zed haalt een paar keer diep adem en zet zijn capuchon op. 'Meisje, als ik in mezelf klim,' begint hij, 'mag ik je dan meenemen?'

Voordat hij zijn tweede regel kan uitspreken, heb ik mijn camera al als een zwaard getrokken en klik, klik, klik zijn mond – zijn handen – zijn ogen – zijn microfoon – zijn glimlach – zijn frons – zijn uitgekiende stiltes en ik laat hem en mijn camera hun krachtige romance hervatten... maar ikzelf... Met een grote en onvoorziene verschuiving in mezelf, zo krachtig als het knarsen van tektonische platen – laat ik los. En adem.

Dan, voordat ik de kans krijg om Spanish zijn ongelijk te bewijzen wat betreft mijn talent als performer, komt Baba de kamer in rennen en schreeuwt: 'Bij wie hoort die blanke meid?'

probleem.

'Ze is in de achterkamer!' zegt Baba. 'Ze probeerde de jaloezieën op te eten!'

'Shit,' zegt Spanish. 'Die stomkop heeft vast het hele zakje leeggegeten. Ik dacht dat ze verstand had van dat spul! Er zat meer dan negen gram in...'

'Maar komt het wel goed dan?' vraagt Zed, terwijl we allemaal naar de deur rennen waarachter we Max horen giechelen.

'Ja, ze zal een tijdje zwaar gestoord doen, maar het is geen overdosis of zo.'

De achterkamer. We staan er nu voor.

'Eden, gaat het?'

'Ja hoor.'

Het is maar een kamer. Hij bezit geen scheppende kracht. Toen was toen en nu is nu en *never the twain shall meet*, toch. Geen probleem.

Zed duwt de deur open en het is er zo donker dat ik de lamp aandoe en...

Wacht.

Ik kan niet meer ophouden met gillen.

'Eden! Eden!'

Ik probeer de deurklink achter me te vinden, maar mijn handen klauwen almaar in de lucht en –

een minuut.

Bloed.

Overal.

Zoveel rood dat ik kortsluiting kreeg. Ik kon mijn hersens niet meer gebruiken. Mijn moeder lag nog in de lakens verstrengeld, net als Paul. Zeds vader. Het eerste wat ik dacht, ondanks al het rood, was: wat doet Paul in bed met mijn moeder? Ze lag boven op hem, met haar hoofd op zijn borst en een groot gat in haar zij. Haar haar zat nog steeds heel goed. De lakens waren naar de bliksem. Pauls armen zagen eruit alsof ze zich om haar heen hadden proberen te leggen, maar daarvoor de kracht niet meer hadden kunnen opbrengen. Haar ogen waren dicht. Die van hem open. Alleen de gordijnen bewogen.

'Eden!'

Zed was nog steeds beneden, en ik hoorde de tv. Ik reageerde niet. Ik liep niet verder de kamer in en ook niet terug de gang in.

Ik hoorde Zed de trap op rennen. 'De telefoon gaat,' zei hij. 'Zo maf... Wat is er?'

Uit mijn mond kwamen geluidjes. Toen Zed naast me kwam staan, was hij degene die gilde. En dat gebeurde allemaal binnen een minuut of zo.

Toen trok hij me weg uit de deuropening en duwde me tegen de muur. Hij hijgde en rilde. 'Ze zijn doodgeschoten.'

'Dat weet ik.'

'Wie heeft dat gedaan? Iemand moet dat hebben gedaan, Eden.'

'Dat weet ik niet.'

'Wie heeft ze doodgeschoten?'

Bij de buren hoorden we de kinderen spelen en beneden de tv en niets van dat alles was echt. We gingen naar beneden en in de keuken belde ik het alarmnummer. Ze zeiden dat we het huis moesten verlaten, voor het geval er nog gevaar bestond, en dat ze meteen iemand zouden sturen. Op weg naar buiten zag ik Dominic in de achtertuin zitten, op een ligstoel, starend naar de lucht. In zijn rechterhand had hij nog steeds het pistool vast. Ik pakte Zeds hand en we renden weg.

Pas toen we aan de overkant van de straat waren en de politieauto's de hoek om zagen komen, vertelde ik hem over Dominic.

Toen hoorden we de laatste BENG! en we wisten dat hij er ook niet meer was.

vlam beeft.

'Eden... Eden, hoor je me?' Zeds stem die door de zalige duisternis heen dringt. Ik probeer op te krabbelen van het bed, maar val op de grond. We botsen tegen elkaar aan, wanneer hij me voorzichtig overeind helpt. 'Je bent flauwgevallen! Het is maar wijn op haar jurk, oké? Ze heeft niks, ze zit alleen in een trance. Het is rode wijn. Rustig maar.'

Kijk om je heen. Max ligt in al het rood, glimlachend. 'Je bent zoveel kleuren. Eden,' zegt ze heel langzaam. 'Heb ik je dat weleens verteld?' Dan doet ze haar ogen dicht.

'Niets aan de hand,' zeg ik, terwijl ik met een klap op de grond neerplof. 'Het is gewoon een bed. Het is gewoon een bed.'

Hij slaat zijn armen om me heen en ik stort in elkaar en mijn hoofd is één bonkende pijn en mijn gezicht is kletsnat.

'Het is al goed, Eden. Het is al goed. Tante K. heeft Spanish mee naar het dak genomen om af te koelen. De anderen laten ons wel even met rust. Rustig nou maar.'

Ik gilde niet toen het gebeurde. Ik huilde niet. Maar ze was dood. Gestolen nog voordat ik haar echt kende of voordat ik het haar had vergeven dat ze was weggegaan en voordat ik haar had gevraagd waarom ze niet van me hield en voordat we naar Mexico waren gegaan zoals ze had beloofd of gaan schaatsen of me Creools had geleerd of...

'Zeg iets,' zegt Zed.

Ik kijk hem aan. 'Je weet het allemaal al,' zeg ik. Zenuwachtig pakt hij een joint vanachter zijn oor en steekt hem op. En te midden van al die spanning en duistere herinneringen begint Max even oorverdovend te snurken.

'Jezus christus!' zeg ik, en we beginnen als gekken te lachen, totdat haar gesnurk weer op een normaler niveau is.

'Dit is de kamer,' zegt hij na een tijdje, een lange rookpluim uitblazend.

Pas nu merk ik dat hij beeft. De vlam beeft, de joint beeft, zijn lippen beven. Zijn gezicht glanst.

'Zed,' zeg ik. 'Zed?'

'Ik weet het inderdaad.' Hij schudt zijn hoofd. 'Eden, hoe moet je verder gaan met je leven en alles op dezelfde manier bekijken wanneer zoiets als dit gewone mensen kan overkomen?' Een hijs. 'Hoe kun je je ooit nog veilig voelen? Ik heb nog steeds nachtmerries over hun gezichten. Over Dominic... Het is niet te vatten. Dat hij een mens was. Geen duivel. Gewoon een man die een insect nog eerder buiten zou zetten dan doodmaken.'

'Ja, dat weet ik ook nog.'

Buiten klinkt gejuich. Het feest gaat gewoon door terwijl we hier zitten. Eigenlijk zou de hele wereld moeten stoppen, maar dat gebeurt nooit.

'Hij was de eerste volwassene die echt belangstelling voor me toonde, voor wat ik echt met mijn leven wilde. Ik heb om hem gerouwd. Maar hoe kan ik nou om hem rouwen na wat hij heeft gedaan? Hij heeft mijn vader vermoord...' Zijn stem hapert. 'Hij heeft jouw moeder vermoord.'

'Ik weet het,' zeg ik tegen hem. Ik pak hem beet en hij pakt mij beet en we vormen de allerstrakste knoop ooit. Al mijn spieren doen pijn, vooral mijn hart. Ik kan niet meer ophouden met huilen. 'Ik weet het.'

Hij neemt mijn gezicht in zijn handen en mijn hart gaat tekeer en ik krijg een raar gevoel in mijn buik, zoals iedere keer weer. 'Meende je dat?' vraagt hij, onregelmatig ademend.

'Wat?'

'Toen je zei dat je nog steeds van me houdt?'

Het is zo stil. We verroeren ons geen van beiden. Ik hoor niets behalve mijn bloed. Zo moet het voelen, een paar seconden voor het einde van de wereld. Hem kussen zou het einde betekenen. Wat kan er daarna nou nog komen? In wat voor wereld zou ik worden geboren? Zijn mond. De seconden verstrijken, elk ervan lang genoeg om een hele beschaving te laten opkomen, ondergaan en tot stof vergaan.

'Het is net zoiets als mijn naam,' zeg ik tegen hem. Ik schraap mijn keel. 'Het is wie ik ben. Ik hou voor altijd van je.'

Hij doet even zijn ogen dicht.

'Wat...' vraag ik. 'Wat voel je voor mij?'

'Je weet al dat je het beste deel bent van wie ik ben. Het puurste. Ik had een punt in mijn leven bereikt waarop ik mezelf nauwelijks meer herkende. Ik wist niet waar ik thuishoorde. Op een nacht ontwaakte ik uit een droom en toen wist ik dat ik niet kon doen alsof jij niet meer mijn thuis was, snap je? Ik was verdwaald. En toen ik je terugzag, waren mijn gevoelens zelfs nog sterker dan toen we zo jong waren, maar er was zoveel afstand tussen ons. Ik wilde alleen maar dicht bij je zijn. Ik ben verdomme bijna met mijn motor tegen een muur aan gereden omdat ik probeerde uit te vogelen wat er was gebeurd met jou en mij.' Hij lacht. 'Het is nooit weg geweest.' Hij strijkt mijn haar van mijn voorhoofd en geeft er een kus op. 'Ik kan geen lafaard meer zijn.'

'Nee,' breng ik met moeite uit, 'nee, je mag geen lafaard meer zijn.' Mijn borstkas doet pijn. En hij buigt zich naar me toe, zijn warmte komt steeds dichterbij en dan ligt zijn mond heel zacht op de mijne en de liefde is te zwaar. Ik denk dat ik doodga. En zijn handen onder mijn kleren en zijn lijf onder mijn handen en zout op zijn gezicht en de smaak van zijn mond is nog precies dezelfde als die eerste keer.

'Wil je me?' vraagt hij zacht, met zijn lippen in mijn hals. Ik tintel tot in mijn vingertoppen en tenen. 'Zeg het.'

'Het kan niet... Max is hier...'

'Zeg het,' herhaalt hij, terwijl hij me onder mijn jurk streelt, tussen mijn dijen. 'Dat maakt me niet uit. Ik wil niet denken. Ik wil alleen maar bij je zijn.'

'Max...'

'Slaapt.'

'Je mag het alleen doen als je van me houdt, Zed,' zeg ik. 'Anders overleef ik het niet.'

'Ik wou dat er nieuwe woorden bestonden die ik kon zeggen.' Hij neemt mijn gezicht weer tussen zijn handen. 'Ik zal nieuwe voor je verzinnen.'

Ik lach zacht, ik sterf stukje bij beetje, voel dat de tijd ons verder voert, steeds dichter naar elkaar toe. 'Lekker afgezaagd ben je weer.'

'Dat komt door jou, meisje,' zegt hij. 'Wil je mijn kamer zien?'

'Stommerd!'

'Wil je mijn gedichten horen? Ik heb gedichten voor je.'

Hij doet de lamp uit en we laten ons op de vloer zakken, verlangend en zwetend, één wordend in het donker. Dit wordt een nieuwe kamer.

We negeren de voetstappen op de gang. Dan wordt er op de deur geklopt.

stille poses.

En wat konden we anders dan onze stoffige zwarte kleren aantrekken en proberen te vergeten dat wij vanbinnen ook rood waren? En dat er maar een seconde voor nodig was om dat te ontdekken. Wat konden we doen behalve geruststellende woorden lezen in het Boek van God en onze zoute tranen laten lopen? Wat konden we doen behalve tafels vol tonijnsandwiches maken?

Tante K. sloot zich op in haar slaapkamer en weigerde eruit te komen. Zeds moeder kwam over uit Atlanta en mijn vader uit Londen, en tot de begrafenissen kampeerden we allemaal op de benedenverdieping. Zed en ik, in hetzelfde huis. Zonsopkomst en zonsondergang en de radio en de kruidenier op de hoek voor chocola en Fritos. Ik weet niet hoe het kon dat de wereld gewoon doordraaide, behalve dan dat wat er was gebeurd zo vreemd en akelig en moeilijk te verwerken was dat je het gevoel kreeg dat het allemaal niets te maken had met het dagelijkse leven waar dan ook.

Dubbele moord plus zelfmoord in Brooklyn.

Lokale en landelijke media berichtten erover. Vanwege Dominic was de tragedie niet te versmaden voor de belangrijkste nieuwsprogramma's; een sexy acteur die zijn vrouw en haar minnaar vermoordt en daarna zelfmoord pleegt. Heel erg Hollywood. Het was net een of andere stomme verhaallijn uit een soap. Het klonk alsof het nooit echt gebeurd kon zijn. Dat dachten we allemaal, spartelend in de nasleep ervan.

We keken naar het journaal waar ze in verschenen. Verstard en aantrekkelijk op de treurige foto's van na de moord. Marie en Paul. Ze waren heel erg geschikt voor dit soort dingen. In die dertig seconden dat ze in het nieuws waren, zaten de mensen aan hun toestel gekluisterd. Zulke mooie mensen hoorden niet dood te gaan. Iedereen zat eigenlijk te wachten op de aftiteling en het moment waarop deze acteurs met hun rechte tanden weer tot leven kwamen uit hun stille poses. Ook wij.

De laatste woorden die ik met mijn moeder had gewisseld, bleven me door het hoofd spelen. Ze leken zo zinloos nu ze er niet meer was. Een paar dagen voordat het gebeurde, kwam ze langs om met ons te ontbijten (in een aanval van schuldgevoel, dacht ik, omdat ze zo weinig tijd met me doorbracht) en om me geld te geven.

Toen ik op het punt stond om weg te gaan, zei ze: 'Ik vind die kleur geel je echt niet mooi staan, Eden. Met jouw huid moet je warmere kleuren dragen.'

Hoewel het me ergerde, dacht ik dat ze misschien wel gelijk had en ik wilde er goed uitzien voor Zed. Dus rende ik weer naar boven om een erwtjesgroen T-shirt aan te trekken, maar toen kon ik weer niet kiezen tussen het groene T-shirt en een felroze hemdje dat ik had. Tegen de tijd dat ik een besluit had genomen en weer beneden kwam, was mijn moeder al naar een auditie vertrokken. Dus dat waren haar laatste woorden geweest.

'Met jouw huid moet je warmere kleuren dragen.'

En mijn laatste woorden waren geweest: 'O fuck, mama!'

Stel je voor.

In het donker, als een omgekeerde steen, ging ik onze laatste gesprekken na op zoek naar iets wat echt betekenisvol klonk. Dat wilde ik me ook herinneren. Ik wilde niet dat alles zou verdwijnen behalve die ene opmerking over geel en haar dode gezicht dat eruitzag als plastic.

Ik koos de officiële laatste woorden uit. Dat was iets wat ze een paar weken eerder tegen me had gezegd, toen we bij Macy's haar lievelingslippenstift hadden gekocht. Van een diepe vleeskleur en mat. Ze tuitte haar lippen voor de spiegel en glimlachte naar me. Ik mocht er ook een paar proberen. Uit de luidsprekers in de winkel klonk een oud nummer: 'The Boys of Summer'.

'Probeer deze eens,' zei ze, terwijl ze de andere er zachtjes afveegde met een tissue en make-upremover. Ze gaf me een schreeuwerig rode lipstick. Ik keek haar achterdochtig aan. 'Toe dan!'

'Oké.' Ik deed hem op en zag dat mijn lippen nu serieus opvielen. Ik zag er totaal anders uit.

'Moet je nou eens kijken!' zei ze. 'Net zo mooi als een filmster!'

Ze had nog nooit zoiets tegen me gezegd. Ik was altijd veel te onhandig en grof geweest naar haar smaak. 'Ik vind het mooi... maar wel erg fel...' zei ik.

'Ik zal je een belangrijk levenslesje leren, lieverd: cijfer jezelf niet weg en verontschuldig je nooit. Vrouwen bezitten de sleutel tot de ziel van de man. Mannen kennen zichzelf alleen maar via ons. Ze zullen er alles aan doen om dat te verhullen, maar het is de waarheid.'

En voor deze ene keer had ik het gevoel dat ze het echt tegen mij had.

Ik moest van haar die felgekleurde lippenstift ophouden terwijl we gingen lunchen en ik voelde me heel sterk met mijn volwassen figuur en de lippenstift.

Ik herkauwde die herinnering tot hij muurvast zat en alles tot op de minuut klopte. Ik probeerde hem als een deken over de andere dingen heen te trekken, maar dat mislukte. Daarvoor voelde ik me te bedroefd, te boos en te bedrogen. Maar misschien kan ik die laatste omhelzing van haar nu eindelijk waarderen, een geschenk van de ene generatie aan de andere...

een tweeling, weet je nog?

'Eden?' Klop. Klop. Klop.

'O o,' zegt Zed. 'O god.'

Dan een klap wanneer de deur open wordt gegooid.

Spanish blokkeert de deuropening. Van achter hem stroomt licht de kamer in. En ergens diep vanbinnen lach ik van ongeloof. Een duistere lach. Dit kan niet waar zijn. Het is dezelfde kamer. Ik stel me voor wat Spanish ziet: Zed en ik, slordig, met verstrengelde ledematen, halfnaakt. Is dat het gezicht dat Dominic trok? Mijn hele lichaam tintelt en mijn geest is niet meer dan een verrotte schim. Schuldgevoel. Is dit wat mijn moeder voelde?

'Sorry man,' begint Zed, terwijl hij opstaat van de grond.

Spanish' mond is hard, zijn mondhoeken omlaag getrokken.

'Ik wilde niet dat het... Ik hou van haar...'

En dan komt alles in een stroomversnelling en ik probeer Spanish vast te pakken want – tak! – Zed ligt op de grond en Spanish boven op hem en ik kan het geluid ervan gewoon voelen –

Tak! Tak! Tak!

De pijn wanneer zijn vuist Zeds wang ramt. Steeds opnieuw. Ik gil: 'Help!'

Ik spring op Spanish' rug, ik bijt, ruk, draai, terwijl ik probeer hem eraf te trekken. Zijn woede is enorm. Alle pezen in zijn lichaam strakgespannen. 'Hou op!' Zed kan zijn armen nauwelijks omhoog krijgen. Mijn maag draait om bij het horen van het geluid. TAK! TAK! TAK!

Uit wanhoop krab ik Spanish' armen, bijt ik hem hard in zijn nek. Ik sla hem met alle kracht die ik kan oproepen. 'Help!'

Eindelijk komt tante K. de kamer in rennen, op de hielen gevolgd door Baba. 'Wat gebeurt er in mijn huis?' schreeuwt ze. 'Hou daar onmiddellijk mee op!'

Het lukt Zed nu ook om een paar klappen uit te delen en ze vallen op de grond en rollen over elkaar heen en luisteren niet naar mij of naar tante K. die gilt dat ze moeten ophouden. Ze luisteren pas wanneer Joe Hanenkam en Bleak binnen komen rennen en hen uit elkaar trekken.

Spanish springt op van de vloer. Zijn T-shirt hangt aan flarden om zijn smalle borst.

'Spanish...'

'Hou je mond,' zegt hij met verstikte stem, hijgend, terwijl de tranen hem over de wangen rollen. 'Hou je mond, verdomme. Eden...' Hij schudt zijn hoofd. 'Ik kwam terug om... Niet te geloven. Dus je kiest voor hem? Hij houdt niet van je. Hij gebruikt je alleen maar, net zoals hij Max heeft gebruikt.'

'Ik kan verdomme wel voor mezelf praten!' zegt Zed dan.

'Ja, maar misschien is het beter voor je om je bek te houden! Vind je niet dat je al genoeg hebt gezegd? Wil je soms nog een pak slaag, *nigga*?'

'Jij bent de enige nigga hier, nigga! Ben je nou blij? Dat wilde je toch altijd zo graag?'

Spanish' gezicht wordt donker van woede. Ik verwacht dat hij weer zal uithalen, maar dat doet hij niet. Hij blijft roerloos staan. Hij kijkt me aan. 'Voor jou, Eden,' zegt hij tegen me. 'Voor jou zal ik weggaan voordat ik iets stoms doe.' Hij gooit zijn handen halfhartig in de lucht. 'Ik heb het zien aankomen. Jij en ik... we zijn als een tweeling, weet je nog? Ik kan nooit winnen van jouw eerste.'

'Spanish!'

'Wat? Dacht je soms dat ik het niet wist?' Hij stoot een lachje uit dat net zo duister is als de binnenkant van mijn hoofd. 'Jouw gezicht verraadt alles, Eden. Doe wat je moet doen. Mocht het misgaan, dan weet je waar je me kunt vinden.'

Daarna baant hij zich een weg tussen de mensen door die zich in de deuropening achter hem hebben verzameld en verdwijnt.

de grote magie.

Een paar avonden nadat we hen hadden gevonden, kwam mijn oma voortijdig terug van haar vakantie op Saint Lucia. Ik herinner me nog dat ik er vreselijk tegen opzag. Haar terugkeer zou de hele ervaring concentreren en tot een afgerond geheel maken, in plaats van een of andere gekke trip waar ik misschien nog wakker uit kon schrikken. Toen ze thuiskwam met haar koffers, tranen en grote Caribische rouw leek alles zo onomkeerbaar en echt.

Ik had haar in geen jaren gezien. Plichtsgetrouw stond ik in de gang om haar op haar hangwangen te kussen. Ze was nog steeds tenger als een vogeltje onder al haar rimpels, met een ingebakken bronzen huid. Ze leek op mijn moeder. Maar mijn moeder zou nu nooit meer oud worden.

Voor en na de begrafenissen zat mijn oma in de stoffige huiskamer naar de tv te staren, of die nu aanstond of niet, of nu het journaal werd uitgezonden of niet. Schommelend in haar schommelstoel, nippend van sterke rum.

Soms ging ik bij haar zitten en dan vertelde ze me verhalen over mijn moeder. 'Mijn Marie,' zei ze dan grinnikend met haar valse tanden 'Goh! Deed altijd precies waar ze zin in had! En ze was zo mooi! Mooi gezicht, mooie huid! Iedereen wilde met je moeder trouwen, weet je. Iedereen. Niet te geloven dat zij nu degene is die dood is. O god, waarom moest ze nou doodgaan? Waarom moest zij doodgaan?'

Soms voelde ik me een beetje ongemakkelijk wanneer ze dat

zei, alsof ze misschien liever had gewild dat tante K. was doodgegaan. Of ik. Of wie dan ook, zolang het maar niet haar volmaakte Marie was. En dan voelde ik me weer stom en egoïstisch omdat ik zo onzeker was.

Maar Zed was goed met haar, hij wist haar altijd aan het lachen te krijgen. Hij kwam overal mee weg bij haar. En dan zei ze: 'Je doet me zo denken aan mijn grootvader! Lang, aantrekkelijk en zwart. Net zo zwart als jij, jongeman!'

Hij glimlachte dan naar haar. Met dat speciale glimlachje van hem, ondanks al het verdriet dat hij voelde. Hij sliep op de bank in de huiskamer. En hoewel we nooit meer samen waren, niet zoals we samen waren geweest, voelde alleen al bij hem in de buurt zijn precies hetzelfde. Mijn hart dat meedogenloos bonkte. Mijn mond kurkdroog.

Het enige verschil was dat hij vóór de moord het gevaarlijkste in mijn leven had geleken. Daarna leek hij het veiligste.

'Tante K?' Ik klop op haar slaapkamerdeur. 'Tante K?'

Het is ongeveer vier uur 's nachts. Het feest is afgelopen, iedereen is naar huis en de dageraad kruipt in de lucht. Ik heb Zed slapend in het souterrain achtergelaten.

'Kom binnen,' zegt ze. Haar stem klinkt vermoeid. Ik duw de deur open. Ze zit in het kaarslicht op de grond, in een paarse ochtendjas. Max ligt in haar bed te slapen.

'Ik stoor toch niet?'

'Nee. Kom, ga zitten. Je vriendin snurkt zo hard dat ik het volgens mij niet eens zou horen als er een bom viel.'

Ik lach aarzelend, loop de kamer in en ga op het randje van een kruk zitten. De kamer is vol kleur en antiek en ruikt sterk naar sandelhout. 'Sorry dat ik je feest heb verpest, tante K. Ik ben niet zo'n goede logé.'

'Nee,' zegt ze glimlachend. 'Maar mijn logés hoeven van mij ook niet goed te zijn, Cherry Pepper, ze hoeven alleen maar eerlijk te zijn.'

Ik knik.

'Dit huis heeft zoveel verdriet gekend,' zegt ze. 'Maar nu wil ik dat het een huis is waar mensen geheeld worden. Het heeft mij geheeld, het lijkt jou te helen en wie weet zal het ook Spanish helen. Dat is een sterke jongeman. Hij zal het nog ver schoppen, vooral nu jij hem zijn vrije tijd hebt teruggegeven,' vervolgt ze droog. 'Ik zal proberen om hem over te halen iets voor de gemeenschap te doen.'

'Hoe heeft het je geheeld, tante K?' vraag ik, terwijl ik probeer om niet te denken aan mezelf en Spanish en aan verdriet en tijd.

'Ik moet je iets vertellen,' zegt ze met een doordringende blik. 'Ik was het.' Ze haalt diep adem. 'Ik heb Dominic verteld dat Marie een minnaar had. Dominic kwam me opzoeken op mijn kantoor en vertelde me over zijn vermoedens, en toen heb ik gezegd dat die klopten. En ik heb hem niet tegengehouden toen hij daarna woedend wegstoof.'

Ik verroer me niet.

'De afgelopen tien jaar,' gaat tante K. verder, 'heb ik me verantwoordelijk gevoeld voor Maries dood. Ik heb van alles geprobeerd om dat schuldgevoel van me af te schudden – drugs, therapie – maar ben toen uiteindelijk tot de slotsom gekomen dat het gevoel niet weg zal gaan. Ik zal ermee moeten leven en mijn leven in dienst van anderen stellen. Vertrouwen op de grote magie.'

'Maar waarom,' zeg ik, 'heb je het hem verteld?'

'Om heel veel redenen. Omdat ik jaloers was op je moeder. Omdat ik moralistisch was en overtuigd van mijn gelijk. Maar de pijnlijkste reden is tegelijk de meest voor de hand liggende, Cherry Pepper. Ik hield van Paul. Ik liep al heel lang met die gevoelens rond, maar zodra Marie een echte vrouw werd, wilde hij haar. En toen ze vertrok, wilde hij mij niet eens als tweede keus. We verhuisden allebei naar Amerika, waar hij Grace leerde kennen, Zeds moeder, en een gezin stichtte. En ik heb het toen gewoon opgegeven. Ik werd dik. Oud. Dacht alleen maar aan werken. Toen ik dit huis had gekocht, liet ik mijn moeder overkomen, zodat ze bij me kon komen wonen.'

Ze had tranen in haar ogen. 'Uiteindelijk zijn Paul en Grace gescheiden, maar tegen die tijd beschouwde ik mezelf niet eens meer als een serieuze liefdeskandidaat. Ik had me erbij neergelegd dat ik nooit meer dan een vriendin voor Paul zou zijn. Tuurlijk, ik ging wel uit met andere mannen, maar altijd nogal halfhartig. Als Paul me niet mooi kon vinden, dan was ik dat ook niet.

Hoeveel ik ook van mijn zusje hield, ik bereikte waarschijnlijk mijn dieptepunt toen zij naar New York verhuisde. Ik vergeleek ons steeds met elkaar. Ze was mijn jongere zus, maar het voelde alsof ze mijn dochter had kunnen zijn. Haar leven was zo glanzend en fris. Ik deed al jaren hetzelfde werk en zat iedere avond samen met een oude vrouw tv te kijken.

En toen kwam die ene zomer... Ik wist het, Eden! Ik wist dat Paul en zij weer wat met elkaar kregen. Ik zag het voor mijn eigen ogen gebeuren, maar deed niks. De waarheid is dat ik... dat ik wilde dat Marie van haar voetstuk zou vallen. Ik wilde natuurlijk niet dat er zou gebeuren wat er toen is gebeurd... maar gewoon dat ze één keer eens net zo diep zou zinken als ik.'

'O mijn god... Tante K.' Alles in mijn hoofd is in beweging, alle verbanden tussen de mensen, alle dingen die ik eerder niet snapte, maar nu ineens wel. En ik weet dat het tijden zal duren voordat ik echt begrijp wat ik van dat alles denk. 'Dat wist ik helemaal niet.'

'Dus komt het door mij dat ze dood zijn.'

'Dominic heeft het gedaan, tante K. Hij is de enige.' Haar blik is vochtig van dankbaarheid. 'Hij liep al langer met die vermoedens rond. Hij heeft mij ook weleens proberen uit te horen. Het was zoals het moest zijn. Het moest zo zijn, toch?'

Ze knikt.

'Mijn vader weet wat je hebt gedaan, hè, tante K? Daarom is hij boos op je.'

'Hij had het meteen door. Hij zei dat hij nooit meer met me zou praten. Maar dat is nu aan het veranderen, Eden. Sinds jij hier bent, corresponderen we met elkaar. Het wordt tijd dat we onze strijdbijl begraven. Het heeft jou alleen maar kwaad gedaan.'

Ik raak haar hand aan. 'Je kon toch niet weten wat Dominic ging doen? Dat kon je niet weten...'

Ze knikt en veegt haar tranen weg. 'Nee, maar ik handelde uit verbittering. Pas op dat je je leven nooit laat bepalen door zo'n negatieve kracht.'

'Het is moeilijk om niet verbitterd te zijn over Marie,' zeg ik.

'Je moeder heeft gedaan wat ze heeft gedaan omdat ze van het leven hield. En ze heeft ook altijd van jou gehouden, Cherry Pepper.'

Op dat moment wordt Max wakker. '*Bloody hell*,' zegt ze. 'Wat een idiote droom was dat.'

nu.

Lichtvoetig loop ik naar Brooklyn Avenue. Straat na straat van ononderbroken blauwe luchten, 'The Boys of Summer' op mijn mp3-speler. En 'I Can't Stay Away From You'. En 'Wuthering Heights'. Als ik niet aan het lopen was, zou ik dansen. Ik zou mijn lichaam rondzwaaien zoals ik deed toen ik klein was, zonder bang te zijn voor tafelranden of muren of wankelende voorwerpen. Zoals ik met haar deed. Ik stop voor het dubbele toegangshek van de Holy Cross-begraafplaats en staar naar het bordje. Ze is hier ter ruste gelegd, in de vreemde aarde van haar lievelingsstad. Sinds die eerste keer ben ik hier niet meer geweest. Er lopen een paar mensen naar binnen, rustig, alleen of in groepjes, maar ik maak geen foto's. In plaats daarvan zet ik de muziek uit en ga op zoek naar mijn vroegste herinnering: de Ridley-markt op een zaterdagochtend, al die jaren en ogenblikken geleden en al die kilometers weg, een herinnering die nu voor mijn ogen oprijst als een kleinood. Haar geur. De groenblauwe print van haar lange zigeunerjurk. Haar roodgelakte teennagels. De lucht leek zo ver weg en haar gezicht was maar net iets dichterbij, daarboven, met haar krullen los en glanzend om haar wangen. Ze glimlachte naar me.

Een vroeg herfstbriesje zingt tussen de esdoorns en ik ruik de frisse geur van gemaaid gras en bloemen. De grafstenen strekken zich eindeloos uit, glanzend in de vroege ochtendzon. Bijna zonder te hoeven zoeken vind ik mijn moeders naam: Veronica Marie Boccelli. Ik laat mijn hand over de koele steen glijden. Tante K. heeft me eraan herinnerd dat zij niet dit graf is, dat zij niet het stof en de botten is. Ze staat achter me voor de spiegel en strijkt mijn rimpels glad. Ze plukt een pluisje uit mijn haar. Ze blaast in warme nachten een briesje over mijn voorhoofd, ze houdt de wacht over mijn dromen. Ze is nog steeds mijn moeder.

Het gras voelt zacht aan onder mijn knieën wanneer ik me op de grond laat zakken. De zon is vriendelijk voor mijn huid.

'Hoi mam,' zeg ik. Ik glimlach. Ik heb die woorden zo lang niet gebruikt dat ze met een onhandige, kinderlijke vreugde uit mijn mond rollen, en voor het eerst heb ik het gevoel dat ze me kan horen. Wat ik niet had toen ze nog leefde. Ze zou de jurk die ik aanheb prachtig hebben gevonden. Ze zou de kleur van mijn lippenstift prachtig hebben gevonden.

In mijn rugzak zitten stapels foto's die ik uitspreid, als een tapijt op het gras. Ik vertel haar over al mijn passies, al mijn gektes, ik vertel haar alles over de ouwe Chanders en papa en zeg dat ze naar New York komen om hun verloving te vieren. Ik vertel haar over Juliet en De Vrouw-die-wist-te-ontsnappen. Ik vertel haar over al mijn angsten, dromen en minnaars. Mijn tranen zijn helemaal pijnloos.

'Ik wilde je deze laten zien, ik ben fotograaf, mam! Een kunstzinnig type, net als jij,' zeg ik tegen haar, met het gevoel alsof ze dat op de een of andere manier al wist. Ze houdt zich ergens verscholen in het hart van mijn camera, zelfs na haar dood nog gretig op jacht naar ervaringen en nieuwe kleuren. Dat deel van mij is zij.

Er valt een lange schaduw over het gras.

'Tante K. dacht wel dat je hier zou zijn.'

Ik draai me om en daar staat hij, glinsterend als een zilveren munt tussen het kopergeld. 'Zed!' Met een blauw oog en een rood T-shirt en veel haar op zijn hoofd en gezicht. Mijn Aaron. Mijn Zoeloe, Zoo, Zee, Zed. 'Waar kom je vandaan?'

'Ik wilde je niet storen,' zegt hij. Hij trekt zijn afgezakte spijkerbroek op en steekt zijn handen in zijn zakken. 'Sorry. Maar ik wilde,' korte stilte, 'ik wilde je gewoon zien.'

'Maakt niet uit,' zeg ik luchtig, ademloos, zoals altijd wanneer ik hem zie, maar zonder de angst. Vliegend in plaats van vallend. 'Waar kom je vandaan?'

'Ik heb Max naar Manhattan gebracht, naar een paar vrienden van haar in SoHo,' vertelt hij. Hij lacht. 'Ik moest je een boodschap doorgeven. Ze zei,' hij doet haar hese cockneystem na en imiteert het geschud met de lange, blonde haren, 'zeg maar tegen die stomme trut dat ze je mag hebben! Ik snap verdomme niet waarom ze me niet gewoon heeft verteld dat ze op je viel! Alsof ik dat niet doorhad! Bovendien wilde ik je toch alleen maar voor de zomer hebben. Ik ben veel te mooi voor jou! En zij weet ook dat ik eigenlijk alleen maar val op jongens uit Shoreditch!'

Ik schud lachend mijn hoofd, en het voelt niet eens raar om hier te lachen, aan het graf van mijn moeder. Het gordijn tussen leven en dood is per slot van rekening niet meer dan dat, een gordijn. Zij lacht ook.

'En ik heb Spanish gebeld,' zegt hij met neergeslagen blik. 'Hij wilde mijn telefoontjes eerst niet beantwoorden, maar hij heeft me net een sms'je gestuurd. Hij zegt dat hij op zoek gaat naar zijn vader. Volgens tante K. komt het wel goed met hem. Ze zegt dat alles zo heeft moeten zijn. Voor ons allemaal.'

Ik knik. 'Ze weet alles en ze ziet alles, hè?'

'Zeg dat wel,' zegt hij. Hij blijft nog steeds aarzelend staan, wachtend op een uitnodiging. Zonder iets te zeggen houd ik mijn handpalm naar hem op. Hij verroert zich niet.

'Kom,' zeg ik tegen hem, en na een paar tellen doet hij wat ik zeg. Onze handen zijn donkerbruin en lichtbruin, de kleuren versterkt door onze aanraking.

'Ik weet waarom je die steen hebt gegooid,' zegt hij.

'Waarom dan?'

'Omdat ik een klootzak ben.'

Ik lach. 'Ja. En omdat ik eenzaam was en moe en rancuneus. En omdat ik liever wilde dat je me haatte dan dat ik je onverschillig liet. Ik wilde dat je tenminste iets voelde.'

Hij doet zijn ogen dicht. 'Ga je ook een keer met me mee naar mijn vader?' vraagt hij zo zacht en met zo'n verstikte stem dat ik hem bijna niet versta.

'Voor jou doe ik alles.'

Hij legt zijn armen om me heen en zijn omhelzing is het meest echte wat ik ooit heb gevoeld en brengt me met een klap weer in het heden. 'Ik raak helemaal in de war als ik me afvraag hoe het zou zijn als mijn vader nog leefde, en jouw moeder,' zegt hij, zijn stem gedempt door mijn haren. 'Wat er met ons was gebeurd als ze echt een serieuze relatie hadden gekregen. Dan zouden we niet samen kunnen zijn. Het voelt verkeerd...' hij moet de woorden van heel diep opdreggen, 'om op wat voor manier dan ook van hun dood te profiteren.'

'Je hebt gehoord wat tante K. zei. Het heeft zo moeten zijn, Zed. Misschien maken we hun dromen wel waar.'

Hij knijpt me en maakt zich iets van me los om me te kunnen aankijken, terwijl hij die mogelijkheid tot zich laat doordringen. 'Misschien,' zegt hij. Dan buigt hij zich naar voren en laat zijn vingers over al mijn foto's glijden. 'Ze zijn prachtig.'

'Dank je.'

'Waar is je camera?'

Ik pak het toestel uit mijn tas en geef het hem. De camera glanst zwijgend en is vandaag alleen maar een stukje techniek. Hij slaapt.

Zed strekt zijn lange, donkere arm en maakt een foto van ons.

'Doe die maar bij de rest,' zegt hij.

Dankwoord

Isaiah! Voor jou alles, kleintje. Stephanie Cabot (en alle anderen bij The Gernert Company), dank voor jullie begeleiding en steun vanaf het eind van mijn tienerjaren tot nu! Rebecca 'vroedvrouw van de ziel' Carter, ik heb zoveel van je geleerd! Poppy (+1) Hampson, Claire Morrison, Lisa Gooding en alle anderen bij Chatto, bedankt voor jullie geduld en enthousiasme. The Arts Council en in het bijzonder Charles Beckett, dankzij jullie kon ik hier een serieus begin mee maken. Mijn fantastische familie: mijn moeder, mijn vader en 'Graunty'; mijn drie overleden grootouders en Papa, die er nog steeds is; mijn fantastische broers, Marlon, Jermaine en Malcolm en hun gezinnen (ik hou van je, Tia!); en de rest van mijn enorme clan (inclusief superhippe Emma Robinson), bedankt voor jullie niet-aflatende liefde en fanatieke toejuichingen! Mary Valmont, Leon en Valerie, dank voor het onderdak en de wijsheid in Brooklyn. Vrienden en vriendinnen, muzen, mentors en vertrouwelingen – Clara Mintah, Kelly Foster, Rich Blk, Ms Mimi Fresh en Nayak, Priscilla Joseph (*Lucian girls rule*), shortMAN, Caroline Morgan en de kleintjes, John A, Karee en Kemi, Bris Carclay, McGavin James, Matthew 'Face' Lawrence en de heerlijke Mumma Sandra – bedankt voor jullie gastvrijheid en vriendelijkheid. Simone Stewart en Ms Loseca Austral, Street Journo (bedankt voor het lezen!), Courttia Newland, Kim Trusty, The Bard, Diran Adebayo, Karen McCarthy, Patrick Neate, Eric Jerome Dickey, Ty, Cody ChestnuTT, Soweto Kinch, Known, One Taste et al, Paul Stiell, het hele contingent van Londense kunstenaars, schrijvers en denkers, vooral de crew van Free-Write Wednesday, Uprock en Amplified, dankzij jullie had ik een plek om te gaan dansen, en alle andere fantastische mensen die me hebben bijgestaan met raad, eten en grappen of een luisterend oor tijdens dit langdurige proces, *you like, totally rock dudes*. En weet je wat? De rest ook. Alle zes miljard en nog wat. Vooral degenen die dit nu lezen. En Michael Bhim, mijn liefste, je bent precies op tijd. (Oeps! Was dat een cliché? Ha ha!)

Peace,
x Gem